Les THIBAULT 9

チボー家の人々

一九一四年夏 II

ロジェ・マルタン・デュ・ガール
山内義雄＝訳

白水 u ブックス

チボー家の人々9　一九一四年夏Ⅱ　目次

二十六　七月二十一日・火曜日――ジャック、ジュネーヴに帰る……7
二十七　七月二十二日・水曜日――ジャック、任務をもってアントワープに行く……33
二十八　七月二十三日・木曜日、二十四日・金曜日――ジャック、パリに帰り、しばらく滞在のこと……40
二十九　七月二十四日・金曜日――夫の棺前にあってのフォンタナン夫人の黙想……51
三十　七月二十四日・金曜日――天文台通りの家にひとり帰ったジェンニーの午後……65
三十一　七月二十四日・金曜日――ジャック、ダニエルをおとずれ、ともにそのアトリエにおもむく……72
三十二　七月二十四日・金曜日――夕刻、ジャック『ユマニテ』社

におもむく。悲観的形勢……93
三十三　七月二十五日・土曜日――病院におけるフォンタナン夫人とダニエルの最後の朝……101
三十四　七月二十五日・土曜日――ジャック、ジェローム・ドゥ・フォンタナンの埋葬式に列す……112
三十五　七月二十五日・土曜日――ジャック、兄の家に昼食におもむく。アントワーヌとその助手たち……119
三十六　七月二十五日・土曜日――ジャック、東部停車場にダニエルを見送る……138
三十七　七月二十五日・土曜日――ジャック、ジェンニーの跡をつける……147
三十八　七月二十五日・土曜日――サン・ヴァンサン・ドゥ・ポール公園でのジャックとジェンニーの一夜……156
三十九　七月二十六日・日曜日――朝のジャック――政治的情勢。オーストリア、セルビアの国交断絶……174
四十　七月二十六日・日曜日――アントワーヌの家での日曜の集まり。フィリップ博士、外交官リュメル……193

四十一　七月二十六日・日曜日――アントワーヌとふたりきりになって、リュメル心中の不安を打ち明けること……222
四十二　七月二十六日・日曜日――ジャック、ジェンニーの家への第一回の訪問……234
四十三　七月二十七日・月曜日――ジャック、ベルリンへの秘密任務の指令を受く……257
四十四　七月二十七日・月曜日――ジャック、ジェンニーの家への二回めの訪問……273
四十五　七月二十七日・月曜日――午後の政治情勢……280
四十六　七月二十七日・月曜日――ジャックとジェンニー、取引所付近で晩餐を共にす……290
四十七　七月二十七日・月曜日――ジャック、ブールヴァールでのデモに参加す……311
解説（店村新次）……325

二十六

ちょうどヴァンネードが出かけようとして、いつもの朝とおなじように、石油こんろの上でコーヒーをわかしていたときだった。ジャックは、わざわざ自分の部屋まで荷物をおきにいくかわりに、ヴァンネードのドアをたたいた。

「ジュネーヴに何か変わったことがあったかね？」彼は、旅行カバンをタイル張りのゆかにおろしながら、快活なちょうしでこう言った。

ヴァンネードは、部屋の奥から、目を細めて来訪者のほうをうかがったが、たちまち声でそれとわかった。

「ボーチーか！　もう帰ってきたんですかい？」

彼は子供のような小さい両手をさし出しながら、ジャックのほうへ歩みよった。

「顔色がいいですね」彼は、近く歩みより、ジャックをまじまじみつめながら言った。

「うん」と、ジャックもそれを認めた。「元気だ！」

まさにそれにちがいなかった。あらゆる予想に反して、ゆうべの汽車は、快適というより以上に、まったくほっとした気持ちにさせてくれた。コンパルチマン（車室。ただし、日本の客車とちがって、ひとつの客車がいくつのコンパルチマンにわけられ、おのおのおよそ五、六人詰めになっている）をたったひとりで占領できた彼は、ながながとからだをのばし、ほとんどすぐに眠りつけた。そして、やっと目をさましたのがキュロス駅。からだもすっかりやすまり、元気にあふれ、そのうえ、解放されたとでもいうように、とりわけ幸福な気持ちだった。戸口にもたれて、いま出たばかりの太陽が、谷々の底、夜の残していった綿雲を吹きはらっていくのを見ながら、ふかぶかと朝の空気を吸いこんでいた彼は、自分自身をかえりみて、けさ、こうまで心の中にみなぎりわたるこの喜びが、いったいどうしたものかと考えていた。《いよいよ》と、彼は思った。《ごたごたした思想や理論の中にもがいているのもこれでおしまいだ。いよいよ明確な目的があたえられた。すなわち、戦争反対のための直接行動だ！》そうだ、たしかに重大な時期だった。たしかに決定的な。だが、自分がパリからもたらしたいろいろな印象のバランス・シートをとってみるとき、すなわちフランス社会主義陣営の堅実さ、ジョーレスを中心に実現され、また彼の楽観的闘争精神を基礎としての指導者間の一致、組合の活動と党活動とのあいだにできかけているかに見える協調など、それらはすべて、インターナショナルの不屈な力にたいする彼の信頼をますます深めさせずにはいなかった。

「おかけなさい」と、ヴァンネードは、乱れた寝台の上にシーツを引きよせながらそう言った。（彼は、どうしてもジャックに向かってtu（きみ、おまえ。打ちとけた友人間の呼び方）で話しかけることができなかった。）「いっしょにコーヒーをやりましょう。……で、万事うまくいった？　聞かせてください！　あっちではみんな、なんて言ってます？」

「パリで？　それはまちまちさ……一般大衆の中では、誰ひとりとして知っていない。誰ひとり心配なんかしていない。驚くべきことだ。新聞という新聞が、カイヨー夫人裁判のことや、ポワンカレの訪露大成功のこと——それに夏休みのことしか書いていない！　もっとも、フランスの新聞には何か指令が出されたという話だ。つまり、外交官たちの努力をじゃましないため、バルカン問題に注意を向けさせてはいけない、というんだな……だが、党の中はわいている！　そして実際、みながみな、大活動をやってるらしい！　ゼネストの問題は、いまはっきり正面に押し出されている。これこそウィーン大会で、フランスの主張の眼目になるだろう。もちろん疑問の一点は、ドイツ社会民主党がどう出るかにある。原則としては、この問題をとりあげることに賛成してはいるんだが。だが……」

「オーストリア方面の情報は？」と、ヴァンネードは、本でいっぱいのナイト・テーブルの上に、コーヒーを入れたうがいコップをおきながらたずねた。

「うん。もしそれがまちがいないとしたら、かなり良好だ。ゆうべの『ユマニテ』社では、セルビアにたいするオーストリアの通牒には、挑戦的性質が見られないだろうという意見だった」

「ボーチー」と、ヴァンネードがとつぜん言った。「よかった、あなたに会えてよかった！」

彼は、相手の話の腰を折ったのを詫びるように微笑して見せた。そして、すぐに言葉をつづけて言った。

「ここへは、ビュールマンがやってきたんです。そして、ウィーンの総理府から出た話というのを聞かせてくれましたよ。それによると、話は逆で、オーストリアの腹はとても悪辣で……ひじょうに計画的だというんです……何から何までだめですな！」と、彼は沈鬱なちょうしで言葉を結んだ。

「ヴァンネード、それをひとつ説明してもらおう」と、ジャックが言った。

そのちょうしには、好奇心というより、上きげんと親しさがあふれていた。ヴァンネードにも、それが感じられたにちがいなかった。彼は微笑を浮かべながら、ベッドのうえ、ジャックのそばへきて腰をかけた。

「というのは、この冬、フランツ・ヨーゼフ（当時のオーストリア皇帝。八十四歳）によばれた医者たちは、呼吸器疾患という診断をくだしたんです……不治の疾患……しかも、とても重態で、皇帝は年末までもつまいということなんです」

「そうか……Requiescat！（彼は安らかにやすまん）」と、ジャックはつぶやいた。いま彼は、事をそう重大に考える気持ちになれずにいた。彼は、やけどをしないように、コップのまわりにハンケチを巻いた。そして、ヴァンネードのつくってくれたどろどろの飲み物を、ちびりちびり飲んでいた。そして、コップの上から、疑ってでもいるような、と同時に親愛のこもった眼差しを、髪をみだした、青白い友の顔にそそいでいた。

「待ってください」と、ヴァンネードが言葉をつづけた。「ところで問題はえらいことになったんです……診察の結果が、すぐ首相に報告されたらしいんです……そして、ベルヒトルトは、自分の別荘にいろんな政治家を招いて、秘密会議、一種のご前会議といったようなものをひらいたらしい」

「ほほう」と、ジャックは、おもしろそうにあいづちをうった。

「そして、そうした連中は――その中にはチッツァ、フォルガッハ、それに参謀総長のヘッツェンドルフもいたんです――こんな話し合いをしたらしい。つまり現在の情勢から考えて、皇帝が死んだら、オーストリアには恐ろしい国内的難局が展開されることになろう、って。たとい墺匈《おうきょう》提携がそのままであっても、オーストリアはこの先ずっと弱体になるにちがいない。オーストリアは、これからずっとセルビア制圧をあきらめなければならなくなろう。だから、帝国の将来のため、このさいぜひともセルビアを打倒しなければならない、って。それならそれでどうするか？」

「老いぼれの死ぬまえに、セルビア出征をいそいでやるか？」と、ジャックが言った。まえにくらべて、だいぶ話に興味を持ちだしていた。

「そうなんです……だが、ある連中は、もっとつっこんだことを言ってます……」

ジャックは、ヴァンネードの話すのをながめていた。そして、この盲目の天使といったような顔を前にして、そのいかにもよわよわしい外見と、いっぽうつやのないぶよぶよなからだの中にあるかたい核とでもいったような、ときどきそこにしめされる片いじな力との対照をあらためて感ぜずにはいられなかった。《ヴァンネードのやつ》と、彼は微笑しながら考えた。彼は、日曜ごとにレマン湖のほとりのほうぼうの宿屋でひらかれていたはげしい政治論争のさいちゅうに、《何から何まで汚れている！　何から何まで腐っている》とヴァンネードがさけんで、とつぜんテーブルを離れたかとみると、まるで子供のように、ひとり、ぶらんこに乗りにいったことなどを思いだした。

「……ある連中は、もっとつっこんだことを言ってるんです」と、ヴァンネードは、ひゅーひゅーいう声でつづけていた。「彼らは、あのサラエヴォの暗殺にしても、ベルヒトルトのおかかえの扇動班のやつらが、待ちに待ったきっかけをつくるためにやったのだ、と言っています！　そして、彼らによれば、ベルヒトルトは、これで一石二鳥の効果をおさめたというんです。まず第一には、心もとない、あまりに平和主義的な後継者をまんまと帝位からほうり出してしまえたこと、同時にそれは、皇帝の生きているうちに、セルビアへの宣戦を可能ならしめることになったんですって」

ジャックは笑っていた。

「剽盗奇譚《ひょうとうきたん》とでもいうようだな……」

「だってボーチー、あなたはそうは思わない？」

「そう」と、ジャックはまじめに答えた。「野心的な人間、政治生活によってゆがめられた人間は、いったん自分の掌中に絶対権力を握ったと思うと、たちまちどんなことでも、ぜったいにどんなことでもやり出しかねないものなんだ！　歴史というやつは、つまりこうしたことの長い記録にほかならないんだ……だがねヴァンネード、ぼくはこんなことも考えているんだ。つまりどんなに陰険な計画にしても諸国民の平和への意思の前にはたちまち粉砕されてしまうものだ、ってね！」

「あなたは、パイロットもそう考えていると思っている？」と、ヴァンネードが首をふりふり問いかけた。

ジャックは、ふに落ちないといったようすでヴァンネードをながめた。

「というのはですよ……」と、ヴァンネードがためらうように言った。「もちろんパイロットは、それはちがうとは言っていない……でも、あの人は、いつもそうした抵抗、そうした諸国民の意思っていうものを、心から信じきっていないようです……」

ジャックは、さっと顔を曇らした。彼は、メネストレルの態度が、自分のそれとどうちがっているかをよく知っていた。だが、彼にとっては、そう考えることがつらかったのだ。彼は、自分でもそれと気づかず、そうしたことを考えないようにつとめていた。

「ヴァンネード、いま言ったような意思、それはたしかに存在している！」と彼は力をこめて言った。「ぼくはパリから帰ってきた。そしてぼくは信じている。現在、それはフランスだけのことではない。そうだ、ヨーロッパのいたるところで、いざとなれば動員されようという人々のあいだで、戦争の観念を受け入れようとしている人間のごときは、わずか一割、いや、ほんの五分さえもいないんだ！」

「でも、残る九十五人は、受動的な人間、あきらめている人間ですよ！」

「それはぼくも知ってるさ。だが、そうした九十五人の中で、一ダース、せめてその半分でも、戦争の危険を知り、立ちあがろうとする人たちがいると想像してみたまえ。諸国政府は、そうした筋金入りの一団を向こうにまわさなければならなくなるんだ！　こうした百人中の一ダースの人間、それらの人々にはたらきかけ、それを抵抗のために団結させなければならないんだ。これを実現するには、なんの困難もともなわない。そして現在、いたるところで、ヨーロッパの革命家たちはそれをめざして動いてるんだ！」

ジャックは立ちあがっていた。

「何時だろう？」彼は、手くびに一瞥を投げながらそうつぶやいた。「これからメネストレルに会いにいかなければ」

「けさはだめです」と、ヴァンネードが言った。「パイロットはリチャードレーといっしょに、自動車でローザンヌに行ったんですから」

「ちぇっ……たしかかね？」

「そこでの九時の会議に出ることになっていたんで。正午すぎでなければ帰りませんよ」

ジャックは、当惑したようなようすだった。

「よし。正午まで待とう……きみは、けさなにか用がある？」

「図書館へ行こうと思ってたんです。でも……」

「ぼくといっしょにサフリヨのとこへ行こう。そして道みち話すとしよう。彼にわたさなければならない手紙があるんだ。ぼくはパリでネグレットに会った……」彼は、旅行カバンをとりあげて、すでにドアのほうへ歩きかけていた。「ちょっと十分間。下の床屋でひげをそらせているから……出がけにさそってくれないか」


カテドラル界隈のペリスリー町に、サフリヨは、ひとりで二階建ての小さな家で暮らしていた。そして、その家の階下の部分を店にしていた。

サフリヨの前身についてはあまりよく知られていなかった。だが、その上きげん、定評のある親切さのためにみんなからも愛されていた。スイスに来るずっとまえからイタリアの党員になっていたが、七年このかた、このジュネーヴで薬屋の店を開いていた。イタリアを離れることになったのは、夫婦生活の不幸が原因で、彼自身も、はっきりとではなかったが、たびたびそれをにおわすようなことを言っていた。そして、人の話では、そうした不幸が原因になって、人を殺しかけたともいわれていた。

ジャックとヴァンネードがはいっていったとき、店には誰もいなかった。入口のベルを聞きつけて、サフリヨが奥の間から顔を出した。その黒い美しい目が、あたたかい火の色をみせて光っていた。

「Buon giorno!（イタリア語。《こんにちは》）」

彼は、首をふり、つりあいのとれない両肩をまるめ、愛想のいいイタリアの宿屋の亭主とでもいったように、両腕をひろげて微笑してみせた。

「ふたり、国の者が来てるんだ」と、彼はジャックの耳もとにささやいた。「さ、はいってくれ」

彼はいつも、スイス政府から追放令をうけたイタリア人の国外追放者たちに、喜んでその隠れ家を提供していた。（ジュネーヴの官憲は、平素はいたって寛容なのだが、年に何度か、思いがけないときに、その気まぐれな浄化の熱意というやつをしめし、外国の革命家たちのうち、官憲の目にあまる者を領土外に放逐していた。清掃作業は一週間ときまっていた。そのあいだ、違法者たちは、自分のいた下宿をはなれ、どこか仲間の家に身をかくして暮らすことにしていた。しばらくすると、従前のとおりの平穏にかえった。サフリヨは、そうした場合、仲間の引きうけを専門にしていた。）

ジャックとヴァンネードとは、彼のあとからついていった。

店の奥には、かつて酒倉になっていた部屋があった。店とのあいだには、狭い調理場があった。牢獄そっくりの部屋だった。天井は、弓なりになっていた。がらんとした中庭へ向かって、格子のはまった換気窓が、上のほうから乏しい光をそそいでいた。だが、部屋のあり場所からいって、それは人目につかない、もってこいの隠れ家だった。そして、そこにはそうとうな人数がはいれるので、メネストレルも、ときどき、内輪の小さな集まりに利用していた。片側の壁一面には木の棚ができていて、古い製剤用のいろいろな道具、小さなびんとか、広口のあきびんだとか、つかえなくなった乳鉢などが積まれていた。いちばん上の棚のうえには、木版刷りのカール・マルクスの像が見おろしていた。ひたいのガラスにはひびがはいり、そしてほこりで曇っていた。

なるほどそこにはふたりのイタリア人がいた。そのうちのひとりは、とても若い男で、宿なしといったようにぼろを身につけ、トマトをあしらった冷たいマカロニのひと皿を前に、ひとりテーブルに向かっていた。彼は、それをナイフの先で突きさしては、パンの上にのばしていた。そして、ふたりの来訪者のほうを、傷ついた動物とでもいったようなやさしい目つきでながめてから、ふたたび食事をつづけていた。

もうひとりのほうは、もっと年上の、服装もずっといい男。原稿を手にして立っていた。彼は、来訪者を迎えようと歩みよってきた。レモ・チュッティだった。ジャックがかつてベルリンで会ったことのある男、イタリア新聞の通信員をしている男だった。小柄で、いささか女性的なところがあったが、目は生きいきとして、いかにも聡明な眼差しだった。

サフリヨは、チュッティをさしながらこう言った。

「レモは、きのうリヴォルノから来たんだ」

「ぼくはパリから来た」と、ジャックは、紙入れから一枚の封筒を出しながらサフリヨに言った。

「そして、ぼくはある人に会ったんだ——それが誰だかあててみないか！——そして、ぼくはその人から、この手紙をきみにといってあずかってきた」

「ネグレットだ！」サフリヨは、うれしそうに封筒をつかんで、さけんだ。

ジャックは椅子に腰をおろした。そして、チュッティのほうへ向き直った。

「ネグレットから聞いたんだが、イタリアでは、二週間まえから、大演習というふれこみで、八万の予備兵を召集して、それに武装させたということだ。事実かしら？」

「どっちにころんでも五万五千、ないし六万といったところだ……Si（イタリア語。《そうだ》）……だが、おそらくネグレットも知っていないのは、軍隊の内部にえらい混乱のあることだ。とりわけ北部の軍隊に。軍律違反がじつにおびただしい！　命令権もめちゃくちゃで、懲罰なんかほとんど問題になっていない」

沈黙の中から、歌でもうたうようなヴァンネードの声が聞かれた。

「それだ！　拒否でいくんだ！　そうすれば、もう地上には人殺しの余地がなくなる……」

みんなは一様に微笑した。ヴァンネードだけは笑わなかった。彼は、顔を赤らめ、小さな両手を組み合わせて、そのまま口をつぐんでしまった。

「では」と、ジャックが言った。「イタリアでは、いざ動員となったにしても、なかなかうまくはいきそうもないかな？」

「安心してくれてだいじょうぶだ！」と、力強くチュッティが言った。

サフリヨは、読んでいた手紙から顔をあげた。

「おれたちの国では、ミリタリズムでいこうとでもしたが最後、国民こぞって、社会主義者といなとを問わず、全部反対にきまってるんだ！」

「きみたちにくらべて、ぼくらの国は、経験という点で進んでいる」と、チュッティが、きわめて正確なフランス語で説明した。「ぼくらにとって、トリポリ遠征は、ついきのうのことだった。民衆は、何から何まで知っている。軍人に権力をまかせることが、どんなえらい結果になるかを知っている！……それは単に、戦争に出る者がどんなにつらいかだけのことではない。たちまち国を窒息させてしまうあの乱脈さがおそろしいんだ。虚偽の報道、国家主義的なプロパガンダ、自由の抑圧、生活費の高騰、利権亡者の貪欲……イタリアはこうした道を通ってきたんだ。それをすっかり忘れずにいるんだ。イタリアでは、いざ動員になるようだったら、党はわけなく、新しい《赤色週間》を組織できるにちがいないんだ！」

サフリヨは、手紙をていねいにたたんでいた。彼はそれをシャツと胸とのあいだにすべりこませた。そして片目をつぶってみせながら、ジャックのほうへ、その日やけした美しい顔をかしげてみせた。

「Grazie!(イタリア語。《ありがとう》)」

部屋の奥にいた若い男が立ちあがった。彼はテーブルの上の、水を冷やしておくためにある、たけの高い素焼きのびんをとりあげると、それを両手に持ちながら、水をごくごく飲んでいた。

「Basta(イタリア語。《もういいかげんにしろよ》)」と、笑いながらサフリヨが言った。彼は青年のそばへ歩みよると、親しみぶかくその首すじをつまみあげた。「さ、上へ行くんだ。そして、ぐっすり寝るがいい」

青年は、サフリヨのあとから、おとなしく調理場のほうへ出ていった。そして、通りすがりに、みんなにやさしく頭をさげた。

出て行きしなに、サフリヨはジャックのほうをふりかえった。

「『アヴァンティ』(イタリアの新聞)に出たムッソリーニの警告、あれはたしかに大きな衝動をあたえたらしいぜ！　王も政府も、好戦主義の政策には、ぜったい民衆がついてこないことがわかったんだ！」

みんなの耳には、ふたりが二階へ通ずる小さな階段をあがっていくのが聞こえてきた。

ジャックは、考えこんでいた。彼は、髪をかきあげると、チュッティのほうを見た。

「それなんだ、わからせなければならないのは。――といっても、それは指導者階級へのことではない。やつらは、われわれよりずっとたくさん知ってるんだ――知らせなければならないのは、ドイツ、オーストリアの国家主義的な連中にたいしてだ。彼らは、いまでも三国同盟をあてにしていて、彼らの政府を一か八かのところに追いこもうとしている……ところできみは、あいかわらずベルリンで仕事か？」

「いや」と、チュッティはかんたんに答えた。声のちょうし、その眼差しの中をちらりと横ぎった妙な微笑、それは明らかに《聞くだけむださ……仕事は秘密というわけだから》という意味を語っていた。

サフリヨがもどってきた。彼は、首をふりふり、笑いながら、

「若いやつらときた日には、……」と、ヴァンネードに言った。「じつにおめでたくできてやがる！　またひとり、スパイのやつにつかまったやつがあるんだ……ところが運よく、そいつ、とても足が早くってな……それに、サフリヨおじさんの気転というやつがものを言ってね！」

彼は、快活に、ジャックのほうをふり向いた。

「で、チボー。きみはパリで、信頼していいというしっかりした印象をつかんできたのか？」

ジャックは微笑した。そして、

「しっかりどころか！」と、燃えるような語調で言った。

ヴァンネードは椅子をとりかえ、光線をうしろから受けるようにして、ジャックのとなりに座をしめた。光線をまともから受けているのが、夜の鳥とでもいったようにつらいのだった。

「ぼくの会ったのは、フランス人だけではなかった」と、ジャックは言葉をつづけた。「ぼくは、ベルギー人にも、ドイツ人にも、ロシア人にも会った……革命家の仲間は、いたるところで警戒している。危険の重大さを見てとってるんだ。いたるところで、みんな集まっては、全体的な行動方針をさがしている。抵抗のための組織もでき、それが具体的なものになりつつある。一週間もたたないで

——一致協力、運動の展開、じつに心づよいかぎりなんだ！ もしインターナショナルが、それをやろうと決心しさえすれば、どんなに強い力を持ったものでもゆり動かせることがわかったんだ。しかも、今日、部分的に、べつべつに、あらゆる国々の首都でなされているようなことは、これからやることにくらべたら、物のかずにもはいらないんだ！ 来週、インターナショナルの総会が、ブリュッセルで召集される……」

「そうだ、そうだ……」と、チュッティとサフリヨが同時に言った。燃えるようなふたりの目は、興奮しているジャックの顔を、じっとみつめて放さなかった。

ヴァンネードもまた、目をしばだたきながら、となりのジャックを見ようと思って、その上体をかしげていた。彼は腕をジャックの椅子のもたれにかけ、手をジャックの肩においていた。それはいかにも軽くおかれていたので、ジャックにとってべつに重くも思われなかった。

「ジョーレスとその一党は」と、ジャックが言った。「その総会に重大な関心をよせている。おのおのちがった二十二カ国の代表者！ しかも、その代表者たちは、単に登録された二千万労働者を代表しているばかりじゃない。実際において、それ以外何千万の労働者、あらゆるシンパ、あらゆる逡巡派、さらにはわれらの反対者の中においてさえ、戦争の危険を目前にして、インターナショナルこそ大衆の平和への意思を体現し、いやおうなしにそれを進展させるものだと考えている、すべての人たちを代表している……いよいよブリュッセルで、歴史的な一週間が持たれようとしている。歴史上はじめて、民衆の声、現実の多数者の声が聞かれようとしている。それは、いやおうなしに、従わせずにはいない声だ！」

サフリヨは、椅子にかけたままいきりたっていた。

「すばらしいぞ！　すばらしいぞ！」

「しかも、もっとさきまで考えなければいけないんだ」ジャックは、信念を口に出すことによって、それをたしかめる快感に身をまかせていた。「われわれが勝利をおさめるとき、それは単に、戦争反対の大きな戦いの勝利だけにはとどまらない。それ以上だ。その勝利は、ひいてはインターナショナルに……」こう言いかけたとき、ジャックは、ヴァンネードが自分の肩にもたれているのに気がついた。ヴァンネードの小さい手が、急にふるえだしていたから。彼は、ヴァンネードのほうをふり向いて、ひざをたたいた。「そうだ、ヴァンネード！　おそらく、そこでは、なんの苦もなく、そして、なんら無益な暴力を用いることもなく、全世界の社会主義の勝利が確立されようとしている！　ところで」と、彼は腰にぐっと力を入れて立ちあがった。「パイロットが帰ってきたかどうか、いってみようや！」


メネストレルが帰っているにしては、少し時間が早すぎた。

「ちょっとトレイユ亭へいってみよう……」ジャックは、ヴァンネードの腕の下に自分の腕をすべりこませながら、彼を誘った。

だが、ヴァンネードはかぶりをふった。もう歩きすぎるほど歩いたからというのだった。

彼は、いつもジャックといっしょにいたいと思って、ジュネーヴに落ちついて以来、タイプライターの仕事のほうもすっかりやめていた。そして、もっぱら歴史上の調べ物に没頭していた。収入はずっと少なかった。だが、自分だけの世界でいられた。二カ月このかた、彼はライプチッヒの出版社の計画している『プロテスタンティスム文献』の資料収集のため、すっかり視力をそこなっていた。

ジャックは、彼を図書館まで送っていった。そして、ひとりになった彼は、おりからカフェー・ランドール（それはグリュトリー亭同様、若い社会主義者たちが好んで出かけるカフェーだった）の前を通りかかったので、そのまま中へはいっていった。

彼は、そこに思いがけなくパタースンがいたのにびっくりした。テニス・ズボンをはいたパタースンは、カフェーの主人が会場を提供してくれた個展のため、額をかけているところだった。

パタースンは、とても元気らしかった。彼は最近、すばらしい仕事をことわった。彼の静物にすっかり感心したサクストン・W・クレーグという、妻を失ったアメリカ人が、五十ドル出すからといって、葉書大の色のさめた写真を材料に、プレ山（大西洋中仏領マルチニック島にある活火山）で遭難した妻の全身像を描いてくれと申しこんできたのだ。愁傷の夫は、ただ一点だけ注文をつけてきた。それは、妻の服装を、パリ最新の流行どおりに変えてほしいということだった。パタースンは、ユーモアたっぷりに、おもしろおかしくそのことを話した。

《パタースンひとりだ、われわれの中で、ほんとの、きわめて自然な、心の中からの快活さを持っているのは》と、ジャックは、からから笑っているパタースンを見ながら思った。

ジャックから、メネストレルのところへ行くのだということを聞かされたパタースンは、「ではそこまでいっしょに行こう」と言った。「このあいだ、イギリスからとてもへんな手紙を受けとったんだ。ロンドンでは、ハーデーンが、極秘で、そうとうな遠征部隊を組織しているという取りざただ。即応の態勢をととのえておこうというんだろう……そして、海軍のほうもずっと動員を解かれていない……海軍について、きみは新聞で読んだかしら？　スピッドヘッドの観艦式のことを？　ヨーロッパじゅうの各国大使館付陸海軍武官が、まる六時間というもの、イギリス国旗をはためかした軍艦の通るのを見せられるため、ものものしく招待されたというわけだった。一隻、また一隻、ゆるされるかぎりの短い間隔でくっついて。春に見られる、それ、あの毛虫の行列さ……まさに目のさめるような壮観さ。……Boast！ Boast！(英語。《虚勢だ、虚勢だ》)」パタースンは、肩をふりふりそう言った。

だが、そうした毒舌のかげには、いっぽう得意らしさがうかがわれた。ジャックはそれを、われ知らずおもしろいと思った。そして《イギリス人ていうやつは、たとい社会主義者であったにしても、はなばなしい観艦式を見たりすると、無神経ではいられなくなるんだ》と思った。

「ところできみの肖像は？」と、別れぎわにパタースンがたずねた。「あの肖像にはくさっちゃうぜ！　午前ちゅう、あと二日あればいいんだが。それだけだ。まちがいなし！　午前ちゅうあと二回……で、いつにする？」

ジャックは、パタースンの強情であることを知っていた。早くかたづけてしまうためには、いいなりしだいになるよりほかにみちがなかった。

「なんならあした。あしたの十一時?」
「All right! きさまもほんとにいいやつだな!」

アルフレダがひとりでいた。大きな花模様のついたキモノ、ひたいにたらした漆黒の髪とまつげと、彼女は、それを自分でわざとしたらしく、極東製の人形そっくりだった。まわりには、よろい戸のすきからさしこむ日の光の中に、たくさんな蠅が舞っていた。台所では、カリフラワーが音をたててゆだっていて、それが、部屋じゅうをたまらないにおいで満たしていた。

彼女は、ジャックの来たのをとても喜んででもいるようだった。

「ええ、パイロットは帰ってきたわ。でも、モニエさんを使いによこして、また新しい問題がおこって、リチャードドレーさんと《本部》にとじこもっているって言ってよこしたの。あたし、あとからタイプライターを持って行くことになってるのよ……あたしと昼食を召しあがらない?」と、彼女は、急に真顔になってジャックにすすめた。「そして、あとからいっしょに行こうじゃないの……」

彼女は、その美しい、若々しい目つきでジャックをみつめていた。ジャックは、きわめて漠然とではあったが、彼女が食事にさそう気になったのは、必ずしも純粋な親切だけでないように感じた。何か聞きたいことでもあるのだろうか? 打ちあけ話でもしようというのか?……彼は、べつに、若い女とさし向かいになりたいとも思わなかった。それに、自分としては早くメネストレルに会いたかった。

ジャックは、それをことわった。

パイロットは、《談話室》の小さな事務所で、リチャードドレーと仕事をしていた。ふたりきりだった。メネストレルは、テーブルに向かっているリチャードドレーの背後に立っていた。そしてふたりは、前にひろげた書類の上にかがみこんでいた。

ジャックの姿を見ると、メネストレルの目の奥には、ちらりとうれしそうなおどろきの色が見えた。つづいて、その鋭い眼差しは、じっと一点をみつめていた。何か心に思い浮かんだことがあるらしかった。彼は、問いかけるようなようすでリチャードドレーのほうへ身をかがめ、あごでしゃくってジャックの来たことをしらせてやった。

「ちょうどいいところへ帰ってきた。いっしょによかろう?」

「もちろん」と、リチャードドレーも同意した。

「かけないか」と、メネストレルが言った。

「すぐすむから」そして、リチャードドレーに向かって、「書いてもらおう……これはスイスの党のものなんだ」

かわいた、つやのない声で彼ははじめた。

「問題提出の方法にあやまりがある。問題はそこにはない。マルクス=エンゲルスだったら、その時代からいって、これこれの国家を認めるということも考えられる。だが、われらにとってはそうではない。ヨーロッパのさまざまな国家のあいだに、われら今日の社会主義者は、なんら区別を認めていない。いまやおころうとしている戦争は、帝国主義的の戦争である。それは金融資本の利益のみを目的としている。その点、すべての国家は、おなじ旗のもとに立っている。プロレタリアの唯一の対象は、そこになんらの区別をつけずに、あらゆる帝国主義的政府を打倒するというにある。自分の意見は、絶対中立にある……——この字にアンダーライン……こんどの戦争で、資本主義国家のふたつの陣営はたがいにかみあうことになる。われらの戦術は、彼らをしてかみ合わさせることにある。かみ合いを助長してやることにある……——いや、その最後の言葉を消してもらおう……——……事を利用するにある。活動性は左翼のものであり、革命的少数者は、この危機に処して、その活動性を増大し、時来たらば、革命を爆発させるための間隙をつくるようにしなければならないのだ」

彼は口をつぐんだ。しばらく時がたっていた。

「フレダはなぜこないのかな?」と、早口に言った。

彼は、テーブルの上のブロック・ノートを手にした。そして、紙片の上に短いメモを走り書きすると、それをリチャードドレーの手にわたした。

「それは本部のため……これはベルヌとバーゼルのため……これはチューリッヒのため……」

やがて彼は立ちあがって、ジャックのそばへ歩みよった。

「帰ってきたのか?」

「《日曜か月曜までに、何も言ってやらなかったら》って、あなたが言ってたものですから……」

「そうだった。にらんでおいた手がかりからは、何も獲物は出てこなかった。だが、きみには、パリにいてもらうため、手紙を出そうとしていたところだ」

パリ……何かしら思いがけない胸さわぎ、自分にも、すぐにはなんとも解釈できない胸さわぎが、ジャックの心にわきあがった。彼は、抵抗をあきらめるといったような、責任の重みを他人にかずけるといったような、ちょっと気の抜けたようななげやりな気持ちでこう思った。《自分で望んだわけではないのだ》

メネストレルは言葉をつづけた。

「いま、誰か向こうへ行っててくれるとつごうがいいと思うんだ。きみからの情報は、けっしてむだになりはしない。ぼくがよく知っていない社会について、そこの気温をつたえてくれるわけだから。C・G・Tより、むしろ『ユマニテ』の動きに注意すること。C・G・Tについては、ほかから情報もはいることだし……たとえば、ジョーレスとドイツ社会民主党、そしてイギリス方面との関係、といったようなもの。それに、フランスとロシアの関係について、かの外務省方面における活動……もっとも、みんなきみに話しておいたことなんだが……けさ着いたんだね？　疲れてはいないかね？」

「ちっとも」

「も一度行ってもらえるかしら？」

「すぐにでしょうか？」

「今夜」

「行けとおっしゃるなら！　パリへですか？」

メネストレルは微笑した。

「ではないんだ。ちょっとまわり道をしてもらいたい。ブリュッセル、それにアントワープ……委細はリチャードレーから話してもらおう……」そして、低い声でつけ加えた。「アルフレダのやつ、食事をすましてすぐ来ることになっているんだが！」

リチャードレーは、調べていた列車時刻表をとじるととがった顔をジャックのほうへあげた。

「今夜十九時十五分に出る汽車が一本ある。それだとバーゼルには午前二時前後、ブリュッセルにはあしたの正午に着く。そこからアントワープへ行く。あす、水曜日、午後三時までに着いてくれないと困るんだ……道中そうとうの注意が必要だ。というのは、だいぶ警戒されているクニャブロウスキーに会うというのが目的なんだ……あの男、知ってるね？」

「クニャブロウスキー？　ええ、よく」

はじめてクニャブロウスキーに会うまえに、ジャックは、いたるところの社会主義仲間から彼のうわさを聞いていた。ちょうどそのころ、ヴラジミル・クニャブロウスキーは、刑期を終わってロシアの刑務所から出てきたばかりのところだった。自由なからだになるが早いか、彼はふたたびアジテーターとしての任務についていた。ジャックは、この冬、ジュネーヴで彼に会った。そして、ゼラウスキーにてつだってもらって、クニャブロウスキーが獄内で書いた著書の断片を、スイス新聞のために翻訳してさえやったのだった。

「気をつけてな」と、リチャードドレーが言った。「すっかりひげを落としている。とても変わって見えるらしい」

立ったまま、身をそらし、例の微笑を薄い唇に浮かべながら、リチャードドレーは、聡明な、自信のありすぎるような眼差しでジャックをながめていた。

メネストレルは、両手を背にまわし、心配そうな面持ちで、不自由な足の血の循環をよくするために、狭い部屋の中を行ったり来たり歩きまわっていた。と、とつぜん、彼はジャックのほうをふり向いた。

「パリでは、オーストリアの緩和的態度に、とても信をおいているということだが？」

「そうなんです。でもきのう『ユマニテ』社では、オーストリアの通牒は、おそらく猶予をあたえないだろうと言っていました……」

メネストレルは、ひと足窓に歩みよって、中庭のほうをながめていた。それからジャックのところへもどってきて、

「問題だ！……」

「え？……」と、ジャックはつぶやいた。全身には軽い戦慄がはしり、かすかな汗がひたいに浮かんだ。

リチャードドレーは、冷静なようすでこう言った。

「オスメールの見方が正しいと思うな。事態はまさに急転直下だ」

短い沈黙。パイロットは、ふたたび部屋を歩きはじめた。あきらかに、いらいらしているようすだった。《オーストリアのことなのかな?》と、ジャックは思った。《それともアルフレダがこないからか?》

「ヴァイヤンとジョーレスの言ってるのは正しいです」と、ジャックは言った。「各国政府が、戦争政策を大衆に認めさせることをあきらめるようにさせなければ。各国政府が、いやでも仲裁を受け入れなければならないようにさせなければ! ゼネストでおどして! この動議は、一週間まえ、フランスでの大会で、絶対多数で可決されました。もっとも、原則としては、みんな賛成しているのですが。ただパリでは、ドイツ側を納得させて、われわれ同様はっきりした態度を表明させようとしているんです」

リチャードドレーは首をふった。

「徒労だな……あいかわらず拒絶だろうさ。彼らの論法——それはプレハーノフの古い論法、リープクネヒトの論法なんだが——とても頑強なものなのさ。社会的進歩の程度の一致していないふたつの国のあいだでは、ストライキは、社会的進歩の進んだほうの国を、おくれたほうの国民に引きまわさせる結果になる。火を見るよりも明らかだ」

「でも、ドイツのやつらは、ロシアこわさで、すっかりねむらされてしまっている……」

「それはわかるさ! ああ、ロシアが社会的にじゅうぶん進歩していて、両国同時にストライキがやれさえしたら!……」

ジャックは負けていなかった。

「だが、ロシアでストライキが不可能だということ、それはもう、さほど確実ではなくなっているんだ。少なくも部分的なストライキ、たとえばあのプチロフ（プチロフ工場）のストライキといったようなもの、それがほかのいくつもの地区に拡大されれば、やはり戦争の決意を大きくおさえることになる……だが、ロシアの話はいまはよそう。社会民主党の国家主義的嫌悪感にたいして、それに対抗させようと思えば、ひとつ確実な論法がある。それは、彼らに向かってこう言ってやるんだ。《動員と同時に、機械的にゼネスト命令を出すこと、それはなるほど、ドイツにとっては危険かもしれない。それは認める。だが、予防的意味におけるストライキは？　いよいよ緊張といったときに、いよいよ外交的危機といったときに、すなわち動員がくだるに先立って、社会主義の名によって行なうストライキは？　それが国民生活に引きおこす脅威、それは、その脅威にして真剣なものでありさえしたら、政府は、いやでも仲裁に出なければなるまい……》こうした理屈は、ドイツ側の反対もきっとかぶとをぬぐだろう。そして、ぼくは、これこそブリュッセルの本部会議で、フランス社会党が採択する宣言だろうと思うんだが」

テーブルの前に立ち、書類の上にうつむきこんでいたメネストレルは、こうした論争にはなんの興味もひかれないといったようすだった。彼は、身を起こすと、ジャックとリチャードレーのあいだに来て立った。その顔にはいじわるそうな微笑が浮かんでいた。

「ところで諸君、引きあげてもらうかな。仕事があるんだ。あとでいろいろ話すとしよう……ふたり、四時になったら来てもらおう」彼はあけ放った窓のほうへ、不安らしい眼差しを投げた。そこには《いったいフレダはどうして……》といった意味が読まれていた。それからリチャードレーのほうを向くと、「第一に、クニャブロウスキーに会ってもらうため、ジャックにじゅうぶんな指示をあたえること。第二に、ジャックと金の問題を相談すること。たぶん二、三週間いってもらうことになるだろうから……」と言った。

そう言いながら、彼はふたりをドアのほうへ押していった。そして、ふたりが出てしまうとドアをしめた。

二十七

このよく晴れた午後の焼けつくような太陽のもとに、アントワープの町は、まるでスペインの町といったように、ばりばり音をたてていた。

車道に足をふみ入れようとしたジャックは、燃えるような往来でまぶたをしばだたかせながら、駅の大時計のほうを見やった。三時十分。アムステルダムからの列車は、三時二十三分でなければ到着しない。できるだけ、駅の中に姿をさらさないようにしなければ。

往来を横切りながら、彼は向こうの、ビヤホールのテラスに陣取っている人々のほうをすばやく見わたした。彼は、安心できたものらしく、ちょっと離れたところにあいているテーブルを見つけて、ビールを命じた。時間にもかかわらず、広場にはほとんど人影といっても見えなかった。往来の人たちは、陰になったほうの人道をはなれまいとして、誰も彼もが、まるでありのように、おなじようなまわり道をしながら歩いていた。市のあらゆる方面からやってくる電車は、車体の下に黒い影を引きずりながら、四つ辻のところでいきあっていた。そして、燃えるような車輪は、レールの曲がりかどのところへ来て、はげしいきしみをたてていた。

三時二十分、ジャックは立ちあがった。そして横手の入口から駅にはいろうと思って、左のほうへ歩いていった。駅のホールには、たいして人がいなかった。だらしのない服装をして、ケピ（フランス陸軍軍人のかぶるような軍帽）をかぶったベルギー人の老駅員が、ほこりだらけなゆかの上に、じょうろで8の字をかいていた。

上のほうでは、ちょうど列車が、プラットフォームにはいってこようとするところだった。

ジャックは、新聞を読みつづけながら、旅客の出てくる大階段の下のところに行って立った。そして、誰をじっと見るというでもなく、自分の前を通りすぎてゆく人々をただぼんやりながめていた。年のころ五十歳前後と思われる鳥打帽の男が前を通った。ねずみ色の服を着て、小わきに新聞紙の包みをかかえていた。人波はどんどん流れていた。やがて、おくれた何人かの人たちが、あとに残っているだけだった。階段をおりるのに手間どった老婆が五、六人……

ジャックは、待っていた人が着かなかったとでもいったように、くるりと向きをかえた。そして、だらけたような足どりで駅を出た。もしこれが、勘のいい、そしてあらかじめ旨を含められていた警官だったら、彼が人道をはなれようとして、ちょっと肩越しに一瞥を投げたのに、はっと気がつくはずだった。

彼は、ケーゼール通りをフランス通りまで行き、さて、どちらへ行ったものかとちょっと考えている漫遊客とでもいったようにためらったのち、右へ曲がってテアトル・リリック(劇場の名)の前を通り、その前でちょっと広告をながめてから、裁判所の前にある小さな辻公園の中へ、落ちついた足どりではいっていった。そして、あいているベンチを見つけ、そこにどっかと腰をおろして、ひたいの汗をふいた。

小道の中では、暑さなどにはむとんじゃくな子供たちの一群が、まり投げをやっていた。ジャックは、ポケットから折りたたんだ新聞を出して、それをベンチの上、自分のそばにおいた。それからタバコに火をつけた。そして、足もとにボールがころがってきたのを見ると、笑いながらそれを隠してみせた。子供たちは、わいわい言いながら彼を取りまいた。彼は子供たちにボールを投げ返してやってから、こんどは自分もいっしょにボール遊びの仲間にはいった。

それから何分かの後、ベンチのはしに、ひとりの散歩者が来て腰をおろした。手には乱雑にたたまれた何枚かの新聞を持っていた。たしかに外国人にちがいなかった。おそらくはロシア人。鳥打帽を深くかぶっているので、ひたいは隠れていた。日の光は、頬骨の平らになったところに明るいふたつの斑点をつくっていた。そのひげのない顔はまさに老人といった顔だった。くぼんだ、すさんだ、精力的な顔。焼けあがったパンとでもいった色の、日やけした男の顔は、その目とふしぎな調和を見せていた。目は、陰になっているのではっきりした色はわからなかったが、ふしぎなほど輝きのある、明るい、青か、ねずみといった色をしていた。

男は、ポケットから小さな葉巻をとり出した。そしてジャックのほうを向いて、ていねいに帽子のひさしに手をあてた。ジャックのタバコで葉巻に火をつけるためには、身をかがめて、新聞を持っているほうの手をベンチの上につかなければならなかった。ふたりの目と目がかわされた。男は身を起こして、ふたたび新聞をひざの上にのせた。彼は、とても手ぎわよく、隣にいたジャックの新聞を取り、自分の新聞をベンチの上、ジャックのそばにおいた。そして、ジャックは、なにげないようすで、すぐその上に手をのせた。

遠方を見ながら、唇を動かすことなく、ほとんど聞きとれるか聞きとれない声――つやのない、腹から出る声、牢にはいってみてはじめてその秘密がわかるといったような声――で、男はつぶやくようにこう言った。

「手紙は新聞の中にはさんである……それに『プラウダ』（ロシア共産党の機関紙）の最近の何日分かも……」

ジャックは、いささかも身を動かさなかった。彼はいかにも自然なようすで子供たちと遊びつづけていた。遠くへボールを投げてやると、子供たちは飛んでいった。いかにもたのしそうな乱戦であり、格闘だった。勝ったものは、意気揚々とボールを持って帰ってきた。そしてまた、おなじ遊びがくり返された。

男は笑っていた。そして自分も、この遊びをおもしろがっているようだった。やがて子供たちは、こんどは男にボールを渡しだした。それは、彼の投げるほうが、ジャックよりボールが遠くへいくからだった。そして、ふたりきりになったクニャブロウスキーは、その機を逸せず話をした。あまり口をあけないようにして。断ち切られたような短い言葉、きびしい、ずっしりした言葉つきで。

「ペテルスブルグで……月曜、十四万の罷業者……十四万……いくつかの方面では、戒厳状態……電話線切断、電車不通……近衛騎兵の出動、機関銃を持った四個連隊が呼びよせられたコザック連隊、それに……」

子供たちが竜巻のようにもどってきて、ベンチをとりまいた。男は、最後のほうの言葉をせきにまぎらした。

「だが、警官も、将軍たちも、なんら手がくだせなかった……」と、男は、しばふのまんなかあたりまでボールを投げてやってから言葉をつづけた。「暴動に次ぐ暴動。政府はポワンカレ歓迎のためにフランス国旗を分配した。ところが、女たちはそれで赤旗をつくった。騎馬による突進、一斉射撃……おれはヴィボルグ町でその戦いを見た……ものすごかった……もうひとつは、ワルシャワ駅付近……もうひとつは、スタガーラ・デレーウニャの近郊……さらにひとつは、深夜……」

男は、また子供たちがもどってきたので口をつぐんだ。そして、かわいくてたまらないといったように、いきなりいちばん年のいかない子供——四つ五つになると思われる顔色のわるいブロンドの子供――をつかまえたと思うと、笑いながらその子をひざにのせてゆすってやった。そして、口の上に大きなキスをしてやってから、あっけにとられたその子をおろし、ボールを手にとって遠くのほうへ投げてやった。

「罷業者たちは武器を持っていない……敷石や、びんや、石油かんだ……突撃をふせぐために、家家に火を放った……セムソンニェーウスキー橋の燃えるのも見た……夜どおし、いたるところが燃えていた……死者何百人……拘引されたもの何百人……誰でも彼でも誰何《すいか》された……おれたちの新聞は日曜以後発行停止……編集者は投獄……これは革命だ……それでよかった。革命でなかったら、戦争になっていたところだ……ポワンカレは、ロシアに来てけしからんことをやった、大いにけしからんことをやってのけた……」

彼は、子供たちがたがいに突きころばしあっているしばふのほうへ顔を向けて、笑ってみせるつもりだったが、その唇に浮かんでいたのは、けわしいつくり笑いにすぎなかった。

「では行くぞ！」と、彼は、沈鬱なちょうしで言った。「さよなら」

「ああ」と、ジャックは、ふっと息をつきながら言った。あたりに人けがないにもかかわらず、これ以上ひきとめるのも意味がなかった。胸のふさがる思いで、ジャックはささやくように言った。

「帰るのか……あっちへ？」

クニャブロウスキーは、すぐには返事をしなかった。上体をかがめ、両ひじをひざにつき、肩をぐったり落としながら、靴と靴とのあいだの、小道の砂をながめていた。力の抜けた彼のからだは、あわやくず折れそうに見えていた。ジャックは、彼の顔の上に、あきらめの——さらに正確にいえば、忍苦の——しわを見た。それは、生活によって、口の両側にきざみつけられたものだった。

「うん、あっちへ」と、彼は顔をあげながら言った。その眼差しは、空間を、庭を、遠くの家々の正面を、青い空を、いまにも狂気に身をまかせそうな男の、錯乱した、思いつめたようすでどことあてなくながめまわした。「海路……ハンブルク……たしかに帰れる……だが、あっちでは……わかるだろう、事態はますますむずかしくなる……」

彼はゆっくり立ちあがった。

「とてもむずかしくなっていくんだ……」

そして、ジャックのほうへふたたび視線を向けながら、偶然隣り合った人にあいさつするといったように、ていねいに、手を帽子のひさしにあてた。そしてふたりの眼差しは、不安と友情に満ちた別れの気持ちをつたえあった。

「Vdobryi tchass!(ロシア語。《成功をいのるぜ》)」と、彼は立ち去りぎわにつぶやくように口にした。

子供たちは、彼が辻公園の鉄門を出るまで、笑い声を立てさけび声を立てながら見送っていった。ジャックも、じっと彼の姿を見送っていた。そして、その姿が見えなくなると、ベンチの上に残していった新聞の束をポケットに入れた。そして自分も立ちあがると、落ちついたようすで、ふたたび散歩の足をつづけた。

その晩すぐに、彼はクニャブロウスキーからあずかった手紙を上着の裏側に縫いつけ、ふたたび、ブリュッセルからパリ行きの列車に乗った。

その翌日、木曜の朝早く、彼は秘密書類をシュナヴォンの手にわたした。シュナヴォンは、その晩ジュネーヴへ行くことになっていた。

二十八

その木曜の二十三日、ジャックは朝早くから、新聞を読もうと思ってプログレ亭へはいっていった。彼は、中二階の《談話室》を避けようと思って、下の部屋に陣取った。

カイヨー夫人の裁判記事が、堂々と、ほとんどすべての新聞の第一面をしめていた。

二面ないし三面には、いくつかの新聞が、かんたんではあるが、ペテルスブルグでの諸工場がストライキにはいったこと、だが、労働者による騒擾は、警官の強力な干渉によってたちまち鎮圧されたことをしぶしぶながら報道していた。そして、それとは逆に、他の紙面のことごとくは、ツァー(ロシア皇帝)による歓迎の催しものの記事で埋められていた。

いっぽうオーストリア・セルビア間の《紛争》については、新聞はむしろあいまいな態度をとっていた。もちろん公式のものと思われる、したがっていたるところに転載されている覚書によると、ロシア官辺筋では、一般に、外交的折衝の方法によって、そうとう早く緩和状態が見られるものと考えていることがつたえられていた。そして大部分の新聞は、かつてバルカン危機に際して、ドイツがいつも盟邦オーストリアに穏便な態度をすすめていたという事実から、ドイツを信ずるものであると、きわめて愛想のいいちょうしで述べていた。

ただ、『アクシヨン・フランセーズ』（王政復古運動の上に立つ右翼系の新聞）だけは、はっきり危惧の念を述べていた。いまこそ対外政策に関するフランス政府の本質的弱腰を糾弾し、左翼陣営の反愛国主義を粉砕するための絶好の機会であると。そして、とりわけ社会主義の面々を目の仇にしていた。ここ数年来毎日のように、ジョーレスをもってドイツに買われた売国奴だとくり返すのに満足しないシャルル・モラス（『アクション・フランセーズ』主筆）は、『ユマニテ』紙がますます国際的平和主義への激しいさけびをあげるのに業を煮やして、きょうはジョーレスを、誰かシャルロット・コルデー（フランス革命の際、マラーを刺した女性）のような人間が、その手に握る救国の刃《やいば》の対象としないものかといわんばかりの書きかただった。《われらはなんぴとをも、政治的暗殺の挙におもむかせようとするものではない》と、彼は控えめな大胆さで書いていた。《だが、ジョーレス氏はまさにふるえあがってしかるべきである！　氏の筆にするものは、まさに一個の多血漢をして、もしジャン・ジョーレス氏にしてカルメット（カイヨー夫人によって射殺された『フィガロ』紙主筆）氏とおなじ運命におかれるであろうとき、厳然たる現在の状態にどういう変化がおこるであろうか、それを実験的方法によって解決してみようという気持ちをおこさせずにはいないところのものなのだ》

ちょうどそのとき、下へおりてきたカディウが、風のように通りすぎた。

「上へこないのか？　議論に花が咲いてるぜ……なかなかおもしろい。党の使命をおびてウィーンからやってきたオーストリア人の同志ベームがいるんだ。彼によると、オーストリアの通牒は今夜ベルグラード（セルビアの首都。ここではセルビア政府をさす）へ送られるということだ……ポワンカレがペテルスブルグを出発したそのすぐあとで」

「ベームはパリに来ているのか？」ジャックはそう言って立ちあがった。ベームに会えるということが、彼にはとてもうれしかった。

ジャックは、小さならせん階段をあがって、ドアを押した。そして、まさに同志ベームが、例の黄いろいレーンコートのたたんだのをひざにのせ、ビールのジョッキを前にして静かに腰をおろしているのを見た。十五人ばかりの闘士は、彼をとりまいて、あとからあとから質問をあびせていた。ベームは、例のとおり葉巻のはしをかみながら、理路整然として答えていた。

ベームは、ジャックのほうへ、ついきのう別れたばかりといったような、親しみをこめた目くばせを送った。

オーストリア政府の好戦的態度、それにオーストリアとハンガリーの世論変化についての彼の報告は、人々に、憤激と不安をまきおこさせたものらしかった。オーストリアが、セルビアに挑戦的最後通牒を突きつけるかもしれないということは、目下の状況において、きわめて憂慮すべき紛糾をもたらしかねないもののように思われた。それは、セルビア首相パシッチが、ヨーロッパ各国の政府にあてた警告的通牒において、各国はセルビアの全面的消極的態度をあまり期待してほしくない。セルビアは、みずからの名誉を毀損するおそれのあるあらゆる強要を反撃する決意がある旨を述べていることからみて、さらに憂慮の度を深くさせるものだった。

オーストリアのはったり政策を毛頭弁護するつもりはなかったが、ベームは、セルビアにたいする(同時にロシアにたいする)オーストリアの憤激について説明しようとした。それは、事を好む小さな隣国セルビアが大国ロシアの援助と教唆とによってたえずいやがらせをする結果、オーストリア人の国民的自尊心が傷つけられたためである、というのだった。

「ぼくはオスメールから」と、彼は言った。「数年まえ、セルビア駐在ロシア大使に外務大臣サゾノフが送ったという秘密外交文書を読ませてもらったことがある。それはきわめて重要な文献なんだ」と、彼はつけ加えた。「というのは、それこそセルビアが——そしてその背後にあるロシアがオーストリア帝国の安全にたいしていかに永遠の脅威であるかを証明しているものだから！」

「資本主義的政策の、例によっての悪だくみだ！」と、テーブルのはしにいた、青い仕事着を着た老年の労働者がさけんだ。「ヨーロッパのあらゆる政府は、民主主義的政府であるとないとにかかわらず、民衆の監視をうけない秘密外交をやっていた。すべて国際金融資本のかいらいなんだ……そして四十年このかた、ヨーロッパに全面的戦争が避けられていたというのも、それは金融資本家どもが、各国政府の借金がますます重くなっていき、武装された平和を長つづきさせたほうが自分たちの利益であると考えてのことにほかならないんだ……ところが、高等金融政策にして、……いったん戦争をおこさせたほうが利益であると考えたとき……」

満座は、騒然として賛意をしめした。彼らには、こうした横やりの議論が、ベームの述べている精密な問題となんの関係もないことなど、たいして問題ではなかったのだ。

ジャックの顔見知りのひとりの青年――注意深い、熱のある眼差し、あきらかに結核患者らしい顔をしたひとりの青年が、とつぜん沈黙を破ったかと思うと、つやのない声で、秘密外交の危険についてのジョーレスの文章を引用した。

それにつづいた騒ぎのあいだを利用して、ジャックはベームの傍へ近づいて、いっしょに昼飯をくう約束をした。そして、葉巻をかむのとおなじ根気よさでふたたび説明をつづけているベームをあとに残して、ジャックはこっそりその場をはずした。

ベームといっしょに昼飯をたべ、『ユマニテ』社で何人かの人と会って話し、パリに着いたらすぐにリチャードドレーからたのまれていたいくつかの緊急な用件をすまし、つづいて夜はベーム歓迎の《ルヴァロワ》での社会主義者の会合に出席し――彼はその席上、立ちあがって、ペテルスブルグ騒擾事件について知っているかぎりのことを話してきかせた――こうして、第一日のジャックの心はすっかりそれらに占領されて、フォンタナン家の人々のことを考えてみるだけのゆとりもほとんどなかった。二度か三度、ビノー通りの病院に電話をかけて、ジェロームが生きているかどうか、聞きあわせてみようと思いもしたのだが、こちらで名まえを名のらないのに、はたして先方で教えてくれるだろうか？　やめにしたほうがいいのじゃないか？　彼は、自分がパリに来ていることを知らせたくなかった。だが、その晩、トゥルネル河岸《がし》の小さな部屋にもどり、いざ目をつぶるというときになって、彼は、事実を知らないということから平静になれるどころか、事実を知る以上に、不安であることに気がついた。

金曜の朝、目をさました彼は、アントワーヌに電話をかけたい誘惑を感じた。《かけたところでなんになる？　いったいなんの必要があるんだ？》彼は時計を見ながら考えた。《七時二十分……兄きが病院へ出かけるまえなら、いまかけなければまにあわない》彼は、ためらうことなくいきなり床から飛び起きた。

アントワーヌは、弟の声に驚いた。兄は、ジェロームが、三日にわたって生死の境を彷徨したのち、意識を回復することなしにゆうべ死んでいったことを教えてくれた。「葬式はあしたの土曜日だ。きみはまだパリにいるのかね？　ダニエル君は」と、兄はつづけた。「ずっと病院にいる。いつ行っても会えるだろう……」それは、弟が、ダニエルに会いたがっているにちがいないと信じこんでいるようなちょうしだった。

「ところで、昼飯を食いにやってこないか？」と、兄が言った。

ジャックは、やりきれないといった身ぶりで電話を離れた。そしてそのまま受話器をかけた。

二十四日の各紙は、かんたんに、オーストリアの《通牒》がセルビアに手交されたことを報じていた。もっとも、大部分のものは――もちろん命令によるのだろうが――それに関するすべての説明を控えていた。

ジョーレスは、その毎日の論説で、ロシアのストライキについて論じていた。そして、その論調は、ことさら沈痛をきわめていた。

《ヨーロッパ列国にとってなんたる警告であろう！》と、彼は書いていた。《いたるところ、革命は地上低くたれている。このままヨーロッパ戦争をおこすとしたら、それのおこるにまかせていたとしたら、ツァーの軽率こそはまさにおそるべきものがある！……またオーストリア＝ハンガリー帝国が、僧侶・軍人一派の政党の盲目的興奮に身をまかせ、セルビアにたいし、収拾できないことをはじめたが最後、その軽率さにもまたおそるべきものがある！……ポワンカレ氏の旅行記には、ロシア労働者の血によって悲痛な警告の記された、悩ましいさらに一ページが加えられることになるだろう！》

『ユマニテ』社の編集部では、この論説のちょうしについて一点疑いを持たなかった。そこにははげしい警告のちょうしが見られていた。そして、最悪の事態のおこることが懸念されていた。みんなは、何かいらいらした気持ちでジョーレスの帰りを待ちわびていた。《おやじ》は、けさとつぜん、ケー・ドルセー（ドルセー河岸。外務省をさす）へ出かけ、ヴィヴィアニの不在中、外相代理をつとめているビヤンヴニュ・マルタン氏と個人的折衝を思い立ったのだった。

編集者たちのあいだには、何かしら混乱のけはいが見られていた。人々は、ヨーロッパにどんな反応があらわれるだろうか、不安をもって考えていた。もともと悲観論者のギャロは、ゆうべドイツとイタリアからの報道にもとづき、この両国では、一般大衆の意見、それに新聞紙、さらには左派の一部に至るまで、オーストリアの態度に好感を持つおそれがあると言っていた。ステファニーのほうは、ジョーレスとおなじ意見で、ベルリンでは社会民主党の憤激がおそらく力づよい行動となってあらわれるにちがいない、その結果、ドイツのみならず、ドイツ国境外にまで大きな反響をしめすことになるだろうと考えていた。

正午になると、編集室はからになった。ステファニーが留守をすることになっていた。ジャックは、自分もいっしょにいようと言った。来週ブリュッセルで開かれることになっているインターナショナル大会の書類に、ちょっと目をとおしておきたかったからだった。この臨時大会には、すべての人々から大きな希望がよせられていた。ステファニーは、ヴァイヤン、ケヤー・ハーディー（イギリス独立社会党の急先鋒）その他、党の首脳部が、いざ戦争という場合、好機をつかんでゼネストのことを上程するつもりでいることを知っていた。だが、そうした根本的な問題を前にして、諸外国の、とくにイギリス、ドイツの社会主義者たちはいかなる態度に出るだろうか？

一時になったが、まだジョーレスの姿は見えなかった。ジャックはクロワサン亭で腹ごしらえをするつもりで外へ出た。たぶん《おやじ》も、そこで昼飯をくってはいないだろうか？

だが、そこにもジョーレスの姿は見えなかった。

どこかあいている席はないかとさがしているところを、ジャックはドイツの青年キルヘンブラットに呼びとめられた。まえにベルリンで会って、その後ジュネーヴでもいく度か会ったことのある青年だった。ひとりの友人と食事中だったキルヘンブラットは、ジャックにもぜひ自分たちのテーブルに来るようにすすめてくれた。友人というのは、これもドイツ人で、ワックスと名のる男だった。ジャックの知らない男だった。

ふたりのあいだには、ふしぎなほどのちがいがあった。《東部ドイツの、典型的なふたつの型をきわめてはっきりあらわしている》と、ジャックは思った。《指導者型と……その反対のものと！》

ワックスは、かつて冶金工をしていた男だった。年のころ四十歳にもなろうか、どこかロシア人めいた重厚な顔だち、平べったい頬骨、実直らしい口もと、そして不屈さと荘重さを見せた明るい目をしていた。大きな手は、すぐ役にたつ道具といったようにひらかれていた。相手の話をききながら、ただうなずいてみせるだけで、口かずの少ない男だった。小ゆるぎもしない精神、落ちつきはらった勇気、刻苦、忍耐、規律への愛、本能的な誠実さが、その全身にあふれていた。

キルヘンブラットは、ワックスにくらべるとずっと年下だった。小さな、まるい顔の造作が、細い首の上にのっているところ、まるで鳥の頭を思わせた。頬骨は、ワックスのそれとは反対に、はばびろでなく、目の下のあたりで、ほとんどとがったように突き出ていた。いつもまじめな、注意深げなその顔には、ときどき落ちつかない微笑のかげが浮かんでいた。とつぜん唇の両端までひろがる微笑、それは、まぶたを細め、こめかみにしわをよせ、歯がすっかり見えるほど唇をあけての微笑だった。そういうとき、眼差しの中には、ちょっと残忍な肉感的なひらめきが燃えた。ある種の番犬が、ふざけながら、こういうふうにその歯を見せる。東部プロシャの生まれで、父親というのは教授だった。ジャックがたびたびドイツの進歩的な人々の社会で接したことのある、教養のある、ニーチェ主義を奉ずるドイツ人のひとりだった。彼らにとっては、法律などは存在しない。名誉についての特殊な感情、一種の騎士道的ロマンチシズムの精神、自由な、そして危険な生活へのあこがれ、そうしたものが、彼らすべてを、自分たちの貴族趣味をはっきり意識したうえでの一種の階級といったようなものにまとめあげていた。彼自身そうしたものによって知的形成をあたえられながら、しかもそうした社会制度に反逆しているキルヘンブラットは、その強いアナーキスト的性格の結果として、無条件に社会主義へ飛びこんでいくこともできず民主主義的、平等主義的理論や、帝政ドイツに残存する封建的特権にも本能的に失望を感じ、けっきょく、国際的革命結社の縁辺にあって生活していたのだった。

　話はすぐに——ワックスはフランス語がよくわからなかったので、すべて、ドイツ語で話していた——そうしたオーストリアの政策にたいし、ドイツ政府がいかなる態度に出るだろうかということに向けられた。キルヘンブラットは、ドイツの高官連の考え方を、はっきりのみこんでいるらしかった。彼は、つい最近、カイゼル（ドイツ皇帝ウィルヘルム二世）が、弟ハインリッヒ親王にイギリス皇帝への特別な使命を託し、いそいでロンドンへ行かせたことを知っていた。おりもおり、こうした非公式な措置は、カイゼルが、オーストリアとセルビア間の紛争についての自分の意見を、ジョージ五世（イギリス皇帝）にも賛成してもらおうという個人的な考えを持っているものと考えられた。

「どういう意見を？」と、ジャックが言った。「問題はすべてそこにある……いったいドイツ政府の態度には、どの程度恐喝分子が含まれているんだろう？　トラウテンバッハとジュネーヴで会ったが、たしかな筋の話だといって、カイゼル自身は、戦争勃発の可能性を考えたがらずにいるということだった。だが、オーストリアがこれほど思いきった態度に出るかげには、ドイツのしり押しがあると考えずにはいられないんだ」

「そのとおり」と、キルヘンブラットが言った。「ぼくには、カイゼルが、オーストリアの報復の原則を承認し、それに賛成したらしく思われるんだ。それだけではない、オーストリアにたいして一刻も早く、手を打つようにけしかけ、一時も早くヨーロッパに既成事実を突きつけようとしているらしい……それもたしかにひとつのりっぱな平和主義だ……」彼は、いじわるそうな微笑を見せた。「そうだ！　ロシア方面からの反動を避けるためには、それがいちばんの方法だ！　ヨーロッパの平和を確保するために、オーストリアとセルビア間の戦争を促進するんだ！……」ここまで言って、彼はとつぜんまじめにかえった。「だが、カイゼルには、りっぱな知恵者がついている。だから、彼はその危険というやつをはかりにかけてみた。つまり、ロシア皇帝がヴェト(否認権)を行使した場合の危険と、全面的な戦争になったときの危険と。だが彼としては、危険のことなぞなんとも思っていないだろう。それははたして正しいだろうか？　問題はつまりそこにある……」彼の顔は、ふたたびメフィストふうな微笑で緊張した。「ぼくはいま、カイゼルが、すばらしい手を持っている札元で、その前で、相手の連中がびくびくしているところを想像するんだ。もちろん彼にしたって、悪い目が出たら、ご破算になることぐらい百も承知だ。ご破算なんか珍しくないんだ……だが、なんにしても手にある札は絶好だ。ご破算なんぞを苦に病んで、こんないい手を打たずにおけるか？」

そのはげしい言葉つき、そのふてぶてしい微笑、それから推して、キルヘンブラットは経験上、わが手にいい札を持っているということの意味、持った以上、決然運だめしに出るべきことを知っている男といった感じだった。

二十九

ジェロームの納棺は、病院でのしきたりどおり、明け方に行なわれた。そして、それがすむと、棺はすぐに庭の奥の小さな建物の中へ運ばれた。息を引きとった者は、生きている患者たちからできるだけ遠くはなれたこの建物の中でだけ、葬式を待つことを事務所からゆるされていた。

夫が息を引きとるまでの長いあいだ、ほとんど部屋を離れることのなかったフォンタナン夫人は、遺骸のおかれている地下の狭い部屋の中にいた。いま、夫人のそばには誰もいなかった。ジェンニーは、ついいましがた出かけていった。母から言いつけられて、天文台通りの家へ、ふたりがあしたの式に必要な喪服をとりにいったのだった。そして、妹を門まで送っていったダニエルは、庭でタバコをふかしていて、なかなか帰ってきそうもなかった。

穴倉のような部屋の中に光線をそそぎこんでいる換気窓の下、背から光線をうけ、わら椅子に腰をおろしている夫人にとっては、これが病院での最後の日だった。夫人は目をじっと部屋の中央、黒いふたつきのきゃたつの上に据えられた、むき出しの棺の上にそそいでいた。故人の人格を外にしめすものといっては、いまや真鍮の板に刻まれた名札だけしかなかった。そこには、

ジェローム・エリー・ドゥ・フォンタナン
一八五七年三月十一日―一九一四年七月二十三日

という字が読まれていた。

彼女は、主のみ心につつまれて、ほっと落ちついた気持ちになっていた。最後の晩のあの衝撃、事があまりにとうとつだったことからとつぜんゆるされてしかるべき一時の失神状態、それもいまではおさまっていた。彼女の心には、反省された、なんらの刺激性のない悲しみだけが残っていた。われわれのうちの誰しもが、いつかはその中にめいめいのつかの間の形を溶かし去らなければならないところのもの、すなわち《あまねきいのち》を律する《大いなる力》、この《全なるもの》を信じきり、いままでそうしたものとともに生きてきた彼女だった。死を前にしても、彼女は少しもおそろしいとは思わなかった。すでに少女のころ、父の遺骸を前にして、少しもおそろしいと思わなかった彼女なのだ。自分のあがめている案内者の霊的存在、それが、肉体の壊滅したのちにおいても自分にあたえ

られるであろうことを、彼女は一瞬たりとも疑っていなかった。事実彼女には、いつもこうしたささえがあたえられていた。いつもその証拠は、今週もまたしめされた——牧師は、彼女の生活と、彼女の戦いときわめて緊密な交渉を持ちつづけ、彼女の煩悶を指導し、彼女に決心を吹きこんでいてくれたのだった。

きょうもまたおなじように、彼女にはジェロームの死をもってひとつの終わりであるとは考えられなかった。何ひとつ滅びるものはない。すべては、変化し、更新するというだけなのだ。季節のあとには季節がつづく。滅びゆく物体を永遠に封じこんだこの棺を前にして、彼女は何か神秘的な興奮を覚えていた。それは毎年秋になって、あのメーゾン・ラフィットの庭の中で、春のころ芽を出すのを見た木の葉が、ついに終わりの時がきて、一枚一枚枝をはなれて飛び散っていくのを見たときに覚えた感情にそっくりだった。そうやって木の葉がすべてむしりとられてしまっても、樹液が流れ、そこに《生の飛躍》がたえずつづいている木の幹の持つ隠れた力は、いささかたりともそこなわれたりしないのだ。死は、彼女にとって、いつも生の現象であるとして考えられていた。そして、なんの恐怖もいだかずにこうした永遠の発芽への不可抗力的な回帰をながめていられることこそ、とりもなおさず、主のみ力へつつましく参加していることにほかならないのだ。

墓場のようにひやりとした部屋の空気の中には、ジェンニーが棺の上にのせておいたばらの花の、あまい、ちょっと胸のわるくなりそうなにおいがまじっていた。フォンタナン夫人は、機械的に、右手のつめを左の手のひらでこすっていた。(彼女は毎朝、身じまいをすますと、窓の前に何分かのあいだ腰をおろし、つめをみがきながら、新しい一日をはじめるにあたって、彼女が朝の祈りと呼んでいた短い黙想の時をすごすのが例だった。こうした習慣から、彼女の心の中には、つめをみがくということと、精霊に呼びかけるということとのあいだに、反射的なつながりといったようなものができていた。)

ジェロームが生きていたあいだは、たとい彼が自分からどんなに離れていても、そうした苦しい恋慕の気持ちの向こうに、いつかは情味のあるむくいが得られるにちがいない、いつかはジェロームが、後悔し、目があいて、自分のところへ帰ってくるにちがいない、そしてふたりは、過去をすっかり忘れきって、たがいにより添って一生を終わることができるにちがいないというひそかな希望が持たれていた。だが、それもむなしい期待におわった。彼女は、それを永久に思いあきらめなければならないときになって、はじめてこのことを知ったのだった。それにしても、これまでなめさせられた苦しい思い出がなまなましいだけに、いまそうした苦しみから解放されたという、ほっとした気持ちを感じないではいられなかった。死はいまや、長い年月のあいだ、彼女の生活を毒しつづけてきた唯一の悲しみの泉をからしてくれたのだった。長い忍従生活のあとで、思いがけず首をあげることができたといった感じだった。それはきわめて人間的な、きわめてとうぜんな感情だった。そして彼女は、自分でもそれと気づかず、その楽しさを味わっていた。それは彼女に、じつに恥じなければならないことだったかもしれなかった。だが、彼女の盲目的な信仰心は、彼女に、その良心の底へまで、真に明徹な眼差しをそそぎこませることをしなかった。彼女は、きわめて本能的なエゴイズムの結果にしかすぎないものを、霊的な恩寵によるものでもあるかのように考えていた。彼女は、こうしたあきらめと心の平和をあたえてもらえたことを、神に向かって感謝していた。そして、なんの悔恨もなく、心が軽くなれたことをたのしんでいた。

彼女はきょう、とりわけ楽な気持ちでそれに身をまかせきることができていた。というのは、通夜にあたるきょうだけが、せめて彼女にとって、とりあえず得られた休息の日ともいうべきで、それのあとには、さらに疲労と戦いとの日々が控えていたからだった。あしたの土曜日は埋葬式、それから家に帰って、つづいてダニエルの出発を送らなければならなかった。そして日曜からは、差しせまったやっかいな仕事にすぐとりかからなければならなかった。それは、子供たちの名を不名誉から救ってやるという仕事だった。時を移さずトリエステとウィーンへ出かけ、夫の事件の始末をつけるということだった。ジェンニーとダニエルには、まだそのことを耳に入れてやっていなかった。彼女は、ダニエルの反対を見こして、無益な議論の時を少しでもおくらせようと思っていた。なにしろ、彼女としての決行はすでにきまっていたのだから。彼女の活動計画は、すべて精霊によってさししめされたものだった。こうした大胆な計画を思いたつにあたっての彼女は、自分によくわかっている心的興奮、神意の存在を実証する一種の超自然的、不可抗力的な感激を感じただけで、そこになんらの疑いをも持たなかった……できたら日曜日、おそくも月曜にはオーストリアへ向けて出発しよう。向こうには、二週間、三週間、必要とあれば八月中滞在しよう。予審判事にも会ってもらおう。ほかの理事たちにも会って、破産した事業について、いちいち議論をたたかわしてみよう。彼女は、その成功を疑わなかった。ただ、そのためには向こうへ行き、自分みずから、自分の直接な影響力をはたらかして活動することが必要だった。(そしてこの点、彼女としては、その直観に欺かれるおそれはまったくなかった。すでにこれまでにも、いく度となく、窮境に処して、自分自身の力を確信することのできた彼女だったから。もちろん、そうした力を、自分自身の個人的魅力に帰しようなどとは夢にも思っていなかった。すなわち彼女は、そこにただ神のふしぎな力、彼女を通じての主のみ旨の輝きだけを考えていたというわけだった。)

ウィーンでは、もひとつやっかいな用件が控えていた。それは、ウィルヘルミーネという女性に会ってみるということだった。彼女は、ジェロームのスーツケースの中に、その女からの、子供っぽい、あまい何本かの手紙を発見した。そして、それに心を動かされてのことだった……

彼女は、夫のまぶたをおろしてやるやいなや、その着物を調べてみることを思いたった。それを思いたったのはゆうべのことで、子供たちの目に、どこまでも父親の秘密をかくしておくため、たしかに自分だけという時間をえらんだのだった。いろいろな書類をさがし出すのに、彼女はとても手間どった。それは、あちらこちらと、身のまわりの品々のあいだに散らばっていた。まる一時間というもの、彼女はそうしたなつかしい品々、ぜいたくなもの、つまらないもの、ジェロームがまるで難破した船の破片とでもいったように残していったものに手を触れてみた。すっかりいたんだ絹の肌着類、すり切れるまで着てしまったいい型の服。そこからは、酸味のある、さわやかなにおい——ラヴァンド、ヴェティヴェー、レモンのにおい——が、まだそのままににおっていた。それは、ジェロームが三十年来すきだったにおいであり、夫人にとっては、愛撫とおなじく、心をみだされずにはいられないにおいだった……まだ支払いのすんでいない請求書の類が、靴の箱や、化粧品入れのなかにまで散らばっていた。銀行、菓子屋、靴屋、花屋、貴金属商、医者などの古い計算書。それに思いがけない勘定書、ニュー・ポンド・ストリートの中国の足医者《ペデイキュル》の勘定書や、まだ支払いのすんでいない真鍮の化粧セットひとそろいのためのリュ・ド・ラ・ペーの皮専門店の請求書など。トリエステの公設質屋の受取書は、真珠のネクタイ・ピンと、らっこ襟の外套を、ほんのわずかな金のために質入れしたことを語っていた。伯爵家の紋をつけた紙入れの中には、フォンタナン夫人、ダニエル、ジェンニーの写真とならんで、ウィーンの歌姫の献辞のある写真がはいっていた。最後に、卑猥なさし絵入りのドイツの仮とじ本のあいだにまじって、インディアン紙刷りの、しかも使い古したポケット用のバイブルが発見されたのにはびっくりさせられた……夫人は、この小さなバイブル以外のものを、すべて忘れてしまいたかった……ジェロームは、自分の不身持ちをとりつくろうため、言葉巧みに悲痛な《言いわけ》をしながら、いく度となくこうさけんだものだった。——《きみの非難は手きびしすぎるよ……ぼくは、きみの思っているほど悪人じゃないよ！……》それはたしかにそうだった。聖霊だけが、人おのおのの秘密をごぞんじなのだ。聖霊だけが、人間がいかなる迂路《うろ》をたどり、いかなる必要の目的に向かってその完成をめざして歩いていっているかをごぞんじなのだ……

　夫人は、涙にくもった目を、すでにばらの花びらの散りかけている棺の上にそそいでいた。

《そうだったのね》と、彼女は心の底から言った。《そうだったのね。あなたは心の底から悪に向か

っていらしったんではなかったのね……》

夫人は、ダニエルとつれ立ってニコル・エッケのはいって来たことによって瞑想を破られた。ニコルは、まぶしいほど美しかった。喪服をつけていることが、ぽっとあからんだ彼女の頬をさらにひきたたせていた。その目のかがやき、きっとあがったまゆ、自然に顔を前こごみにしているところ、それはいつも、まるで青春をささげ、息せききってはせつけてきたとでもいったような表情を彼女にあたえていた。彼女はおばにキスしようとして身をかがめた。夫人にとっては、彼女がありきたりの言葉で沈黙をみだしてくれないことがうれしかった。つづいてニコルは棺のそばへ歩みよった。そしてしばらくのあいだ、腕を前にさげ、両手の指を組みあわせたまま直立の姿勢をとっていた。フォンタナン夫人は、じっとニコルを見まもっていた。ニコルは祈っているのだろうか？　自分の過去のこと、ジェローム おじが大きな影を落としている、自分の恥多い子供のころのことを思いだしているのだろうか？……やがてニコルは、そうしたなぞのような不動の姿勢のあとで、おばのほうへもどってくると、も一度そのひたいにキスをした。そして部屋から出ていった。そのあいだ、母のうしろにずっと立ったままでいたダニエルは、彼女のあとを追って出ていった。

廊下へ出ると、ニコルは立ちどまってこうたずねた。

「あしたは何時？」

「ここを十一時に出ることにしている。直接墓地へ行くことになってるんだ」

ふたりはいま、建物の入口、かげになった玄関のところにふたりきりで立っていた。ふたりの目の前には、日に照らされた庭がひろがっていた。そこには、明るい色の部屋着を着た回復期の患者たちが、しばふのふちにそっておおぜい横になっていた。午後の日は、暑く、輝きわたっていた。じっと動かない空気は、もう完全に夏がやってきたといった感じだった。

ダニエルは説明した。

「グレゴリー牧師さんが、埋葬したあとで短いお祈りをしてくれることになっている。お母さんは、ほかになんの儀式もしてほしくないといってるんだ」

ニコルは、考えこんだようすでそれを聞いていた。

「テレーズおばさま、ほんとにおりっぱなかたなのね」彼女はつぶやくように言った。「とてもしっかりしていらしって、それに落ちついていらしって……とてもおりっぱだわ、いつものとおり……」

ダニエルは、親しみをこめた微笑で感謝の気持ちをあらわした。彼女には、もうあの子供らしい目つきも見られなかった。だが、その青いひとみの中には、昔ながらのふしぎな透明さと、かつて彼を夢中にさせた、あのものうげなやさしい表情が見られていた。

「ずいぶん長いこと会わなかった!」と、ダニエルは言った。「で、ニコル、きみはしあわせにしている?」

とおく、緑の茂みをながめていた彼女の眼差しは、ゆっくりあたりをながめわたしたあとで、ようやくダニエルのうえまでもどってきた。その顔には、苦しげな表情が浮かんでいた。ダニエルは、彼女がてっきり泣きだすものと考えた。

「わかってる……」と、彼はどもるように言った。「ニコ、きみもずいぶん苦しんだな……」

ダニエルは、このときはじめて、彼女がどんなに変わったかに気がついた。顔の下のほうは、まえよりずっと肉がついていた。目につかぬほどにつけたおしろいのかげ、頬にはいた紅のいろのかげには、いささか生気のあせた、疲れたような顔がうかがわれた。

「でもニコ、きみは若いんだ。これからずっと人生があるんだ！　しあわせにならなくては！」

「しあわせに？」と、彼女は、あいまいに肩をゆすりあげてみせながらくり返した。

ダニエルは、びっくりして彼女をみつめた。

「そうさ、しあわせに。とうぜんじゃないか？」

ニコルの目は、ふたたび明るい庭のほうをぼんやりながめていた。彼女は、ちょっと黙っていたあとで、目をふり向けることとなしに、こう言った。「人生って、へんなものね……そう思わない？　わたし、二十五だっていうのに、もうとても年よりになった気持ち……」そして、ちょっとためらったあとで、「そして、とてもひとりぼっちな気持ち……」

「ひとりぼっち？」

「そうなの」と、彼女はあいかわらず遠くのほうをみつめながら言った。「お母さんも、過去も、わたしの青春も、みんな遠くの、遠くのほうへいっちまった……子供もないし……そして、一生だめ、もうおしまいだわ。わたし、もうとても子供なんか持てないの……」

おだやかなちょうし、そこにはべつに絶望のかげも見られなかった。

「でも、エッケさんがいるじゃないか……」と、ダニエルは、ついうっかり口に出した。

「そう、主人……わたしたち、深く、しっかり愛しあってるわ……あの人は聡明で、それに親切なの……わたしの生活を楽しくさせようと、できるだけのことをしてくれるの」

ダニエルは、黙っていた。

ニコルは、壁のほうへひと足よって、そこに身をもたせた。そして、声のちょうしもそのままに、さも、言葉をおそれず、思っていることをすっかり言ってしまおうと決心したといったように、かるく首を立て直して言った。

「でも、それがどうだっていうのかしら? フェリックスとわたしのあいだには、たいして共通点といってもありはしないの……あの人はわたしより三つ年上、そしていっぺんだってわたしを同等のものとしてとり扱ってくれたことがないの……それに、あの人は、どんな女の人にも、患者にたいするのとおなじように、父親といったような、ちょっと親切な気持ちでたいしているのよ……」

ダニエルの目には、エッケの面影が浮かびあがった。小じわがより、ごま塩になったこめかみ、近眼の人特有の注意ぶかい眼差し、そして一挙手一投足が慎重で、きちょうめんで、一本気のエッケ。そのエッケが、どうしてニコルと結婚する気になったのか? 味のよいくだものを通りすがりにもぐといったような気持ちなのか? それとも、仕事に明け暮れる生活に、いままで欠けていた若さ、自然のままのやさしさをちょっととり入れようといった気持ちなのか?

「それに」と、ニコルは言葉をつづけた。「あの人には、あの人としての生活、外科医としての生活があるの。わかってね？　あの人、朝から晩までほかの人たちのものなのよ……たいていいつも、いっしょに食事をしたことなんかないの……もっとも、かえってそのほうがいいのかもしれない。なぜって、ふたりいっしょにいても、べつに話があるわけでもなし、理解しあうこともなし、好みもちがい、ふたりの思い出といったようなものがあるわけでもなし……ええ、口争いなんか一度もないし、仲たがいしたことだってちっともないし！」彼女は笑った。「それに第一このわたしは、あの人に何か言われると、どんなことにでも、すぐに《はい》って言っちまうの……あの人の思っていることを、先走りして考えちまうっていうわけね……」彼女は、もう笑ってはいなかった。そして、妙にゆっくりしたちょうしでこう言った。「何から何まで、それほどどうでもいいことなの！」

彼女は、自分でもそれと知らずに、壁から身をはなして歩きだした。そして放心したように、庭への石段をおりていった。ダニエルは、何も言わずについていった。ニコルは、なにげないようすで、彼のほうをふり向きながら、微笑してみせた。

「聞いていただきたいわ！」と、彼女は言った。「この冬、あの人、小さなサロンのために、新しい本箱をいくつかこしらえさせたの。そして、おき場所がないので、マホガニーの事務机を売ることにしたの。それはわたしがお母さんからもらったものなの。でも、わたし、そんなことはどうでもよかった。何ひとつ自分のものといってはありはしないし、何ひとつほしいものなんかないんですもの。でも、そのためには、机の中にあるものをあけなければならなかった。中には、いままで見たこともない書き物がいっぱいはいっていた。お父さんとお母さんのたくさんな手紙とか、昔の会計簿とか、おばあさんの昔の手紙とか、案内状とか、お友だちからの手紙とか……昔の思い出がいっぱい。レンヌ町とか、ロワヤとか、ビヤリッツとか……昔のたくさんなもの、忘れていたたくさんな昔の話、死んでしまったたくさんな昔の人たち……それに火をつけるまえに、わたし、一行一行すっかり読んでみたのよ……そして、そのことを思って、二週間も泣いてたわ……」彼女はふたたび笑った。「二週間……とてもうれしかった二週間！　フェリックスはそれにちっとも気がつかなかった。わかろうとしてもわかるはずはなかったし、わたしのことなど、何ひとつ知ってなんぞいないのよ、わたしの小さいときのことや、わたしの思い出のことなんか……」

ふたりは、ゆっくり庭の中を歩いていった。ニコルは、患者たちの前を通りながら、声を低めた。

「現在のところはそれでもいいの……でも将来を考えるとこわくなるわ、ときどき……わかる？　わたしたちは、現在おたがいに仕事を持っている。あの人には病院があり、人と会わなければならない用事があり、患者がいる。わたしはわたしで、いつも買い物に出かけたり、人を訪問に出かけたり。それに、このごろまたヴァイオリンをはじめたので、お友だちといっしょに音楽をするの。晩は晩で、週に何度か、ふたりでおよばれに出かけもする。フェリックスのような職業柄、いろいろおつきあいもあったりするんで……でも先へいったら？　あの人が仕事をやめでもしたら？　わたし、それがこわいのよ……いったいどうなることかしら？　老夫婦になってしまって、毎晩毎晩、ずっと暖炉のそばで向かい合うというようなことになったら？」

「なんておそろしいことを言うんだ！」と、つぶやくようにダニエルが言った。ニコルは、からからと快活に笑いだした。まるで青春が、思いがけなく目をさましでもしたようだった。

「あなたばかね！」と、彼女は言った。「わたし、嘆いたりしているんじゃないのよ。つまりこれが人生っていうもの。ただそれだけなの。ほかの人たちの人生にしたって、よりたのしいものではありはしないわ。むしろその逆。わたし、しあわせな女たちのひとりだと思うわ……でも、ほら、人間は、年はのいかないうちは、いろいろなことを考えるものね……まるでおとぎ話の中の生活ができでもするといったように」

ふたりは鉄門に近づいていた。

「お目にかかれてうれしかったわ」と、彼女は言った。「軍服がお似合いですばらしいわ！……いつ除隊？」

「十月」

「あら、もう？」

彼は笑った。

「そんなに短かったように思われる？」

ニコルは立ちどまっていた。日の光の落とすまだらな影が、彼女の皮膚の上にふるえ、その歯をきらきら輝かさせ、髪の毛を、ところどころべっこう色に透かせていた。

「さようなら」彼女は、兄にたいするといったような親しさで手をさし伸べた。「ジェンニーさんに、わたしお会いできなくて悲しがっていたとおっしゃって……それから、今年の冬、パリへお帰りのようだったら、ときどきたずねてきてちょうだいね……おめぐみの訪問とでもいったように……ふたりでおしゃべりしようじゃないの。昔のお友だちごっこをしようじゃないの。いろいろな思い出をたどろうじゃないの……ほんとにわたし、へんなのよ、年をとるにつれて、とても昔のことに心がひかれてしかたがないの……来てくださる？　約束してくだすって？」

ダニエルは、いささか大きすぎる、いささか丸すぎる、だがいかにも清らかな水を思わせるニコルの美しい目の中に、一瞬じっとながめ入った。

「できる」彼は、ほとんど沈痛といったちょうしでこう答えた。

三十

日曜以来、ジェンニーが病院の外へ足をふみ出したのはこれがはじめてだった。毎日毎日、ダニエルと庭をちょっと散歩するのがやっとだった。自分にとってまったく目新しい死というものに接したことから、彼女はこのいつ終わるとも思われない四日間を、まるで生者にとりまかれた幽霊とでもいったようにすごしてきた。身のまわりの何から何までが、しっくりしない、見知らぬ世界のことのように思われた。そんなわけで、兄に自動車に乗せてもらい、日の照っている大通りをひとりで行く自分を見いだしたとき、ほっと救われたような気持ちだった。だが、そうした印象もほんの一瞬のものにすぎなかった。自動車がまだシャンペレ門につかないまえから、彼女には、四日このかた苦しめられつづけてきた、あの深いとりとめのない煩悶が、ふたたび顔を出しはじめたのが感じられた。しかもそうした煩悶は、病院で、ほかの人たちがいるための遠慮からのがれることのできたいま、自分だけになったということから、たちまち猛威をとりもどしていた。

家の前でタクシーをおりたときはちょうど一時だった。

彼女は、家番からかけられるいろいろな質問や悔やみの言葉を聞き流して、すぐ住まいへあがっていった。

何から何までとり乱したままになっていた。ほうぼうのドアは、まるで逃げだしたあとでもいったようにあくがままになっていた。フォンタナン夫人の部屋の中は、着物はベッドの上に投げだされ、靴はゆかにほうり出され、引き出しはあいたままになっていて、まるで強盗でもはいったあとといった感じだった。二年まえからぜんぜん女中なしで暮らしてきた母と子が、そのときちょうどかんたんな食事をしかけていたまるテーブルの上には、途中ではしをおいたその日の夕食の残りが、まだそのままになっていた。それらをすっかりかたづけなければならなかった。翌日、墓地から帰ってくる母が、この惨憺たる乱雑さを見て、日曜の晩の、あのおそろしい瞬間のなまなましい印象をとりもどし、悲しくなったりしないようにしておかなければ。

胸がせまり、何から手をつけていいかわからなかったジェンニーは、つぎには自分の部屋へはいっていった。出がけに、窓をしめ忘れたにちがいない。ゆかは、きのうの夕立にぐっしょりぬれていた。風が吹きこんで、小さい仕事机の上には手紙が散乱し、花びんは倒れ、花は散ってしまっていた。

彼女は、こうした乱雑な光景をながめながら、立ったままで、ゆっくり手袋をぬいだ。彼女はなんとかして気持ちをとりもどそうと思った。母からはこまごました注意があたえられていた。事務机の中から鍵を取りだし、住宅の奥の物置き部屋をあけ、衣類のかけてある戸棚の中をさがし、箱やトランクを動かしてみて、喪服用のショール二枚とうす絹のヴェールのはいっている緑色のボール箱をさがさなければ。彼女は、機械的に、毎朝家で働くときのブルーズを釘からはずして仕事着姿になった。だが、彼女には、すっかり力が抜けてしまっていた。そして、ベッドのはしに腰をおろさずにはいられなかった。肩の上には、家の中の静けさが、重くのしかかっている感じだった。

《どうしてこんなに疲れているのかしら?》彼女は、知っていながら、わざとらしく心の中に問いかけた。

先週の彼女は、このおなじ住まいの部屋から部屋を、生きる喜びに軽く身をゆすられて行ったり来たりしていた。一週間――いや、一週間にもなりはしない、わずか四日ばかりで、あれほど苦心して得た心の平静が打ちこわされてしまったのか。

彼女は、首すじに何か重いものを感じながら、背をまるめて腰かけていた。泣きでもしたら心が軽くなるかもしれない。だが、そうした弱者の方法は、いかなるときにもとる気になれない彼女だった。まだ幼かったころでさえ、悲しいといって泣いたためしがなく、悲しみは、彼女にとって、いつもひきしまって、かさかさしているものだった……彼女のかわききった眼差しは、散らばった手紙、家具、マントル・ピースの美術品の上などをたどったあとで、鏡にうつっている目のくらむような外の日ざしに引きつけられ、吸いよせられ、じっとその上にそそがれていた。するととつぜん、そのぎらぎらした照り返しの中に、ちらっとジャックの姿が浮かんだ。彼女は、あわただしく立ちあがったかと思うと、よろい戸をしめ、窓をしめ、散らばった手紙や花を拾いあつめたあとで、廊下へ出た。

物置き部屋の空気は、まるで息がつまりそうだった。暑さは、毛織物、ほこり、樟脳、日にやけた古新聞のたまらないにおいを、いやがうえにもつのらせていた。彼女は、窓をあけようと思って、やっとのことで高い椅子によじのぼった。外気とともに、目をさすような日の光が、どっと部屋の中に流れこみ、そこに積み重ねられたいろいろな物の、味けない、みにくいすがたをさらけ出させた。不用になったベッド類、石油ランプ、教科書、ねずみ色のごみくずやハエの死骸ののっているボール箱など。トランクを積み重ねた片すみをあけるためには、毛わらをつめたマネキン人形をだいて移さなければならなかった。人形の上には古風なランプのかさがかぶせてあった。そのかさの、ぴかぴかのついているたれは、たくしあげられて、それを布製のすみれの花束がとめていた。彼女は、ずっと子供のころ、客間のピアノの上にどっしり構えていたこのものものしいかさを見ながら、一瞬しんみりした気持ちになった。それから彼女は、かいがいしく仕事にとりかかり、いろいろな箱をあけてみたり、ほうぼうの棚の上をさがしてみたり、つんとしたにおいが鼻をさし、胸をわるくさせるようなナフタリンの小袋をたんねんにおきかえたりした。そして、汗みどろになりながら、元気なく、それでいて自分にもふがいなく思われるこのぐったりした気持ちと戦いながら、片いじの気持ちから、せめて自分をいろいろな考えごとから救ってくれるこうした仕事に一心になっていた。

ところが、思いがけなく、まるで靄をつらぬく光の矢のように、彼女は、一見ぼんやりしているようで、そのじつきわめてはっきりしたひとつの考えに急所をつかれたかたちで、はっと立ちすくまずにはいられなかった。《まだぜったいだめになってはいないのだ……すべてはいまも可能なのだ……》そうだ、何はともあれ自分は若い。自分のゆくてには、長い、まだ知られない人生がある。人生！それは、あらゆる可能性の、くめどもつきないひとつの泉だ！……

こうした平凡な考えのかげに彼女が発見したものは、きわめて新しい、きわめて危険なもの。そして、それを前にして、彼女はぼうぜん自失せずにはいられなかった。彼女はとつぜん、ジャックが自分をすて去ったのち、自分が立ち直ることができ、自分自身をしっかりととりもどすことができたというのも、それはそのとき、自分が運よく、どんな小さな希望さえもしりぞけうる気持ちになっていたからだったということに気がついた。

《では、あらためて、希望が持てるかしら？》

それにたいするきわめて肯定的な答えは、彼女をして、ふるえ出させずにはおかなかった。彼女は、衣類戸棚の柱に肩をもたせた。彼女は、しばらくのあいだ、身動きもせず、まぶたを伏せたまま、昏睡状態といったようなものに陥りながら、ほとんど何を考えているのか自分自身にもわからなかった。頭の中には、かずかずの幻がつぎつぎとあらわれた。メーゾン・ラフィットで、テニスをやったあと、自分のすぐそばのベンチに腰をおろしていたジャックのすがた。そして彼女は、彼のこめかみをぬらしていた汗のしずくのことさえはっきり思いだした。森へ向かう道の上、自分とふたりきりだったときのジャックのすがた。ふたりはちょうどガレージのそばで、一匹の老犬のひき殺されたのを見てきたばかりのときだった。そして彼女には、沈痛なジャックの声が、いまも聞こえる思いがした。《きみはよく死ということを考えてみることがある？……》それから、その庭の小さな門のところで、ジャックが、月を浴びた土べいのうえのジェンニーの影にかるく唇を触れたときのこと。彼女の耳には、くらやみの中、草の上を逃げてゆく彼の足音がいまも聞こえる思いがした……

　彼女は、暑さにもかかわらず身をふるわせ、背をもたせたまま立っていた。心の中は、おどろくほどしんとしていた。高い窓をとおして、町の物音が、遠い他界からとでもいったように聞こえていた。ジャックに会ったということから、この四日以来ふたたび燃え出した幸福への狂おしい飢渇、それをどうしたら消せるだろう？　ふたたび病気がはじまったのだ。しかも、それが、このさき永遠につづくことが感じられた……今度という今度こそ、それはなんとしてもなおせないにちがいない。それは、彼女自身、もうそれのなおされるのを望んでいないということから……

　何よりも苦しいのは、それはひとりぼっちであるということ、いつまでもひとりぼっちということだった。ではダニエルは？　なるほど、兄は、このあいだヌィイーでいっしょに暮らしていたあいだ、自分をいろいろいたわってくれた。けさも、ふたりいっしょに病院の食堂で食事をしながら、おそらく自分のうつけたようなようすにはっとしてのことだろう、自分の手をとって、笑い顔も見せずにこうささやいた。《どうしたんだ、え？》自分は、はぐらかすように首を振ってみせ、とられていた手をひっこめた……ああ！　こんなに兄を愛していながら、しかも兄に何も言えないこと、ふたりの生活、ふたりの性格、おそらくふたりが兄と妹であるということのためにできているらしいふたりのあいだの障壁を、ひと思いに打ちこわすようなことのいえないこと、それがいつでも大きな苦しみだった！　そうだ！　自分には誰ひとりうちあけて話のできる相手がない。誰ひとり、ぜったいに自分の気持ちをきいてくれ、わかってくれる者がいなかったのだ。誰ひとり、ぜったい自分をわかってくれなかろう……誰ひとり？　だが、おそらくあの人だけは……いつの日にか？……彼女の心の底で、やさしい、ひそかな声が《わたしのジャック……》とつぶやいた。彼女は頬をほてらした。

いまや、すっかり力が抜け、あやうく倒れそうな気持ちだった。水でも飲んだらよくなろうか……

彼女は、まるで盲人とでもいったような注意ぶかい足どりで、片手を壁にあてて身をささえながら、台所までたどりついた。ながしの水は、まるで氷のように冷たく思われた。彼女はその中に手をつけて、ひたいや目のあたりを水でぬらした。力がそろそろもどってきた。もう少しのしんぼうだ……彼女は窓をあけて、そこのよりかかりの上に両ひじをついた。見わたす家々の屋根の上には、日に照らされた水蒸気が、まるで細かい無数の分子のふるえからできているように揺れていた。リュクサンブールの駅から、かん高く鳴る機関車の汽笛が聞こえた。この何週間というもの、きょうと変わらぬ来る日来る日の午後を、彼女は、お茶の湯の沸くあいだ、いく度となく、ほとんどうきうきした気持ちで、歌の文句を口にしながら、こうしてひじをついていたのだったが！　彼女には、この春あたりの自分というもの、心も落ちつき、すっかり立ち直りかけていたそのころの自分が、無上になつかしく思われだした。《あした、あさって、そしてこれから先の日々、それを生ききってゆく力をどこに求めたらいいのだろう？》彼女は、低く、われとわが心にたずねてみた。だが、胸に浮かんだそうした言葉は、ただありきたりの考えをあらわしているにすぎなかった。それは、彼女の心のかくれた真実をつたえたものとはいえなかった。ふたたび希望を見いだした彼女は、いま、喜んで苦しもうという気になっていた……とつぜん、彼女は——これまでけっして微笑したことのなかった彼女は、自分の唇に浮かんだためらいがちな微笑を、まるで鏡の前にいるかのようにはっきりそれと見たのだった。

三十一

朝のうちいく度となく、そしてドイツ人ふたりと食事をしているあいだも、ジャックはわれとわが心に問いかけていた。《ダニエルに会いにいったものだろうか？》そして、そのたびごとに自分自身にこう答えた。《よそう。会いにいって何になる？》

だが三時ごろ、キルヘンブラットといっしょに料亭を出て、取引所広場を横切りながら、おりから地下鉄の入口にさしかかった彼に、とつぜんこうした考えがひらめいた。《ヴォジラール町の集会は五時だ……ヌィイー町へ行こうと思ったら、いまがいちばんの機会なんだが……》彼は、思いまどって立ちどまった。《少なくも、もうこれきりで、二度と行こうと思うまい……》彼は、決然、キルヘンブラットとわかれて、地下鉄の階段をおりていった。

ビノー通りの病院の入口で、彼は、人道のふち、自動車の前でタバコをふかしている兄の運転手ヴィクトールの姿をみつけた。《けっきょくそのほうがいいんだ》彼は、アントワーヌがその場に居合わせるだろうことを思いながらこう考えた。

だが、ちょうど庭にかかったとき、彼には向こうからやってくる兄の姿が目にはいった。

「もっと早く来たんだったら、いっしょに町までつれてくのに。いま、いそいでるんだ……どうだ、今夜いっしょに飯を食おうや？　だめ？　ではいつにする？」

ジャックはその質問から身をかわした。

「ダニエルに会いたいんだけれど……ダニエルにだけ会いたいんだが。どういうふうにしたらいいかしら？」

「わけはないさ……フォンタナン夫人はずっと地下室にいるし、それにジェンニーは出かけてるすだから」

「いない？」

「あそこの茂みのかげにねずみ色の屋根が見えるだろう？　あれが死体室だ。ダニエルはあそこにいる。門番が知らせにいってくれるだろう」

「では、病院にはジェンニーはいない？」

「いない。母親のいいつけで、天文台通りの家にいろいろ取りにいったんだ……パリにずっといるのかね？……では、電話をかけてくれるだろうな？……」

兄は、門を出て、自動車の中に姿を消した。

ジャックは、教えられた建物のほうへ歩きつづけた。とつぜん、彼は歩みをゆるめた。頭の中に、とっぴょうしもない考えが思い浮かんだ……彼は、くるりと向きを変えた。そして門までもどると、タクシーをとめた。

「いそぎだ」そう言った声はしわがれていた。「天文台通り！」

彼は、樹木や、往来の人たちや、自分の車といきかう自動車などをじっと食い入るようにながめていた。そして、何も考えまいとつとめていた。何か考えたが最後、あるひとつの隠れた力によって時を移さずやれと命ぜられたこのとほうもない行為が、とてもやれなくなるだろうことが感じられたから。いったいあそこへ行って何をするのだ？　彼にはぜんぜんわからなかった。みずからの《あかし》を立てること！

何から何までいけないやつと思われていた自分でなくなること！　そうだ、彼女にそれを説明して、決定的に話をつけよう！

彼は、リュクサンブール公園の鉄柵のところで車をとめさせた。そして、それから先は、歩いて、ほとんど走るようにして道をつづけた。かつていくたびとなく遠くからそれをながめにきたあのバルコニー、あの窓のほうへ、目を向けまいとつとめていた。彼は、家の中へ飛びこんで、家番室の前を矢のように通りすぎた。家番が、ジェンニーから、あらかじめ何か言い含められていはしないかとおそれていたから。

何ひとつ変わっていない。ダニエルとおしゃべりをしながらいくたびとなくあがったあの階段……そのときのダニエルは、半ズボンで、本を小わきにかかえていた……マルセーユから帰ってきた晩、はじめてフォンタナン夫人が姿をあらわしたあの踊り場《バリエ》……そのとき夫人は、その踊り場の上からふたりの逃亡者のほうへかがみこんで、ただおもおもしい微笑をみせたばかり、べつにとがめだての言葉も口にしなかった……何ひとつ変わっていない、何ひとつ。記憶の底ふかくこだまして聞こえた、ジェンニーの住まいのベルの音まで……

いよいよ彼女があらわれるのだ。なんと言ったらいいだろう！

彼は、握りこぶしを腰にあて、上体をかしげながら、耳をすまして聞き入っていた……だが、ドアの向こうには何の物音も聞こえなかった。足音さえも……何をしているのだろう？

彼はしばらくのあいだ待っていた。だが、もう一度、まえより落ちつかないようすでベルを鳴らした。

あいかわらずの沈黙。

そこで、彼はいきおいよく下の家番室まで駆けおりた。

「ジェンニーさん、家にいるんでしょうね？」

「いらっしゃいませんよ……ご承知でしょうが、フォンタナンの旦那が……」

「知ってます。そして、ジェンニーさんが帰ってるのも知ってるんです。急に知らせたいことができたんです……」

「お嬢さまは、お昼食のあとでたしかにお見えでした。でもすぐお出かけになりました。十五分ばかりまえでしたか」

「なに！」と、ジャックは言った。「それから出かけていったんですか？」

彼はぼうぜんとして、じっと老婆をみつめていた。その気持ちを、いったいなんと説明すべきか、彼自身にもわからなかったにちがいない。ほっとしたとでもいったものか、身を切られるようにがっかりしたとでもいったものか！

ヴォジラール町の集会は、五時でなければ始まらない。行くだけでも行ってみるか？　いまの彼には、そうした気持ちもおこらなかった。いまやはじめて、何ものか――個人的な何ものかが――個人としての彼と、闘士としての彼とのあいだに、おぼろげながらはいってきていた。

彼はとつぜん、決心した。ヌィイー町へ帰ってみよう。ジェンニーが、ちょっと買い物でもしているのだったら、おそらく先に着けるだろうし、そして、門の前で彼女を待とう。そして……なるほどそれは、ばかげきった、無謀な計画であるかもしれない……だが、こうした敗北にくさっているより、どれほどましかわかりはしない！

彼は、偶然を考慮に入れていなかった。そして、これからの計画に躊躇しながら病院前で電車をおりたとき、誰かにうしろから呼びかけられた。

「ジャック！」

ちょうど向こうの人道で電車を待っていたダニエルは、彼の姿をみとめると、おどろいて車道をわたってきた。

「なんだ、まだパリにいたのか？」

「きのう帰ってきた」ジャックは、つぶやくようにそれに答えた。「万事兄きから聞いている……」

「意識を回復せずに死んじゃったんだ」と、ダニエルは、なんでもないことのように言ってのけた。

ジャックより、ずっとてれてでもいるようなようすだった。当惑してさえいるようだった。

「人に会う約束があってね。すっぽかせないんだ」と、ダニエルはつぶやくように言った。「リュドウィクスンに作品を売る約束があるんだ。家にも金がいることだし。きょうアトリエにきてもらうことになっている。……きみの来ることさえわかっていたら……さて、どうするかな？　どうだ、いっしょにやってこないか？　アトリエだったら落ちついて話せる。リュドウィクスンのやってくるまで」

「よかろう」ジャックは、いままでの計画をきれいさっぱり思いきった。

ダニエルは、感謝するように微笑して見せた。

「そこまで少し歩くとしよう。そして城壁《フオルチフイカシヨン》のところでタクシーをひろおう」

大通りは、ふたりの前に、日の光に輝きながら、ひろびろと遠く打ちひらいていた。陰になった人道は、歩いていても気持ちがよかった。きらきら光る兜《カスク》をかぶり、風に飾り毛をなびかせたダニエルのすがたは、りっぱであると同時に何かこっけいな感じだった。サーベルは、足にぶつかり、拍車にあたり、勇ましいひびきをたてて、彼の歩調に合っていた。ジャックは、たえず戦争のことを考えながら、ダニエルの説明にも身がいらなかった。彼はあやうく、ダニエルの言葉をさえぎり、腕をつかんで、こうさけびかけるところだった。《ええ、何がおこりかけているのか知らないのか！……》不吉な考えが思い浮かんだ。そして、思わず彼は立ちどまった。万が一にもインターナショナルの抵抗が平和を確保し得なかった場合、ロレーヌ国境第一線にいるこのりっぱな竜騎兵は、おそらく最初の第一日に命を落とすにちがいない……たちまち彼の胸は迫った。そして、言おうとしていた言葉も咽喉《のど》でとまった。

ダニエルは話しつづけていた。

「リュドウィクスンは《五時ごろ》と言っていた。だが、やつの来るまでに作品をえりわけておく必要がある……わかるだろう、なんとしてでも切り抜けなければ。おやじは、借金ばかりを残してくれた」

そう言ってから、彼は奇怪な笑いを浮かべた。その笑い、彼のおしゃべり、ふるえをおびたとっぴょうしもない彼の声――そこには、いつも見られない神経質なところが見えていた。そして、そうしたことの原因としては、きょうの午後、いろいろなことが重なりあっていたのだった。ふたたびジャックに会えたおどろき、昔どおりの話のちょうしをとりもどしたい気持ち、打ちあけ話をしてきかせて、黙っている相手の信用を回復したといった気持ち、と同時に、四日間というもの、死を待ちながらじっととじこもっていたあとで、こうして外に出られたたのしさ、晴れわたったきょうの日のうっとりするようなこの気持ち、それに、こうしてふたりきりで歩いている気持ち。

ジャックは、どこかに自分名義の、使いみちのない財産のあることを、すっかり忘れてしまっていた。したがって、自分にダニエルを助けてやれることなど、まったく思いおよばなかった。そうでなければ、窮状のことを、話して聞かせるダニエルではなかった。

「借金と……それに家名の恥辱だ」とダニエルは言葉をつづけた。「徹頭徹尾おやじはおれたちの生活をだいなしにした！　けさ、イギリスからおやじあてにきた手紙をあけてみた。おやじが金をやっていた女からだ……おやじは、ロンドンとウィーンのあいだを行ったり来たりしていて、まるで寝台車のボーイとでもいったように、両方の終点に女をかこっていた……やれやれ！」と、彼は吐き出すようにつけ加えた。「もっともおやじのそうしたでたらめはゆるせる！　だが、ほかのこととときたら、何から何まで唾棄すべきかぎりなんだ」

ジャックは、あいまいにうなずいてみせた。

「こんなことまで言ったらおどろくかな？」と、ダニエルは言葉をつづけた。「おれはおやじを憎んでいる。もちろん女の件じゃない。そうだ、それについてはむしろ反対だとさえ言いたいんだ……へんだろう？　おやじは、おれとのあいだに何ひとつ打ちとけたところ、何ひとつ気持ちのわかりあったところなしに死んでいった。だが、もしふたりのあいだに何かわかりあえることがあったとしたら、それは女、恋愛三昧、この二点をおいてほかにない……おそらくそれは、このおれというものが、おやじに似ているからのことだろう」と、彼は沈痛なちょうしで言った。「すっかりおやじとおんなじだ。まったく欲情に抵抗できない。そのうえ、それを悔やむことさえできないんだ」彼は、言葉をつづけようとしてためらった。「きみはちがうか？」

ジャックもまた、四年このかた、大なり小なり自分の《欲情》に負けていた。だが、そのあとではいつも悔やんでいた。それは自分でもそれと知らずに、彼の良心の風通《かざ》しのわるいどこかのすみに、かつてダニエルとの論争のときに幾度も口にした、《純粋》とか《不純粋》とかいった、何かしら子供らしい弁別が残っていたからのことだった。

「ちがうな」と、彼は言った。「おれにはぜったいそうした勇気……あるがままに自分を肯定するといったような勇気が持てなかった」

「はたして勇気と言えるだろうか？　むしろ弱さだ……でなければうぬぼれかな……なんと呼んでもかまわない……おれは思うんだが、おれみたいな性格の人間には、欲望へ移るということは、つまりそうした性格の人間特有な、正常な、必然的な生きかた、生活のリズムとでもいうべきなんだ。向こうから身を投げ出してくるものに向かってぜったい遠慮をしないこと！」彼はまるで、何か心の中の誓約をくり返すとでもいったような、はげしいちょうしで言った。
《顔のいいのが強みなんだな》と、ジャックは、兜《カスク》のひさしの下にくっきりした線を見せている、男らしい、意思の強そうなダニエルの横顔をながめながら、心の中で考えた。《欲情についてこれほど自信のある話し方をする以上、そうとうな〈腕達者〉であるにちがいない。自分のほうから、いつも欲情をおこさせつけているからにちがいない……それにおそらく、おれとちがって、いろいろ経験を積んでいるにちがいない……》ジャックは、自分自身色事の手ほどきをうけたのが、金髪のリスベット、あのフリューリンクばあさんの姪にあたる、センチメンタルなアルザス生まれの女の腕の中だったことを思いだした。ダニエルは、それに先んじて、マルセーユの一夜、彼を泊めてくれた商売女のベッドの中で、すでに快楽の手ほどきをうけていた。こうもちがったふたりの初陣《ういじん》、それがふたりの運命を永遠にきめてしまったとでもいうのだろうか？ 《人間は、その最初の浮気によって決定されるものなのかな？》と、ジャックは考えた。《あるいは逆に、最初の浮気そのものさえ、何か隠れた法則によって支配されるというのだろうか？ そして、人は終生、その法則に支配されるというのだろうか？》
ダニエルは、まるで彼の胸のうちをすっかり見ぬいたとでもいったようにさけんだ。
「おれたち、とかくこうした問題を複雑なものと考える悪癖を持っている。色事？ それは健康の問題だ。肉体的、精神的、両面かけての健康の問題だ。このおれは、なんの文句もなしに、あのイヤゴー（シェークスピアの『オセロー』に出て来る人物）の定義を受け入れるな。覚えてる？ It is merely a lust of the blood and a

permission of the will ……そうだ。色事とはそうしたものさ。精液の放射以外、何ものであるとも考えてはいけない。イヤゴーのやつ、うまいことを言ってのけた。《血の気のせいと、だらけた根性》か」

「あいかわらず英語の引用癖が抜けないな」と、ジャックは微笑しながらひやかした。彼にはいま、色事について論争しようという気はぜんぜんなかった。……彼は時計をみた。『ユマニテ』社には、通信社からの電報が、四時半ないし五時でなければはいらなかった。

ダニエルは、ジャックのようすを見てとった。

「まだ早いぜ」と、彼は言った。「家へいって、もっとゆっくり話そうや」

そう言いながら、彼はタクシーを呼びとめた。

車の中でのダニエルは、話をつなごうと、自分のこと、リュネヴィルやナンシーでの艶福のことを話しつづけ、その場かぎりの浮気の楽しさを得意そうに語りつづけていた。が、とつぜん、彼はまが悪そうに、

「おや、なんでこのおれを見つめてるんだ？……」と言った。「おれにばっかりしゃべらせといて……いったい何を考えてるんだ？」

ジャックは、思わずふるえあがった。またもや彼は、ダニエルに向かって、自分の心について離れないことを話しだそうとしていたからだ。だが、今度もうまくごまかしおおせた。

「何を考えてるって？……うん……そんなふうないろんなことをさ！」

そして、あとにつづいた沈黙のあいだ、ふたりはおのおの重い気持ちで、いままで描いていた相手の姿が、はたして現実の相手の姿とぴったりあっているかどうか、それを心にたずねていた。

「セーヌ町へやってくれ」と、ダニエルが運転手にどなった。それからジャックのほうを向いて「そうだった。きみはまだおれの新しいアトリエを知らなかったな？」

そのアトリエ、それはダニエルが入隊に先だつまえの年に借りたものだったが（そして家賃は、リュドウィクスンが、ダニエルに、自分たちの美術雑誌の文献をあずかっておいてもらうという好意的な口実のもとに払っていてくれたのだった）、それは、石畳の敷かれた庭の奥、高い窓のある古い建物のいちばん上の階にあった。

広い階段は暗く、ところどころくぼみがあり、何かのにおいと、しっけた石のにおいがただよい、それに、とてもいたんでいたが、幅だけは広く、模様のある鉄の手すりがついていた。牢獄に見られるようなのぞき窓のついたアトリエのドアは、ダニエルが、家番のところから持ってきた、ずっしりした鍵であけられることになっていた。

ジャックは、ダニエルのあとについて、ほこりっぽいガラス張りの天井いっぱいから光を受けた、大きな屋根裏の部屋へはいっていった。いそがしそうにダニエルが動きまわっているあいだ、ジャックはものめずらしそうに部屋の間どりをながめていた。アトリエの壁は、なんら色調の変化もなく、ただ一様にグリ・ベージュ（ねずみ色の一種）に塗られていた。奥の壁に切りこんで、半分カーテンを引いたかげには、一段高くなった部屋がふたつ見えていた。そのひとつ、白く塗られたほうの部屋は化粧室に改造されていた。もういっぽうの部屋には、ポンピアン・ルージュ（紅色《あさい》）の壁紙が張られ、部屋いっぱいに大きな低いベッドが据えられて、そこが寝室になっていた。片すみにはきゃたつにのせた製図用の机があり、その上には書物や、画帳や、山のような雑誌が積まれていた。そして、上からは、緑色の電気のかさがさがっていた。ダニエルが、かけてあるおおいをさっと引くと、下に小さな車をつけたいくつかの画架や、何脚か積まれているまちまちな形の腰掛けが顔を出した。壁によせた白塗りの深い箱には、フレーム（カンヴァスを張るわく）やカルトンがかくれていて、ただ行儀よくならんだそのふちだけが見えていた。

ダニエルは、ジャックのところまで、皮のすり切れた安楽椅子を動かしてきた。

「かけないか……おれはちょっと手を洗ってくるから」

ジャックは、バネのきしむ椅子の上に腰をおろした。彼は窓のほうへ目をあげて、暑い日の光を浴びたいらかの波の風景をながめていた。アカデミーの丸屋根や、サン・ジェルマン・デ・プレ寺院の尖塔や、サン・シュルピス寺院の塔などが、それとはっきり見わけられた。

化粧室のほうをふり向いた彼は、カーテンのすきまからダニエルの姿をみとめた。ダニエルは、軍服を、青みがかったパジャマの上着と着かえていた。そして、鏡の前に腰をおろして、注意をこめた微笑を浮かべて、手のひらで髪をなでつけていた。ジャックは、まるで何か秘密でも見つけたように驚いた。ダニエルは、美しい顔をしていた。だが、自分ではいかにもそれに気がつかないといったようすをとりつくろって、メダルの像の横顔を思わせるようなその顔を、いかにもきびきびした無関心さでとり扱っていた。そのために、ジャックには、彼がこれほど楽しそうに鏡と首っぴきをしようなどとは考えてさえ見られなかった。ダニエルが部屋にもどってきたとき、ジャックはとつぜん、こみあげるような感動をこめてジェンニーのことを思いだした。兄と妹とは、少しも似てはいなかった。だが、ふたりとも、その父から、すっきりしたからだつき、おなじように軽快なしなやかさを受けていて、それがふたりのものごしに、あらそわれぬ血筋のつながりを思わせた。

ジャックは、さっと椅子から立ちあがると、フレームの入れてある箱のほうへ歩みよった。

「そいつはだめだ」と、近よりながらダニエルが言った。「みんな旧作ばかりだ……一九一一年ごろの……あの年に描いたやつは、みんなほかの作品の複製にすぎない。知ってるだろう、あの辛辣な言葉を？　たしかホイッスラー（十九世紀アメリカ生まれの画家、批評家。ロンドンに住し、イギリス画壇に活躍した）が、バーン・ジョーンズ（十九世紀のイギリス画家。ラファエル前派に属す）について言った言葉だったと思うんだが。《この作品は、きっとすばらしいものであるらしい作品に似ている》って……それよりも、こっちのやつを見てもらおう」彼はそう言いながら、そのほとんどすべてがおなじような裸体を描いている何枚かのトワル（画布、作品）を引っぱり出した。「みんな入隊直前の作品なんだ……こうしたエチュード（習作）によって、おれははっきりわからせてもらえた……」

ジャックは、ダニエルが、何かもっと言いつづけるものと思っていた。

「わからせてもらえた？　何を？」

「これをさ……この背中や、この肩をさ……何かひとつしっかりしたもの、たとえばこの肩なり、この背中なりといったようなものをつかむことが何よりだいじだ。そしてほんもの……しっかりした、永遠なものから出てくる単純なほんものの見つかるまでやってゆくんだ……ある程度勉強し、掘りさげていけば、そこに必ず秘密がつかめる……すべてのものの解決が……宇宙をひらくかぎとでもいったようなものが……で、この肩とか、この背中とか……」

この肩、この背中……ジャックは、心にヨーロッパのこと、戦争のことを思っていた。

「おれの学びとったすべてのものは」と、ダニエルは言葉をつづけた。「いつもおなじモデルをどこまでも研究した結果だ……変えたりする必要がどこにあろう？　たえず執拗におなじ出発点に立ちかえること、いつもはじめからやり直すこと、そしておなじ方向にむかってもっと深く掘りさげていくこと、それによって、もっと深く自分がつかめることになる……このおれが作家だったら……新しい作品ごとに登場人物を変えたりしないで……無限に同一人物ととっ組み、それを深く掘りさげていくんだが……」

反発を感じたジャックは、なんとも言わなかった。そうした美学上の問題など、なんときざな、無益な、時代をわきまえないものだろう？……彼には、ダニエルのような生活が何を目的としているのかわからなかった。そして、心にこう思った。《ジュネーヴの連中に聞かせたら、いったいなんて批判するかな？》彼は、ダニエルのことを気恥ずかしく思った。

ダニエルは、一枚一枚カンヴァスをとりあげ、それを明るいほうへ向け、目を細めてちらりと一瞥をあたえたあとで、また元の場所にもどしていた。おりおり彼は、そのひとつを取りわけて、それを手近な画架の足もとにおいた。「リュドウィクスンの分なんだ」

ダニエルは、肩をすくめて見せてから、口の中でつぶやくように言った。

「けっきょく、才能なんていうものは――それがなくても困るけれど――ほとんどとるにたりないものさ！　何よりたいせつなのは勉強だ。勉強しなければ、才能なんか花火にすぎない。ちょっとはあっといわせもする。だが、けっきょくなにも残らないんだ」彼は、惜しそうなようすで、つぎつぎにフレームを三枚取りのけてからためいきをついた。「やつらに、ぜったい何も売らずにすめばうれしいんだが。そして、一生かけて、勉強、勉強、勉強で押しとおすんだ」

ダニエルのようすを、じっとながめつづけていたジャックは言った。

「では、いつもそれほど自分の芸術にほれこんでるっていうわけかい？」

その言葉には、ちょっとばかにしたような驚きのちょうしがうかがわれた。ダニエルはすかさずそれを見てとった。

「といって、ほかにしかたがなかろうじゃないか」と、彼は妥協するようなちょうしで言った。「誰でもが、行動的才能を持って生まれてきてはいないし」

ダニエルは、用心して、その本心を語らなかった。世の中には、その存在によって人類に福祉をあたえるような行動的な人々が、すでにじゅうぶんすぎるほど存在している、と彼は思っていた。そして、自分とかジャックとかいったように、幸福にも自分自身の才能をみがき、その結果芸術家になりうるような人間は、人類共同体の利益のため、行動といった領域を、それ以外なんの領域も持たないような人々にゆずらなければならないのだ、と考えていた。こうした彼の見方からすれば、ジャックはとうぜん、その生まれながらの使命を裏切った男ともいうべきだった。そして、口かず少ない、いらいらしたようなジャックの態度を見ながら、彼は、やはり自分の判断がまちがわなかった、すなわち、そうした態度こそジャックのうちにひそんでいる不満のあらわれにちがいない、と考えた。つまり、自分の運命を達成できなかったことを漠然とではあるが意識し、うわべは勇ましく相手を見くだしながら、そのじつ、口に出せない変節の感情を傲然と隠している人々の悔恨、とでもいったように思っていた。

ジャックの表情はこわばっていた。

「ダニエル」と、彼は顔を伏せて言った――そのため声も押し殺されたように聞きとれた――「きみは、自分の制作の中にとじこもって暮らしている人間だ。まるで、人間について何も知らないとでもいうかのように……」

ダニエルは、手にしていた一枚のエチュードを下においた。

「人間について？」

「人間は不幸な動物だ」と、ジャックは言葉をつづけた。「しいたげられている動物だ……そうした苦しみから目をそむけさえすれば、おそらくきみのように暮らしていくことができるかもしれない。だが、いったん全世界の悲惨事に目を触れたが最後、芸術家としての生活なんか、そうだ、そんなことはぜったいできなくなってくるんだ……わかるかね？」

「わかる」と、ダニエルはゆっくり言った。そして窓ぎわへ歩みよって、しばらくいらかの波のはるかな地平をながめていた。

《そうだ》と、彼は考えていた。《ジャックの言うことはたしかに正しい……悲惨事……だが、それをいったいどうできるんだ？　すべては絶望だ……すべて。ただ、芸術だけが例外だ！》彼は、自分が運よくそれに一生を託すことのできたこのすばらしいよりどころを、常にもましてたのもしく思った。《世界の罪と不幸とを、なぜ自分の責任として考えなければならないんだ？　そんなことをしたとすれば、誰が得をするでもなしに、おれは自分の創造力を麻痺させ、おれの天分を窒息させてしまうばかりだ。おれは何も人助けのために生まれてきたんじゃない……それに――もっともおれは変人かもしれない――おれはいつも、幸福になるという堅い決意を持って生きてきた！》そうだった。彼は子供のころから、あらゆる人にたいし、あらゆる人々を向こうにまわして、自分の幸福を守りつづけようとつとめてきた。それこそ自分自身にたいする義務の中でいちばん重要なものだという、なるほど単純ではあったろうが、同時にきわめて理づめな感情のうえに立って。もっとも、そうした義務たるや、なかなか実行がむずかしく、そのためには不断の注意が必要だった。少しでも自分の気持ちに身をまかせたが最後、そこにはたちまち不幸が生まれる……ところで、彼の幸福の第一条件は、まず自分の独立ということにほかならなかった。ところで、多くの人々と事をともにしようと思ったら、たえず自分の自由を犠牲にしなければならないことがわかっていた……といって、まさかそれをジャックに打ちあけるわけにもいかなかった。彼は黙ったまま、ジャックの目の中に読みとった侮蔑的な宣言を、そのまま受け入れるよりほかに道がなかった。

彼はふり向いた。そしてジャックのほうへ歩みよると、詰問するような注意をこめて、しばらくじっと顔をみつめた。

「きみは自分を幸福だなんていってるけれど、そんな言い分は通らないぜ」と、彼は言った。(ところで、ジャックは、ぜったいそんなことを言った覚えがなかった。)――「それどころか、きみはなんて……悲しそうな……それに苦しそうなようすをしてるんだ?……」

ジャックは身を起こした。今度こそ何か言わずにはいられなかった! 長いこと延ばしていた決心が、とつぜんきまったとでもいうようだった。ジャックの眼差しの沈痛さに、ダニエルはびっくりして彼をみつめずにはいられなかった。

ちょうどそのとき、はげしいベルが響きわたった。ふたりははっと飛びあがった。

「リュドウィクスンだ」と、ダニエルが言った。

《よかった》と、ジャックは思った。《何をいまさら……?》

「手間はとらない。待ってろよ!」と、ダニエルは低く言った。「あとからおれが送っていくから……」

ジャックは、首を振って拒絶の意味をあらわした。

ダニエルは、訴えるようなちょうしで言った。

「これきり行っちまうんじゃないだろうな?」

「行く」

その顔には、なんの表情も見られなかった。

ダニエルは、一瞬、絶望したように彼をみつめた。そして、いくら訴えてもむだだとわかると、がっかりしたような身ぶりをしてから、ドアをあけに走りよった。

リュドウィクスンは、クリーム色したテュソール絹の、ぴったり身に合った避暑地ふうのスーツを身につけ、それにつけられた略綬が人目を引いた。なま白い、ぶよぶよしたこね粉を彫りあげたような大きな頭は、二重にくくれた首の上にのっていて、低いカラーをつけているのできわめて楽そうだった。頭のてっぺんはとがっており、目のあたりはいささかしわだみ、頬骨は偏平、口は、下唇が厚く、横に長くなっているところ、まるでわなとでもいった感じだった。

彼は明らかに、ダニエルとふたりきりで値段をきめるつもりでいた。ところが、そこに第三者のいるのを見て、かすかに驚きの色をしめした。それにもかかわらず、彼は愛想よくジャックのほうへ歩みよった。たった一度しか会ったことがないのに、ひと目でジャックと見てとったのだ。

「これはこれは」と、彼はrの音をひびかせながら言った(Charr'mé とrをひびかせたという意味)。「四年まえ、ロシア舞踊の幕間にお話ししたことがありましたな? でしょう? あなたはちょうど高等師範学校《エコル・ノルマル》の受験準備をしておいでだった?」

「そうでした」と、ジャックが言った。「よく覚えておいでですな」

「おっしゃるとおり」と、リュドウィクスンが言った。彼は、ぼてぼてしたまぶたを伏せてから、ジャックの賛辞に喜んでちょうしをあわせるとでもいったように、ダニエルのほうをふり返った。

「いまここにおいでのチボーさんでしたっけ、昔ギリシャでは——たしかテーベだったと思いますが——司法官になりたいものは、少なくも十年間なんの商売もしたことのないものでなければならないって話してくださいましたよ。ふしぎでしょう？　わたくしはそれを忘れたことがないんですよ……それに、やはりその晩」と、彼は今度はジャックのほうを向いて言った。「こんなことも教えていただきましたね。フランスでは、アンシャン・レジーム（フランス革命以前のフランスにおける政治形態）時代、貴族の称号を名のろうと思うものは、少なくとも二十年以来——なんて言いましたかな？　貴族の身分を持っていなければいけないって？……」彼は、しとやかに頭をさげてみせたあとで言葉を結んだ。「なにしろ、教養のあるかたがたとお話しするのは何よりたのしいことでして……」

ジャックは微笑を浮かべた。それから、急に別れを告げようとして、リュドウィクスンにあいさつした。

「じゃあ」と、ダニエルはドアのところまでついてきながら口ごもった。「ほんとに待っていられないのか？」

「だめなんだ。いまからだっておそいくらいだ……」

彼は、つとめてダニエルを見ないようにしていた。残忍な空想に、ふたたび心をしめつけられた。第一線に立つダニエル……

リュドウィクスンに遠慮したふたりは、機械的に手と手を握り合っただけにした。

ジャックは、自分で重いドアをあけた。そして、つぶやくように「失敬」と言った。と思うと、暗い階段を駆けおりた。

人道に立ちどまった彼は、大きく息を吸いこんでから時間を見た。ヴォジラール町の集会はとうのむかしにすんでいた。

腹がへっていた。彼は一軒のパン屋にはいって、クロワサンふたつと板チョコレート一枚を買うと、株式取引所のほうへ向かって歩きだした。

三十二

七月二十五日金曜日の夕方、『ユマニテ』社のギャロとステファニーの部屋での話は、もっぱら悲観的だった。《おやじ》に接した連中は、すべて不安なようすを見せていた。取引所では、急にパニックが起こって、三分利付公債が八十フランにさがり、一時は七十八フランにまでさがっていた。一八七一年（普仏戦争によるフランス敗北の年）以来、公債の値段がこれほど下まわったことは一度もなかった。そして、ドイツ側からの電報によると、ベルリンの取引所でも、これと平行したパニックのあったことが伝えられた。

ジョーレスは、午後ふたたび外務省へ出かけていったが、深い憂色をたたえて帰ってきた。彼は誰にも会わずに、部屋にとじこもって仕事をしていた。翌日の論説はもうできあがっていた。人々にはまだその標題だけしかわかっていなかったが、その標題自身、その間の消息を語って余りあった。《平和のための最後の機会》彼はステファニーに向かってこう言った。「オーストリアの通牒はきわめて強硬だよ。オーストリア政府は、とつぜん攻撃に出ることによって、列国に予防工作をさせない腹ではないかと思うんだが……」

すべてはまさに、ヨーロッパにおける最悪の混乱をひきおこすべく、魔手によってあやつられでもしているようだった。フランス政府の首脳たちは、三十一日までは帰ってこない。彼らは、ロシアからスウェーデンへ向かう船中でこの情報に接したはずなので、フランスのほかの閣僚、また連合国政府ともたやすく打ち合わせをするわけにいかなかった。(ベルヒトルトは、フランス大統領出発後、露帝がはじめて通牒のことを知るように仕組んでおいたものだった。それはおそらく、ポワンカレが調停をすすめるおそれのあることを思ってのことにちがいなかった。) カイゼルもまた洋上にあった。したがって、遠く離れていたことから、たといそれをしようと思ったところで、フランツ・ヨーゼフにたいして、ただちに態度緩和を勧告するわけにもいかなかった。他方、ロシアにおいて盛んに火の手をあげていたストライキは、ロシア指導者階級の行動の自由を麻痺させていた。同様にアイルランドの内乱も、イギリスの行動を麻痺させていた。いっぽうセルビア政府は、これまた数日来、選挙のために上を下への混乱だった。閣僚の大部分は、選挙戦のため地方へ出かけて留守だった。オーストリアの通牒が手交されたとき、首相パシッチさえもベルグラードをあけていた。

通牒については、ようやくはっきりしたことがわかりかけていた。本文は、きのうセルビア政府に手交され、それはきょうになって列強に通達された。くり返しオーストリアが宣伝していた和協的態度の保証にもかかわらず（ベルヒトルトは、露仏両国大使にたいし、要求はきわめて受諾しやすい程度のものであると述べていた）、通牒には明らかに最後通牒《ウルチマトム》としての性質が見られていた。すなわち、オーストリア政府は条件全部の受諾を要求したうえ、期限付きで回答を求めていた。しかも、それがなんと嘘のように短い期限、四十八時間！　これはたしかに、他の列強がセルビアのために仲裁するのを妨げようという腹にちがいなかった。オスメールが送っておいたウィーンの社会主義者のひとりは、オーストリア外務省で探った秘密情報をジョーレスのもとにもたらしたが、それはまさにすべての懸念を裏書きしているものだった。ベルグラード駐在オーストリア大使フォン・ギールスは、通牒手交命令を受けると同時に、翌土曜日午後六時、セルビア政府が、一議におよばずオーストリアの要求を拒絶したら、外交関係を打ち切り、ただちにセルビアを退去すべき旨の明白な指令を受けていたにちがいない。そうした指令から推して、最後通牒が、好んで侮辱的な、受諾しがたい形式でしたためられ、オーストリアがただちに宣戦布告をなしうるように仕組まれていたこともうなずかれる。ほかのいくつかの情報も、すべて以上の悲観的仮定を裏書きしているものだった。すなわち、参謀総長ヘルツェンドルフは、電報を受け取るやいなや、チロルにおける休暇を打ち切り、急遽ウィーンに帰ってきた。ベルヒテスガーテンに賜暇休養中の駐仏ドイツ大使フォン・シェーンも、とつぜんパリへ帰ってきていた。ベルヒトルト伯は、イシュルで皇帝と会談した後、わざわざザルツブルクへまわって、そこでドイツ宰相ベートマン・ホルウェヒに会っていた。

こうしてすべては、巧みに仕組まれた巨大なからくりとでもいったような印象だった。ところで、これについてのドイツの役割は？　ドイツに好意をよせるものは、罪はロシアにありとなし、ドイツがとつぜん、汎スラヴ主義の不穏な計画を知ったという事実、またロシアではすでに早くも大がかりな軍備がなされていたという事実をあげて、ドイツの態度を説明していた。ベルリンでは、政府関係は、合い言葉のように、ドイツの指導者たちはその日までオーストリアの要求を知らなかったが、それが列強に通達されてはじめて知ったのだというように主張していた。外務大臣イヤゴーも、イギリス大使にはっきりそう言ったということだった。だが、通牒の本文は、少なくも二日以前に、はやくもドイツに通報されていたものらしい。

だがこの事実から、ドイツが明らかにオーストリアを支持し、戦争を望んでいると結論することができるだろうか？　その日の夕方、ジャックがステファニーの部屋で会った、ドイツからやってきたばかりのトラウテンバッハは、そういうあまりに単純な推定にたいして反対の意見を述べていた。彼によると、ベルリンの軍部方面が、まだロシアに戦争準備のできていないと信じている事実からも、ドイツの態度は理解できるというのだった。もしドイツ軍部の計算にあやまりがなく、ロシアがいやおうなしに受け身の立場に立つことから、全般的戦争になるおそれがまったくないということだったら、ゲルマン諸国はどんなことでもやってのけうる状態にある。明らかに勝算歴々たるものがある。

問題は、力をもって、急速に事をはこぶというにある。オーストリア軍をして、三国協商側が仲裁や商議を持ち出すまえに、ベルグラードへ進駐させることが必要だ。そうしたうえで、ドイツの登場となる。ドイツは、すべての黙契や予謀については知らぬふりをしながら、紛争を局部的に処理するため、そして、自分がイニシアチヴを握って紛争を解決するため、仲裁を買って出る。ヨーロッパは、平和を確保したい一心から、ドイツの調停を喜んで受諾するにちがいない。そして、たいした議論もなく、セルビアの利益を犠牲にしてかえりみないにちがいない。こうして、ドイツのおかげで、ふたたび安定が回復され、事はゲルマン系諸国の利益において解決されることになるだろう。オーストリア＝ハンガリーは、これで永遠にその基礎を固めることができるだろう。そして、三国同盟側（ドイツ、オーストリア、イタリア）は、前例のない外交的勝利を記録することになろう。ドイツの秘密計画に関するこうした推定は、ベルリン駐在イタリア大使館を中心に収集されたいくつかの情報によって確認されていた。

ステファニーが《おやじ》のところへ呼ばれたのを機会に、ジャックはトラウテンバッハを誘ってプログレ亭へ行った。

小さな部屋の中は、ごった返すさわぎだった。夕刊や、『ユマニテ』社の編集部からもたらされたニュースは、はげしい、甲論乙駁の議論をひきおこしていた。

九時ごろになって、楽観的な空気が伝えられた。パジェスはたったいま《おやじ》と数分間会ってきたが《おやじ》の憂色もだいぶ薄らいでいたということだった。ジョーレスは、こんなことを言っていたという。《不幸も、何かの役にはたつさ……オーストリアの態度は、ヨーロッパ諸国を、いやおうなしに惰眠から目ざめさせることになるだろう》他方、続々到着する電報は、インターナショナルの活動に関するさまざまな情報を伝えていた。ベルギー、イタリア、ドイツ、オーストリア、イギリス、ロシアの党本部では、フランスの党本部とたえず連絡を保って、大がかりなデモの準備をととのえていた。おりもおり、ドイツの党本部から届いた希望的な報告によると、本部はドイツ政府の平和的意向を保証しているらしいようすだった。すなわち、社会民主党の連中の確信によれば、ベートマン・ホルウェヒも、イヤゴーも、もちろんカイゼル自身はいうまでもなく、戦争にまきこまれることを容認しまいということだった。したがって、ドイツによる強力有効な仲裁がじゅうぶんあてにできるというわけだった。

ロシアからも、意を強くできるような情報が届いていた。オーストリアの通牒を受けると同時に、ツァー臨御のもとに急遽召集された閣議では、オーストリア政府にたいし、セルビアにしめした期限の延長を求めるため、急速敏活な処置をとるべきことが決定されたということだった。問題の核心には触れずに、ただ期限という第二次的問題をとりあげたこの巧妙な要求には、まさかオーストリア政府でも拒絶しそうにも思われなかった。ところが期限の延長は、たといそれが二、三日のものではあっても、ヨーロッパ外交界に、一致した共同動作に出るための時をあたえるにちがいなかった。すでにロシア外務省は、ペテルスブルグ駐在各国大使といちはやく適切な会談をはじめ、その結果は期して待つべきものがあるように思われた。ほとんどこれと時をおなじゅうしたロンドンからの電報は、さしあたってのこうした希望に確証をあたえるところのものだった。外相サー・グレー（イギリス外相サー・エドゥワード・グト）は、期限延長に関するロシアの提議を全面的に支持するというイニシアチヴをとっていた。さらに彼は、急速に調停計画を立て、それにはドイツ、イタリア、フランス、イギリスなど――紛争と直接関係のない四大国を糾合しようと考えた。これは、拒絶されるおそれのない、巧みに考えられた案だった。なぜかといえば、調停会議の席上には、双方の陣営におのおの同数の支持者がいることになる。いっぽうには、オーストリアの利益を守る立場に立つドイツとイタリア、他方にはセルビアおよびロシアの利益を代表するフランスとイギリス。

ところが、十一時を過ぎると、ふたたびただならぬ雲行きが地平をとざした。まず、ドイツがグレー卿の案を受諾したにしても、それはきわめてにべもない言葉によってなされ、察するところ、ドイツは他の列強と虚心坦懐に調停行為に出ようという意思がないらしいといううわさがひろがった。つづいて、外務省から帰ってきたマルク・ルヴォワールの口からは、オーストリアが、あらゆる期待の裏をかいて、ロシアにたいしてきっぱり期限延長を拒絶したことが伝えられて、みんなは思わずがくぜんとした。それはたちまち、オーストリアの侵略意思のあらわれとして考えられたというわけだった。

午前一時ごろ、大部分の闘士たちも帰ったので、ジャックはふたたび『ユマニテ』社へもどった。入口の部屋では、ギャロが、ジョーレスの事務室を出てきたふたりの社会党議員を送り出そうとしているところだった。ふたりは、内密の、憂うべき情報をもたらしてきたのだった。きょう、各国政府がドイツの和協的仲裁に期待しているおりもおり、パリに帰任したばかりのドイツ大使フォン・シェーンは、外務省を訪問して、外相代理ビヤンヴニュ・マルタンに向かって、ドイツ政府の宣言というのを読みあげた。しかも、この思いがけない文書には、まるで通告とでもいったような——さらには脅迫とでもいったような冷淡なちょうしがしめされていたということだった。ドイツは、その中で、オーストリアの通牒を《その精神においても形式においても承認する》と不逞なちょうしで述べていた。そして、これにたいし、ヨーロッパ外交界は、なんら関係のないことをほのめかし、紛争はオーストリアとセルビア両国間に局限さるべきこと、《いかなる第三国といえども》論争に介入すべからざること、《しからざる場合は、重大なる結果を惹起するおそれあるべき》旨を言明していた。それはつまり、《われわれはオーストリアを支持することを決意した。もしロシアがセルビアのために動く場合、われわれは心ならずも動員せざるを得ないことになるだろう。そうなると、同盟の自動的作用によって、フランスとロシアは、三国同盟を向こうにまわして、戦争突入の危機にさらされることになるだろう》ということをはっきり述べたものなのだった。こうしたフォン・シェーンの声明は、ドイツ帝国主義に何か将来の不吉を思わせる偏頗的・侵略的な態度、それに脅迫の意思の存在していることをとつぜんしめしたものと言えるのだった。しからば、こうした半ば挑戦的態度にたいして、フランスははたしていかなる反応を見せるだろうか？

ギャロとジャックは入口の部屋にいた。そして、ジャックが出ていこうとしたとき、急にひとつのドアがあいたと思うと、ジョーレスが姿をあらわした。汗に光ったひたい、あみだにかぶった麦わら帽子、ずんぐりまるいふたつの肩、まゆげのかげにひそんだ目、短い腕の下には、書類ではちきれそうな折りカバンがしっかりかかえられていた。彼は、ふたりの上にうわのそらの一瞥を投げ、ふたりのあいさつに機械的に答えながら、重い足どりで部屋を横ぎって姿を消した。

三十三

フォンタナン夫人とダニエルとは、棺のそば、隣りあったふたつの椅子の上で夜をあかした。ジェンニーは、兄からむりやりにすすめられて、何時間か休養をとりに行っていた。

朝の七時ごろ、ジェンニーがふたりのところへもどってきたとき、ダニエルは母に近づいて、やさしくその肩に手を触れた。

「お母さん、行きましょう……ぼくたちお茶を飲んでくるあいだ、ジェンニーがいてくれますから」

やさしくはあったが、しっかりした声だった。フォンタナン夫人は、疲れた顔を息子のほうへふり向けた。夫人には、四の五の言ってみても、なんにもならないことが感じられた。《そうだ》と、夫人は思った。《いいおりだから、ひとつオーストリア行きのことを耳に入れてやろう》夫人は、棺のほうへ目を投げてから立ちあがった。そして、おとなしく息子のあとについていった。

朝食は、ジェンニーがそこでひと晩をすごした付属建物の室でたべることになっていた。室は、庭へ向かって大きくひらかれていた。きらきら光っているティー・ポット、ガラスの容器に入れられたバターや蜂蜜、それらを見ていると、夫人の表情には、われしらず、むじゃきな微笑が浮かぶのだった。子供たちといっしょの朝の食事、それは、彼女にとって、いつも一日のはじめの清らかなひととき、休息と喜びのひとときであり、彼女はそのひとときのおかげで、持って生まれた楽天的な気持ちをいつも新たにしてもらっていた。

「わたし、ほんとはお腹《なか》がへってたのよ」と、夫人は食卓に近づきながら白状した。「おまえはどう?」

夫人は椅子に腰をおろして、機械的にパンにバターを塗りだした。ダニエルは微笑を浮かべながら、母のするさまをながめていた。明るい室の中、白い骨ばった小さな手で、こうしたしきたりのしぐさがやさしくなされるのを見ながら、彼はなにかしらしんみりとした気持ちにされたのだった。そうしたしぐさの思い出は、彼の幼いころの朝な朝なに結びついているものだった。

品数の多い食卓を前にして、夫人の口からは、はっきりしない観念連想からこんな言葉がつぶやかれた。

「わたし、演習のあいだ中、おまえのことを考えつづけていたのよ。じゅうぶん栄養が取れたかしら?……夜、おまえが、雨にぬれた服のまんまで、たぶんわらの上に寝ているんだろうと思うと、ベッドに寝ている自分が恥ずかしくってね。とても目をつぶる気になれなかった」

ダニエルは、身をかがめて、手を母の腕の上にのせた。

「なんですって、お母さん！　反対ですよ。何カ年も兵営暮らしをしたあとでは、いくさごっこをするのが、むしろ気晴らしといった気持ちだったんです……」こう言いながら、彼は母のほうへ身をかしげて、手首にはめられた金の鎖を軽くたたいた。「それに、ほら」と彼は言葉をつづけた。「演習に出た下士官は、いつも民家に泊めてもらえるんですから！」

彼は、こうした言葉をいささか軽率に言ってのけた。宿営のおりおり、偶然おこったぬれごとの思い出が心に浮かんだ。そして一瞬、気まずい思いに胸を打たれた。フォンタナン夫人のアンテナにも、それが暗々裡に感じられた。母は、息子から目をそらした。

短い沈黙のあとで夫人はおずおずこうたずねた。

「何時にたつの？」

「今夜八時……休暇は十二時までだが、あしたの朝の点呼にまにあいさえすればいいんですから」

夫人は、埋葬が一時半でなければすまないだろうし、みんなが家へ帰るのは二時になるだろう、してみれば、ダニエルといられるきょう一日も、ずいぶん短いものになるだろうと考えていた……

ダニエルも、さもおなじようなことを考えていたといったように、こう言った。

「それにきょうの午後、ちょっと出なければならないことがあるんです。のっぴきならない用があって……」

その声のちょうしから、夫人には何か隠しているなということが察しられた。だが、その秘密のなんであるかについては思いちがいをしていた。というのは、そのあいまいな、妙にきびきびしたちょうしは、むかし、暖炉のまえで夕方の一時間を共にした後、立ちあがりざまに《あの、お母さん、ぼく友だちと会う約束があるんです》と言ったときのちょうしにそっくりだったから。

ダニエルのほうでも、母の疑っていることを漠然とかぎつけた。そして、それをすぐはらいのけておきたいと思った。

「小切手を受けとらなければならないんです……リュドウィクスンの小切手を」

そのとおりだった。彼は、パリを去るまえに、その金を母にわたしておきたかった。

母には、それが聞こえなかったようだった。彼女は、いつものとおりに、茶碗を下におかず、目をうっすら湯げにくもらせながら、やけどしそうな熱い茶を、音をさせずにちびりちびり飲んでいた。

彼女は、ダニエルの出発のことを思って、重い気持ちにさせられていた。彼女はしばらく、葬式のことも忘れていた。だが、べつに愚痴を言う筋もなかった。というのは、この何カ月かのあいだ心を痛めてきたダニエルの不在も、どうやら終わりに近づいていたことだし。十月になればもどってくるのだ。十月になれば、また三人での生活がはじまるのだ。こう思うと、夫人の目には、末長いこれからの平和な生活のことが思い浮かんだ。思わずも、ジェロームのいなくなったことが、彼女の地平を明るくさせた。もうこれからは自分だけで、自由な気持ちで、子供たちふたりのあいだで暮らせるのだ……

ダニエルは、何か心にかかるといったようすで、じっと母を見つめていた。

「これからの夏のあいだ、ジェンニーと、どうしてパリで暮らしていくつもり？」と、彼はたずねた。

（フォンタナン夫人は、収入上の必要から、この夏メーゾン・ラフィットの家を外国人に貸していた。）

《ちょうどいいおりだ、旅行の話を切りだそう》と、彼女は思った。

「心配してくれなくてもいいんだよ……まず第一に、ああした事件のあと始末で、ずいぶん忙しくなることだろうし……」

ダニエルは、母の言葉をさえぎった。

「お母さん、ぼくの心配しているのは、ジェンニーのことなんですよ……」

ずいぶんまえから、ジェンニーの、口数少ない控えめなようすにはなれていたが、この数日来、ジェンニーの顔のやつれかた、その熱っぽい目つきに心打たれずにいられなかった。

「たしかにからだがよくないですね」と、彼は言った。「いい空気を吸わせてやる必要がありますね」

夫人は、なんとも答えずに、盆の上に茶碗をおいた。彼女もまた、娘のようすに、ただならぬもののあるのに気がついていた。錯乱の表情、呪いの表情、それは父を失ったことだけでは説明できないものだった。だが、ジェンニーについての夫人の見方は、ダニエルのそれとはちがっていた。

「あれはきのどくな子なんだよ」と、夫人はためいきをつくように言った。そして、しんみりさせるようなむじゃきなようすで、「あの子は信じることができないでいるのさ……」

そして、いつも何か問題がおこったときにするように、ちょっとあらたまったものものしいちょうしでつけ加えた。

「ねえ、人間はみんな、心の中の試練やたたかいを持たなければならないのさ……」

「それはそうでしょう」ダニエルは賛成して、それ以上母に口をひらかせなかった。「だが、それはそれとして、ジェンニーはこの夏、山か海へ行って暮らせるといいんだが」

「海も山も、あの子にとってはだめですよ」と、フォンタナン夫人は、不動の確信を持っている、心のやさしい人に独特な片いじでかぶりをふってみせた。「ジェンニーは、からだが悪いのではないんですよ。あの子には、誰も何もしてやれないの……人はめいめい、自分で戦っていかなければならないんですよ。ちょうど、きまった日に、自分ひとりで死んでいかなければならないようにね……」

こう言いながら、夫人は夫のさみしい最後のことを思いだした。目にいっぱい涙を浮かべた彼女は、ちょっと黙っていたあとで、低く、さも自分に言い聞かせるとでもいったように、「自分ひとりで、ただ聖霊とごいっしょに」と、つけ加えた。

「また例のお題目ですか!」と、ダニエルは言った。いささかじれったいといったようすで、その声もふるえていた。彼はケースからタバコを一本とり出すと、そのまま口をつぐんでしまった。

「例のお題目?……」フォンタナン夫人は、びっくりして聞き返した。

夫人は、ダニエルがかわいた音を立てさせながらケースをしめ、タバコを口にくわえるに先だって、それを手の甲で軽くたたいているのをながめた。《お父さんの癖そっくりだ》と、夫人は思った。《お父さんそっくりの手……》ダニエルの薬指には、夫人が夫の手を永遠に組みあわせるまえ、その指からぬいた指輪がはめられていたので、とりわけ似ている感じが強かった。そして、その大きなカメオの指輪は、夫人の心に、いまはただ思い出の中だけに生きている、きゃしゃな、男らしいあの人の手を、いたいたしいばかりに思いださせた。彼女は、ちょっとジェロームの姿を思いおこしたばかりで、まるで二十歳のころとおなじように、胸をとどろかせないではいられなかった……だが、息子が父親似であることを思うと、いつも、とてもたのしい感動と同時に、おそろしい不安を感じさせられるのだった。

「例のお題目?……」と、夫人はくり返した。

「ぼくはただ……」と、ダニエルは言った。彼はまゆげをよせ、言葉をさがしながらためらった。「つまりそのお題目のおかげで、お母さんはいままでいつも……ほかの者たちに……自分たちの運命をかってにえらばせ、その者たちの道が明らかにまちがっているときでも——そして、そうした運命がその者たちに……そしてお母さん自身にも、ただ苦しみだけしかもたらさないようなときでも、何も言ってやろうとしなかったんですよ!」

夫人は痛烈なショックを受けた。だが、あくまでわからなかったふりをして、微笑をさえよそおった。

「では、いまごろになって、おまえをあまり自由にさせすぎたって文句をいうの?」

こんどはダニエルのほうが微笑してみせた。そして、身をかがめると、母の手の上に自分の手を重ねた。

「なにもお母さんに文句を言おうというんじゃないんだ。これからだって、ぜったい文句は言わないでしょう」と、彼は甘えたような目つきで言った。つづいて、心にもなく執拗な態度で言葉をつづけた。「それに、ぼくのそう言うのが、ぼく自身のことでなかったことはわかるでしょう?」

「おお、おまえ」と、母はとつぜん反抗するように言った。「いけません!……」彼女は急所を突かれていた。「おまえはいつでも、お父さまのことをとやかく言おうと思って、そのおりをねらっておいでなのよ!」

こうした議論を、けさ、しかも埋葬を数時間の後に控えてするというのは、なんとしても穏当でなかった。ダニエルもそれを感じていた。そして、すでに自分の口にした言葉を悔やんでいた。だが、そうした言葉を口に出すにいたった不満の気持ちは、彼をして、愚かしくも、さらにそれらの言葉を押しすすめさせた。

「ところで、お母さんは、お父さんをいい人にすることだけしか考えていないんだからなあ。そして、何から何まで、そうだ、お父さんのおかげで、こうしてぼくたち、収拾できないようなめにあわされていることさえ忘れちまっているんだからなあ!」

そうだ、夫人にだって、ダニエルのように考えたい理由はいやというほどあるにはあった。だがいまの彼女は、父の思い出を、息子のきびしさからまもることだけしか考えなかった。

「あら、ダニエル、そんなことを考えてはいけないわ!」と、夫人はしゃくり泣くような声で言った。「おまえには一度だってお父さまのほんとのご性質がわかっていなかったのよ！」そして、弁護できないことを弁護しようとするときの、いこじな興奮を見せて言葉をつづけた。「お父さまには何ひとつおとがめするようなことはなかったのよ！　何ひとつ！……お父さまは、事業に成功なさるためには、あまりに紳士的で、あまりに太っ腹で、人を信用なさりすぎたかたなのよ！　これがお父さまの悪かった点！　あのかたは、恥知らずの人たちをことわりきれずに、その犠牲におなりだったのよ！　これがお父さまの悪かった点。たったひとつの悪かった点！　それを証明してみせてあげてもいいわ！　たしかにお父さまには手ぬかりがおありだった。ミスター・ステルリングがわたしの前でおっしゃったように、《残念ながら軽率》な点がおありだった。でも、けっきょくそれだけのことだったのよ！　残念ながら軽率だったということ！」

ダニエルは母のほうを見ずに、唇をふるわせ、ちょっと肩を動かして見せた。だが、よく自分をおさえて、何も答えようとはしなかった。ふたりは、いつもこんなふうに、たがいの愛情にもかかわらず、たがいに打ちあけて話したいと思っていながら、それができずにいたのだった。ちょっと触れるか触れないのに、ふたりの中の隠れた気持ちは、たがいにぶつかりあってしまうのだった。そして、かつてのふたりのあいだの感情の疎隔は、沈黙をさえ気まずいものにさせていた……ダニエルは首をたれた。そして、目をゆかにそそいだままじっと身動きせずにいた。

フォンタナン夫人のほうでもひと言も言わなかった。第一歩からすべり出しのわるかった話を、このままつづけたところでなんになろう。夫人は、夫にたいしてどんな重大な訴訟がおこされているかを息子に話し、自分のウィーン行きがどれほど差しせまって必要であるかわかってもらおうと思っていた。だが、腹の立つようなダニエルの冷徹さを見せられた彼女は、もはやただひとつの考え、夫を弁護することしか考えなかった。だが、それは、自分の出発をもっともと思わせる理由を、むしろ薄弱なものにさせる以外になかった。《しかたがない。手紙で言ってやることにしよう》と、彼女は思った。

気づまりな沈黙は、なおしばらくのあいだつづいていた。

ダニエルは、いま窓のほうを向いていて、朝の空や木々のこずえをながめながら、わざとらしい落ちつきをよそおいながらタバコをふかしていた。それを見ながら、母はけっしてだまされなかった。

「八時」フォンタナン夫人は、病院の時計の鳴るのを聞きながらこうつぶやいた。夫人は、着物の上に落ちていたパンを拾うと、それを細かくちぎって、室のかまちの上にいた小鳥たちにやった。そして、おだやかな声でこう言った。「わたし、あっちへ行きますよ」

ダニエルも立ちあがっていた。自分自身がはずかしく、後悔されて、いたたまれないような気持ちだった。母のやさしい盲目ぶりをみせられるとき、父にたいする彼の恨みはいつも高まってくるのだった。自分でもなんと名づけていいかわからないひとつの感情が、いつも彼をして、あまりにも人のいい母の愛情のことをやっつけさせずにはいないのだった。彼はタバコを投げすて、まの悪そうな微笑を浮かべて、母のそばへ歩みよった。そして、何も言わずに身をかがめ、いつものように母のひたいの上のあたり、年よりも早く白髪になったはえぎわのあたりにキスしようとした。唇は、ちゃんとその場所を知っていた。そして鼻は、母の皮膚から発するなまぬるいにおいを知っていた。母は、いささかあお向きかげんになって、ダニエルの顔を両手にかかえた。彼女は何も言わず、ただほほえんで見せて、じっと彼の目の奥をみつめていた。そして、裏になんの非難のかげも見えない母の眼差し、母の微笑は、こう言ってでもいるようだった。《みんな忘れてしまったわ。いらいらしたこともゆるしてね。お母さんを苦しめたなんて、何も心配することはないのよ》ダニエルには、この無言の言葉がよくわかった。そして、わかったしるしに、二度までまぶたをとじて見せた。そして、母が立ちあがろうとするのを見ると、彼はてつだって立たせてやった。

母は、ひと言も口をきかず、彼の腕に身をまかせたまま地下室のほうへおりていった。

彼は戸をあけた。そして母だけ中へはいらせた。

ひんやりした地下室の空気にまじって、棺の上にしおれかけていたばらのにおいが彼女の顔を打った。

ジェンニーは、両手をひざにそろえて、身動きもせずにすわっていた。

夫人は、ふたたび娘のとなりの席にすわった。そして、椅子の背にさげてあったハンドバッグの中からバイブルを取りだし、行きあたりばったりにあけてみた。(少なくとも、彼女はそれを《行きあたりばったり》と呼んでいた。だが事実において、この背のこわれた古いバイブルは、いつも彼女に、自分がこれまでいちばんたいせつな糧を見いだすことのできた個所のひとつを見せてくれるのだった。)彼女は読んだ。

《誰か清き物を汚れたる物の中より出し得る者あらん。一人も無し。その日既に定まり、その月の数なんぢに由り、汝これが区域《さかい》を立て越《こえ》ざらしめたまふなれば。是《これ》に目を離して安息《やすみ》を得させ、之《これ》をして傭人《やといにん》のその日を楽しむがごとくならしめたまへ》（ヨブ記、十四章、四―六節）

夫人は目をあげて、しばらくのあいだなにか考えているようすだったが、やがて書物を、スカートのくぼみにおいた。彼女が、バイブルを手にし、それをあけ、それをしめるときの用心ぶかいやり方、それは彼女にとって、信仰と感謝の行ないそのものにほかならなかった。

夫人はいま、すっかり平静にかえっていた。

三十四

ジャックは、ゆうべジョーレスがタクシーに乗って夜のうちに姿を消すのを見たあとで、いつもおそくまで、ショップ亭に集まっている夜ふかし組の闘士たちのところへ出かけていった。その店が、社会主義者たちのために取ってくれている特別室には、中庭のほうへ出られる入口がついていた。そのため、店がしまってからでも、室はあいていたのだった。論争に花が咲き、それがずっとおそくまでつづいたため、ジャックは、ようやく朝の二時になってそこを出た。だが、この時刻では、いまさらモーベル広場の下宿まで帰る気力もなく、株式取引所近くのあいまいホテルにころげこんだ。そして、ベッドにつくが早いかぐっすり寝こんで、ごみごみしたこの界隈の、朝早い物音にも目がさめなかった。目をさましたときは、もうすっかり夜が明けていた。

かんたんな洗面をすますと、彼は町へ出て新聞を何種か買い、それを読むため、いそいで大通りのカフェーのテラスへ出かけた。

いよいよ新聞も、警鐘を鳴らす腹をきめていた。カイヨー裁判の記事はいまや二面に追いこまれ、あらゆる新聞は大見出しで時局の重大性を報道し、オーストリアの通牒を《最後通牒的》なものとして取り扱い、オーストリアの態度を《恥知らずの挑戦》であるときめつけていた。一週間以来、毎日の紙面をカイヨー弁論の詳報にあてていた『フィガロ』紙さえ、きょうはその一面から特別大見出しで、《オーストリア脅迫す》をかかげ、紙面全部を《戦争来たるか?》という不安な見出しのもとに、外交的緊迫の記事にあてていた。半官紙の『ル・マタン』には、勇壮なちょうしが見られていた。《オーストリア・セルビア間の紛争は、大統領のロシア訪問中にとりあげられた。両国(フランス、ロシア)同盟が、虚に乗ぜられることはあり得まい……》クレマンソーもまた彼の率いる『自由人』紙上で次のように書いていた。《一八七〇年(普仏戦争勃発の年)以来、ヨーロッパは今日のごとく一触即発の危機にさらされたことはない。まさに、およぶところ量り知るべからざるものがある》『エコ・ド・パリ』紙は、フォン・シェーン大使の仏国外務省訪問について報じていた。《オーストリアの強要にひきつづき、いまやドイツの脅迫いたる……》そして、締切り間際の最新報道として、次のような警告で結んでいた。《セルビアにして譲歩しないかぎり、今夕宣戦をみるにいたるだろう》それは、もちろんオーストリア・セルビア間の戦争のことにほかならなかった。だが、火事をそこだけで食いとめられると、誰に保証できるだろう？　ジョーレスは、その巻頭論文で、なんの包みかくすところなく《平和のための最後の機会》はセルビアの屈服、オーストリアの要求の屈辱的受諾以外にないことを述べていた。新聞の抜粋報道によれば、外国新聞もまた悲観的な見方だった。きょう七月二十五日の朝、セルビアにあたえられた猶予期限満了わずか十二時間まえ、全ヨーロッパは（それは、二週間まえ、ジャックがウィーンで探り得たオーストリアの将軍の予言どおりだった）とつぜん恐慌状態のうちにその目をさましたというわけだった。

ジャックは、テーブルいっぱいの新聞を押しやりながら、冷たくなったコーヒーを飲んだ。いま読んだところからは、何ひとつ目新しいことを教えられなかった。だが、この一様な不安からは、新しい、劇的なひびきが聞かれていた。彼は、労働者、勤め人たちの群れのうえに、当てもなく目を走らせながら、虚脱したかのようになっていた。乗合自動車からおりた彼らは、いつもとおなじように、だがいつもより真剣な顔つきで、新聞をひろげながら職場をさしていそいでいた。力が抜けきったような瞬間。彼のうえには、寂しい気持ちが、なんともたまらなく押しかぶさっていた。ジェンニーのこと、ダニエルのこと、けさ行なわれる埋葬式のことなど、さっと彼の心をかすめた。

彼はつと立ちあがると、モンマルトルのほうへ歩きだした。ダンクール広場まであがって行き、『リベルテール』社へもどってみようと思って。彼は一時も早く、闘争の空気の中に身をおきたい気持ちでいっぱいだった。

オルセル町のその社には、すでに情報を求めにやってきた十人ばかりの連中がいた。二十五日の新聞はすでにその朝発行されていた。急進的な新聞は、手から手へと渡して読まれていた。『ボネ・ルージュ』紙は、第一面全部をロシアのストライキ記事にあてていた。大部分の革命家にとって、ペテルスブルグにおける労働者の重大な擾乱は、ロシアが中立的立場に立つであろうことの、すなわち、紛争がバルカンに局限されるためのもっとも確実な保証のひとつと考えられていた。そして『リベルテール』社では、みんながこぞってインターナショナルの優柔不断を攻撃し、その首脳たちが政府と妥協していることを非難していた。いまこそは一大攻勢を打ちだし、あらゆる方法によって、他の諸国にもストライキをおこさせ、ヨーロッパ各国の政府を一時に麻痺状態におくべき好機ではないだろうか？　いまこそ集団的決起にとっての唯一の機会であり、それによって、単に目前の脅威を排除するだけでなく、革命をして何十年か早く到来させることになるのだ。

ジャックは、そうした議論に耳を傾けていた。そして自分の意見を述べることをためらっていた。彼の考えによれば、ロシアのストライキは両刃《もろは》の剣と言ったようなものだった。なるほどそれは、参謀本部の好戦的な下心を麻痺させることもできるだろう。だが、同時に、腰のきまらない政府にたいして、急転換の誘惑をあたえるものでもあり得るのだ。すなわち、戦争の危険を口実にして戒厳令をしき、峻烈な弾圧によって民衆の決起を断固閉塞させてしまうこともあり得るのだ。

ふたたびピガル広場に立ったとき、大時計はちょうど十一時を指していた。《きょう十一時になんの用があったかしら?》と、彼は心にたずねてみた。思いだせない。土曜日の十一時……彼は心配になってきて、思いだそうと努力した。フォンタナン家の葬式だろうか? だが、それには初めから行ってみる気はなかった……彼はうつむきこんで、当惑したようすで歩きつづけた。《これでは人前に出られたもんじゃない……ひげもそってないし……もちろんほかの連中のなかに隠れていたらわかるまいが……おや、モンマルトルの墓地の近所だ……その気になったら、床屋は五分でやってくれるだろう……ダニエルの手を握る。それも親切なことにちがいない……そうだ、それも親切なことにちがいない。それをしたところで、その結果どうしなければならないわけでもないんだし……》

彼は目で、早くも床屋の看板をさがしはじめた。

墓地まで行ったとき、入口の番人はもう葬列は通ったあとだと教えてくれた。そして、方角を教えてくれた。

やがて、立ちならぶ墓のあいだから、細長い墓石の前に集まっている一群の人が目にはいった。

フォンタナン家之墓

彼は、ダニエルとグレゴリー牧師のうしろ姿を見つけた。

司祭のしわがれた声が静かな中に聞こえていた。

「主はモーゼに《われなんじとともに在らん！》と仰せられた。されば罪びとよ、御身、陰の谷間を行くとも恐るることなかれ。主、御身とともにいませばなり！」

ジャックは、そこにいる人たちを正面からながめるため、ぐるりとひとまわりした。

光線をまともにうけて、ダニエルのむき出しのひたいが、ほかの人々の頭の上に見えていた。そばには三人の婦人が、おなじように黒いヴェールをかぶって立っていた。いちばん前の婦人はフォンタナン夫人だった。だが、ほかのふたりのうち、どちらがジェンニーなのだろう？

牧師は、髪をふりみだし、無我の境にはいったような目をして立っていたが、おびやかすような身ぶりで腕を振りあげながら、穴のふち、あからさまな日の光に照らされた黄色い棺へ向かって勢いこんでよびかけていた。

「哀れなる、哀れなる罪びとよ！　御身の太陽は、ひと日の終わりを待たずして没し去った。だが、われらは御身のことを、望みなき人々のごとく嘆こうとはしない！　御身は、目に見える世界からは立ち去ったが、物質なるわれらが目から消え去ったものは、卑しむべき物質の仮の姿にすぎないのだ。

きょう御身は、大いなる光栄あるつとめのために主のみもとに召され、御身は輝きわたっている！かくして御身は、われらに先だって降臨の喜びのうちに到達したのだ！……いまここにわれとともに祈るはらからよ、忍耐をもって心を固めたまえ！　イエスの降臨は、御身らおのおのにとってひとしく近い！……父なる主よ、われらが心をみ手にゆだねたてまつる！……アーメン」

いま、人々は棺を持ちあげ、それをゆらりと揺すりながら、綱につるして、ぶつからないようにおろしにかかった。フォンタナン夫人は、ダニエルにたすけられて、ぽっかり口をあけた穴の中をのぞきこんだ。うしろにいるのがジェンニーか？　そしてそのとなりがニコル・エッケか？……やがて三人の婦人は、葬儀会社の男の案内で、道路のところに待たせてあった葬儀自動車のところまでこっそり歩いて行った。そして、車は、すぐに徐行しながら走りはじめた。

ダニエルは、小道のはずれに、ただひとり、きらきら輝く兜《カスク》を小わきにかかえながら立っていた。いかにも堂々としていた。そして、すらりとした優雅な姿、いささか改まったところはあるにしても、いかにも悪びれないものごしで、前をゆっくり流れて行く会葬者から悔やみの言葉を受けていた。

ジャックはじっと彼をながめていた。そして、こうして遠くから彼をながめているだけで、昔ながらに、なつかしい胸せまるようなあたたかさを感じた。

ダニエルのほうでも彼のいるのに気がついていた。そして、人々と手を握りながら、思いがけなく来てくれたことを喜ぶといった表情で、ときおり眼差しをおくってよこした。

「よく来てくれた」と、彼は言った。そして一瞬ためらっていたが、「今夜たつんだ……もう一度会えたらうれしいと思ってたんだ！」

ダニエルを前にして、ジャックは戦争のこと、第一線部隊のこと、最初の戦死者のことを思っていた。

「新聞を読んだかね?」と、彼はたずねた。

ダニエルは、よくわからないといったように、彼の顔をながめていた。

「新聞? まだだ。どうして?」それから、押しつけがましく思われないように気をつけながら、

「今夜東部駅《ガール・ドウ・レスト》にさようならを言いに来てくれないかしら」と、言った。

「何時にたつんだ?」

ダニエルは、さっと顔を輝かした。

「九時半だ……九時に駅の食堂で待っていようか?」

「行こう」

ふたりは、一瞬顔を見合ってから、手を握った。

「ありがとう」と、つぶやくようにダニエルが言った。

ジャックは、ふり返りもせずに帰っていった。

三十五

その日の朝、ジャックは幾度となく、こうした政治的情勢の重大化を知ってアントワーヌがどうい

う気持ちでいるだろうかと考えていた。そして、ぼんやりとではあるが、埋葬式で兄に会えることを期待していた。

彼は、手早く昼食をすませ、ユニヴェルシテ町の家へ行ってみることにした。

「まだお食事中でございます」こう言いながら、レオンはジャックを食堂に案内した。「でも、もうフルーツが出ましたところで」

ジャックは、はいって行くなり、イザーク・ステュドレル、ジュスラン、それに若僧のロワが、兄をかこんで食卓についているのを見てがっかりした。彼はこうして、みんなが毎日いっしょに食事をすることを知らずにいたのだった。（それは、アントワーヌの要請によるものだった。こうすることによって、彼は病院での午前中と、患者たちにしばられる午後とのあいだに、その協力者たちと接触を保つことができたのだった。いっぽう三人にとっても――三人ともに独身者だったことから――それは時間の経済であるとともに、ばかにできない金銭上の利益でもあった。）

「食事は？」と、アントワーヌが言った。

「ありがとう。すましてきた」

ジャックは、大きなテーブルをひとまわりして、みんなのさし出す手を握ったが、さて椅子に腰をおろすに先だち、誰に言うともなくたずねた。

「新聞を読んだかしら？」

アントワーヌは、答えるまえに、一瞬じっと弟を見つめた。その眼差しは、《きみの言ったとおりらしいな》と言ってでもいるようだった。

「読んだ」と、兄は考えこんだようすで言った。「みんなもすっかり読んでる」

「食事のはじめから、みんなその話で持ちきりでした」と、ステュドレルが、黒いひげをいじりながら、打ちあけた。

アントワーヌは、不安の気持ちを外へあらわさないようにつとめていた。午前中、彼は何かはっきりしないいらだちを感じていた。彼は、誰か正直な者がいて、あらゆる物質的な問題を、自分をわずらわすことなく、しかもなんの遺憾もないように処理していてくれる整然とした家が必要であるのとおなじ意味において、自分のまわりに、しっかりした組織をもった社会の存在していてくれることを必要としていた。彼は、レオンのむだづかいや、クロティルドがうわまえをはねるのにたいして目をつぶっていられるのとおなじように、社会制度によるところのいくつかの弊害をゆるし、議会におけるスキャンダルを忘れることもできるのだった。だが、どんな場合であれ、フランスの運命が、家事上、炊事上の切り盛り以上に自分の心を悩ますことを容赦できなかった。そして、政治上の擾乱によって生活をさまたげられ、仕事のうえの計画をおびやかされることを、なんとしてもがまんできなかった。

「だが」と、彼は言った。「あまりおびえすぎてはいけないと思うな。いままでにだって例はある……もっとも、けさの新聞は、かなり予想外な……そしてかなり不愉快なサーベルの音をひびかせてはいたが……」

マニュエル・ロワは、いまの言葉の最後のところで、黒目がちな若々しい顔をアントワーヌのほうへあげていた。

「サーベルの音、それを国境の向こうへまで聞こえさせることになるでしょうよ。そして、あんまり強欲すぎるお隣り衆をひやりとさせることになるでしょうよ！」

皿の上にかがみこんでいたジュスランは、ロワのほうを見ようとして顔をあげた。そして、ふたたび、仕事のつづきにとりかかった。彼はたんねんに、フォークとナイフのさきで、桃をむいていた。

「そんなことがわかるものかね」と、ステュドレルが言った。

「だが、なにしろそうなることにちがいないと思うな」と、アントワーヌが言った。「そして、おそらく、そうする必要があったんだと思うな」

「どうだかな！」と、ステュドレルが言った。「威嚇政策っていうやつは危険なものにきまってるんだ。それは、相手を麻痺させるよりも、憤激させることのほうが多いんだ。とくに政府が、おかまいなしに、きみのいわゆる……サーベルの音をひびかせるっていうのは、それは大きなまちがいだと思うな！」

「責任ある人々の立場に立って考えることは、なにしろとてもむずかしいことだな」と、落ちついたちょうしでアントワーヌが言った。

「ぼくは責任ある人々に向かって、何をおいても慎重な人であってほしいと要求するな」と、ステュドレルが言い返した。「攻勢に出るということ、これがまず第一に慎重を欠いたことなんだ。次には、そうした態度をとらざるを得なくなったように思わせること、これが第二に慎重を欠いた所業なんだ。みんなの気持ちの中に、戦争の危険がせまっている……いや、戦争がおこりかねないという考えを植えつけること、平和にとってこれ以上危険なことはない！」

ジャックは黙りつづけていた。

「ぼくには」と、アントワーヌは、弟のほうを見ないで言った。「ひとりの大臣が、人間として戦争を否定していたところで、やはり攻勢的手段に出なければならなくなるという気持ちがよくわかるんだ。それは、彼が権力の立場に立っているという事実によるんだ。国家の首長として、その国家の安泰を守る責任を負わされた者は、事実を認識する明ある者であるかぎり、そして隣国の威嚇政策を現実の事実として認める場合……」

「それに」と、ロワが口をはさんだ。「ただ個人的な弱気から、ぜがひでも戦争を回避しようと決心しているような政治家は考えられませんな。国際場裡《じょうり》にれっきとした場所を持っているひとつの国——領土を持ち、植民帝国を持っているひとつの国の頭《かしら》に立つものとして、いやおうなしに現実的な見方をすることになるでしょう。大統領の中でいちばんの平和愛好者といわれているような人でも、いったん任につけば、その国の富を確保し、その国の資産が隣国からねらわれるのをふせぐため、どうしても強力な軍隊を持ち、それによってその国を尊敬させ、そして世界の他の国々に自国の存在を認識させるというためだけにも、ときどきサーベルを鳴らす必要のあることにすぐ気がつくはずだと思いますな！」

《その国の富を確保する》と、ジャックは考えた。《それなんだ！　つまり、自分の持っているものを確保し、そして、機会さえあれば隣人の持っているものまでも自分のものにしようということ！　それこそ――個人の場合と国家の場合たるとを問わず――資本主義政策のすべてなんだ……個人は、利益を手に入れるために戦う。国家は、賄賂や、領土や、港を手に入れるために戦う！　まるで、人間活動の法則として、戦争以外なにもないといったように……》

「不幸にして」と、ステュドレルが言った。「あした、情勢がどういう転回をみせるか知らないが、きみのいうサーベルのひびきというやつは、フランス内外の政策にとってきわめて憂うべき結果をもたらすと思うな……」

　こう言いながら、彼はさも意見を求めるかのようにジャックのほうをのぞきこんだ。そのひとみには、疲れたような、悩ましい輝きが見られ、いやでも目をそむけずにはいられなかった。

　ジュスランは、また顔をあげてステュドレルのほうを見てから、ひとわたりみんなの顔をながめまわした。きわめて優雅な、おだやかな、ブロンドの髪をいただいた顔。長めな、さみしそうなかぎ鼻、ひろい、すっきりした、ともすれば微笑しかける口。これも切れながで、やわらかいねずみ色の、どこか変わったところのある目。

「なにしろ」と、彼はうわのそらのちょうしでつぶやいた。

「きみは、誰ひとり戦争を望んでいないということを忘れているにちがいない！　誰ひとり！」

「それはたしかかしら？」と、ステュドレルが問い返した。

「少数の老人たちは別として」と、アントワーヌが仲に立った。

「そうだ、危険な少数の老人たちを別として。彼らは、勇ましそうな文句をとなえて、それでうがいをしているような連中なのさ」と、ステュドレルが言った。「そしてやつらは、戦争のあいだじゅう、うしろで、ゆっくり、なんの危険も感じないでうがいのできることを知ってるんだ……」

「危険なのは」と、ジャックは、アントワーヌもそれと気がついたほどの慎重さで言った。「それはヨーロッパのいたるところの国々で、指導的立場が、すべてそうした老人たちの手に握られているということなんです……」

ロワは、笑いながらステュドレルの顔をながめた。

「カリフ先生、新しい考えのお好きなあなたのことだ。ひとつこうした考えを、予防的な意味で言いふらしてやってはどうですかな。つまり、動員の際は、まず老人階級をひっぱり出すって！　老人を第一線に送ってやるって！」

「それもたしかに悪くないな」と、ステュドレルがつぶやいた。

一瞬みんなが沈黙したあいだに、レオンがコーヒーをはこんできた。

「ところで、ここに、たしかに戦争が避けられるだろうと思われるひとつの方法、たったひとつの方法がある」と、沈痛なちょうしでステュドレルが言い放った。「思いきった方法だ。そして、ヨーロッパで実現確実な方法なんだ」

「というと？」

「一般人民投票を要求するんだ！」

ジャックだけが、うなずいて賛成の意をあらわした。

ステュドレルは、勢いづいて言葉をつづけた。

「普通選挙の行なわれているわれわれデモクラシーの国で、宣戦だけが政府の自由意志にまかされているというのは、非論理的、言語道断なこととは思わないか？……ジュスランは、《誰ひとり戦争をしたくないと思っている》と言った。そうだとすれば、いかなる国のいかなる政府も、国民大多数の明白な意思に反して、戦争を決定する、ないし戦争を受諾する権利を持ってはならないはずだ！国民生死の問題については、少なくともこれだけのことは言えると思う、すなわち、国民自身の意思を聞くことこそ正しいのだと。そして、これはぜったいになされなければならないことなんだ」

興奮するにつれて、かぎ鼻の小鼻のあたりはふるえ出し、こめかみのあたりには暗いあざが浮かび、馬のように大きな白目が、いささか血走ってさえ見えていた。

「これは、ぜったい夢のような話ではないんだ」と、彼は言った。「各国民がその為政者にたいして、憲法にわずか三行だけ修正をさせたらいいんだ。すなわち、《動員の公布、戦争の宣言に当たっては、一般投票による七十五パーセントの多数を得るにあらざればこれを行なうことを得ず》これが、新しく戦争のおこるのをふせぐための、法律的な、そしてほとんど百発百中あやまたない唯一無二の方法なんだ……平和のときには、――わがフランスでもその例がみられたものだ――大衆は、好戦的な政策を持った男に政権をまかせることもした。いつの時でも、火遊びをしたがる無用心な人間どもがいるんだから。だが、いざ動員を前にひかえて、自分を権力の座につかせてくれた人々の意見を聞かなければならないということになったとき、おそらく誰ひとりとして彼に宣戦の権利を認めるものはないだろう!」

ロワは、声を立てずに笑っていた。

アントワーヌは、立ちあがって、ロワの肩に手をおいた。

「マッチをかしてくれないか……ところできみはどう思うね? きみの愛読紙の意見はどうだね?」

ロワは、優等生といったようなすなおな目をあげてアントワーヌを見た。そしていっぽう、警戒するように笑いつづけていた。

「ロワ君は」アントワーヌは、弟のほうをふり向いて説明した。「『アクション・フランセーズ』(シャルル・モラスの率いた右翼新聞紙)の愛読者なんだ」

「ぼくも毎日読んでます」ジャックは、おなじように自分のほうをじっと見ている若い医師をみながら言った。「あの新聞は、すばらしい理論家の顔ぞろいで、しばしばすきのない理論を組み立てています。だが残念なことに——少なくもこれはぼく一個の考えですが——そのデータというのがほとんどいつもでたらめでしてね」

「そうでしょうか」と、ロワが鼻声で言った。

彼は、勇敢な、自信ありげなようすで微笑しつづけていた。それは、さも自分の確信していることについて、俗人どもと議論するのを潔しとしないといったようす、まるで、何か秘密を守りつづけようとしている子供のようだった。だが、目にはときおり不敵なかげがひらめいていた。そして、ジャックの批判を聞いて、はじめて遠慮をかなぐりすてる決心をしたというように、アントワーヌのほうへ歩みよると、乱暴なちょうしでこう言った。

「先生、じつを言うと、ぼくは独仏問題なんてもうたくさんだと言いたいです！　四十年このかた（普仏戦争以来の四十年）おやじたちもぼくたちも、そうした足かせを引きずりつづけてきたのでした。もうそれだけでたくさんです。いっさいがっさいしまつをつけるため、戦争をすべしというのだったら、よろしい、やろうじゃありませんか。どうせそうなることなんですから！　ぐずぐずする必要がどこにあります？　不可避なことを、延ばしてみたところでなんになります？」

「いつまでも延ばすさ」微笑しながらアントワーヌが言った。「無限に戦争を延ばしていれば、平和らしさが得られるわけさ！」

「はっきりしまつをつけたいですな。せめてひとつのことだけはたしかですから。つまり戦争をすれば――勝つにしても（たいてい勝つとは思いますが）負けるにしても――問題ははっきり、どちらかひとつにきまるのですから。そして、独仏問題はこれを最後になくなるでしょうから！　そのうえ」と彼は真剣な顔をしてみせた。「そうなったあかつき、大きな出血の結果として、得られる利益も大きいです。よどみきった四十年の平和、そんなものでは一国の精神はどうにもならない！　フランス精神の復興が、戦争によってのみ得られるものなら、ぼくたち、よろこんでわれらのからだをささげましょう……」

そうした言葉には、なんら、虚勢のかげが見られなかった。ロワの気持ちの真剣さは、一点疑いをゆるさなかった。みんなもそれを感じていた。それは、みずから真なりと認めるものに、身命をささげて悔いなしと思いつめているひとりの男にほかならなかった。

アントワーヌは、立ったまま、タバコをくわえ、まぶたにしわをよせながら聞いていた。彼はなんとも返事をしないで、さみしそうな、親しみのこもった沈痛な眼差しでロワのほうをながめた。彼は、いつも勇気を愛していたのだった。つづいて彼は、しばらくじっと火のついたタバコの先端をながめていた。ジュスランは、ステュドレルのそばへ歩みよった。彼は、つめが酸で黄いろくなった人さし指でステュドレルの胸を幾たびかつついた。

「なあ、いつもミンコウスキー（ロシア生まれのフランス現代の精神病学者。ベルグソンの心理説を基礎とした精神分裂症の研究によって知られる）の分類に立ちもどることになるんだ。《サントーヌ》と《シゾイド》と。すなわち《人生を肯定するもの》と、《否定するもの》と……」

ロワは、ほがらかに笑いだした。

「すると、ぼくはさしあたり《サントーヌ》か？」

「そうさ。そして、ステュドレルは《シゾイド》だ。ふたりとも、これは永久に変わるまい」

アントワーヌはジャックのほうを向いていた。そして、時計をみながら、微笑した。

「どうだ、《シゾイド》、いそいではいないんだろう？　ちょっと……おれの部屋へ行こうや……」

「おれはあのロワが大好きでね」と、アントワーヌは、その小さな書斎のドアをあけ、弟を先へ通してやりながら言った。「正しい、それになかなかしっかりした人物だ……ひたむきな精神……もちろん偏狭さもあるにはあるが」と、アントワーヌは、ジャックが、思うところありげに黙っているのを見てつけ加えた。「かけろよ。タバコは？　きみはちょっといやな気持ちをしたらしいな？　あの男の人物を知り、そしてわかってやらなければ、きわめてスポーティフな性格の男だ。なんでもはっきり言ってのけることが好きな男だ。現実なり事実なりを、いつも喜んで、しかも敢然として受け入れる男だ。分析をもてあそぶことは好きでない。それでいて、批評的精神の所有者なんだが——少なくも自分の仕事の面については、精神を麻痺させるような懐疑というものを本能的にきらっている。おそらくそれでいいんだろう……彼にとって、人生は、知的論議であってはならない。彼はぜったいに《何を考うべきか？》を言わないんだ。《何をなすべきか？　いかに有効に行動すべきか？》なんだ。もちろん、彼の欠点もわかっている。だが、それは主として、若さゆえの欠点なんだ。いずれ直るにちがいない。きみは、あの声に気がついたかね？　ときどき、まだ子供のような裏声をだす。すると、ちょうしにぐっと力を入れて、太い声、おとなの声を出そうとする……」

ジャックは椅子にかけていた。彼は、賛成するというのでもなしに聞いていた。

「ぼくは、ほかのふたりのほうが好きだと思うな」と、ジャックは気持ちを打ちあけた。「とりわけジュスランさん、あの人はかなり気に入った」

「ははう！」と、笑いながらアントワーヌが言った。「あいつは永遠のおとぎ話の中の人物なんだ。

生まれながらの発明家気質でね。彼は、ああした人間のみが往々何か発見をやってのける半現実の世界の中で、可能と不可能との境のものを夢みつづけてきた男なんだ。事実、彼はそうした発見をやっている。しかもきわめて重要な発見を。いずれ暇があったら説明しよう……ロワは、彼についてとてもおもしろいことを言っているんだ。《ジュスラン君は、三本足の子牛だけしか見ようとしなかった。いつかふつうの子牛を見ることがあったら、何かふしぎなものでも発見したように思うだろう。そしていたるところで、おいおい、四本足の子牛もいるんだぜ！　ってふれまわるにちがいない》って」

アントワーヌは、ディヴァンの上に両足をのばし、首筋のところに腕を組んでいた。

「ごらんのとおり、かなり優秀な連中を集めているんだ……三人ぜんぜんちがってはいるが、たがいに有無相助けているというわけなんだ……ステュドレルはまえから知ってたな？　とても力になってくれる。群を抜いた勉強ぶりだ。すごい天分の所有者なんだ！　天分のあること、それがあの男の特長とさえ言えよう。それは長所でもあれば短所でもある。どんなことでも、苦もなくわかってしまう。新しく得たひとつひとつの知識が、彼の頭の中で、まるでまえからちゃんとできていたような棚の上に、たちまちおさまってしまう。だから、あいつの頭にはぜったい乱雑さが見られない。だが、おれは、いつも何か一風変わった、何かはっきりしないものを感じていた。たしかに人種のせいだと思うが……さあ、なんと言ったらいいだろう……あいつの思想は、どうも彼自身から出てくるもの、彼自身と一体をなしているもののようには思われないんだ。これはきわめてふしぎなことでね。頭をつかうにしたところで、自分の機能をつかうのではなくって、何か道具でもつかうといったような…

…よその道具、借り物をつかうといったような……」

話しつづけながら彼は時間を見た。そして、ものうさそうにディヴァンから足をひっこめた。

《やはり新聞は読んでるんだ》と、ジャックは思った。《それでいて、脅威の重大さがわからなかったというのだろうか？　それとも話をつづけようと、わざとこんなおしゃべりをしているんだろうか？》

「どっちへ行くんだね？」と、立ちあがりながらアントワーヌがたずねた。「そこまで車で送ってやろうか？……おれは役所へ……外務省へ行くんだ」

「ほう？」ジャックは、けげんな面持ちで言った。そして、べつにその驚きを隠そうともしなかった。

「リュメルに会いに行くんだ」アントワーヌは、聞きもしないのに説明した。「政治の話のためではない……このごろ、一日おきに注射をたのまれているんだから。いつもは向こうから来る。だが、山のような仕事があって、はずせないからって電話をかけさせてよこしたんだ」

「いったい彼は、こんどの事件をどう考えているんだろう？」と、ジャックは、思うともなしに口にだした。

「知らないな。聞いてみたいと思ってるんだ……今夜あらためてやって来ないか。話して聞かせるから……それとも、おれといっしょに来てみるか？　十分ばかりで用はすむんだ。車の中で待ってろよ」

ジャックは、心を動かされて、一瞬考えた。そして、いっしょに行こうとうなずいてみせた。出かけるまえに、アントワーヌは、机の引き出しに鍵をかけた。

「なあ」と、彼はつぶやくように言った。「さっき家へ帰って、すぐ何をしたかわかるかね？　動員欄を読んでみようと、軍隊手帳をさがしたんだ……」そこには、微笑のかげすら見えなかった。彼は、落ちついたちょうしでこう言った。「コンピエーニュだ……しかも第一日に！……」

兄弟は、黙って目と目を見かわした。ジャックは、ちょっとためらってみせてから、沈痛なちょうしでこう言った。

「けさから、ヨーロッパの何千何万という人が、兄さんとおんなじことをしたんだろうと思うな……」

「リュメルのやつ」階段をおりながらアントワーヌが言った。「かわいそうに、冬のあいだとても過労だった。そして、四、五日したら休暇をとって出かけられることになっていた。ところへ――もちろんこんどの騒ぎの結果なんだが――ベルトゥロー（外務省政務局長）から休暇を遠慮するように言いわたされた。そして、おれのところへ、なんとかしてがんばれるようにと知恵をかしてもらいに来た。そこで手当をはじめたわけなんだ。どうやらうまくいきそうなんだ」

ジャックは、耳をかしていなかった。彼は、きょう、なぜとははっきりした理由もわからず、兄にたいして、はげしい愛情と同時に、要求なり不満なりの感じられることを考えつづけていた。

「兄さん」と、彼はすなおなちょうしで言った。「兄さんが、もし、人間なり、集団なり、苦しんでいる民衆なりをもっとよく知ってくれたら——兄さんはどんなに……ちがってみえるだろうと思うんだけれど！」（そうした言葉のちょうしには《どんなにりっぱに見えるだろう……どんなに身近に感じられるだろう……兄さんを愛することができて、どんなにうれしいことだろう……》といった意味がこめられていた。）

先に立っていたアントワーヌは、当惑したようすでふり返った。

「おれが人間を知らない？　十五年も病院勤めをしているこのおれがか！　忘れたかね、おれは十五年間、毎日、午前中の三時間、人間ばかりを見てきたんだ……あらゆる社会の人間を。工場の労働者を、場末に住んでいるような人たちを……それに、医者という職業上、裸の人間を見てきたんだ。病苦のために、すっかり見栄を捨てた人間ばかりを！　そうしたおれの経験が、きみの経験におよばないとでもいうのかな！」

《それはちがう》と、ジャックは、たまらないいらだたしさで考えていた。《それとこれとは別なんだ》

二十分ほどして、外務省を出てきたアントワーヌが、ジャックの待っている車までもどってきたとき、その顔のうえには憂色が浮かんでいた。

「えらい騒ぎだ」と、彼はきげんわるそうに言った。「各局のあいだを、気ちがいじみた連中が行ったり来たりしている……ほうぼうの大使館から電報がくる……今夜セルビアが手交することになっている回答の本文を、心配しながら待ってるんだ……」そして、ジャックの無言の問いかけには答えようともしないで、「で、これからどこへ行く？」とたずねた。

ジャックは、あやうく「『ユマニテ』社へ」と言いかけた。だが、おとなしく、

「取引所のそばまで」と、返事をした。

「そこまでは送れない、おそくなるから。だが、なんならオペラ広場でおろしてやろう」

腰をおろすと、アントワーヌはすぐに言葉をつづけた。

「リュメルはとても弱ってるらしかった……けさの大臣官房では、ドイツ大使館からの非公式覚書をとても重視していた。それによると、オーストリアの通牒は、最後通牒といったようなものではなく、単に《短期期限付き回答要求》にすぎないというんだ。そして、これは外交的解釈によると、いろいろな意味を持っているものらしい。すなわち、いっぽうでは、ドイツは、オーストリアの態度の重大さについて、その緩和を考えているとも考えられる。他方では、オーストリアはセルビアとの交渉を拒絶しないだろうとも考えられる……」

「まだそんなことを考えてるのか」と、ジャックは言った。「そんな詭弁を、まだ真にうけているのかしら？」

「それに、セルビアがほとんど一議におよばず屈服するらしく見えていたので、けっきょくけさはかなり明るい見とおしを持ってたんだ」

「ところが？……」と、じれったそうにジャックが言った。

「ところが、ついいましがた、セルビアが三十万人を動員したという知らせがはいった。そして、セルビア政府は、国境に近いベルグラードの危険を思って、今夜、首都をすてて国の中央部に移る準備中ということなんだ。その結果、セルビアの回答は、希望していたように屈服ということにはなりそうもないんだ。そしてセルビアは、急襲をされるおそれがあるらしい……」

「そしてフランスは？　何かイニシアチヴでも取りそうなのかしら？」

「もちろんリュメルは、何から何まで話してくれるわけにはいかなかった。だが、おれの察するところ、きょうの閣僚間の意見としては断固たる態度をしめすがいい、必要とあらば、公然戦争準備を整えようという意見が有力らしい」

「相かわらずの威嚇政策というやつなんだな！」

「こんなことも言っていた――そして、これはたしかに目下のスローガンであるらしい。すなわち《事ここに至っては、フランスとロシアとが決然たる態度を見せないかぎり、とうてい中欧帝国を牽制することはできないだろう》って。彼はさらにこう言った。《もしわれらのうちの一国でもしりごみしたら、戦争の勃発することうたがいなしだ》って！」

「みんなは、当然こうした下心を持ってるんだ。《威嚇して見せても、やっぱり戦争がはじまるものなら、準備しておいて損はない》って！」

「もちろん。そして、それも当然のことだと思うな」

「だが」と、ジャックはさけんだ。「中欧帝国も、おなじような理屈を考えているにちがいないんだ！　そうしたうえは、はたしてどうなる？……ステュドレルさんの言葉は正しい。こうした好戦的政策は、あらゆる政策中でのいちばん危険なものなんだ！」

「そんなことは専門家にまかせるべきさ」と、いらだちながらアントワーヌが言った。「どうすべきかをわれわれ以上に知ってるはずだ」

ジャックは、肩をすくめて見せた。そしてなんとも答えなかった。

車は、オペラ座近くにかかっていた。

「こんどいつ会える？」と、アントワーヌがたずねた。「ずっとパリにいるのかね！」

ジャックは、あいまいな身ぶりをした。

「わからない……」

ジャックは、早くもドアをあけかけていた。アントワーヌは腕をおさえた。

「あの……」彼は、そう言ってから、適当な言葉を見つけようとしてためらった。「知ってるとおり──いや、知らないかもしれないが──おれは隔週日曜の午後、家に友だちをよぶことにしている……あしたは、午後の三時にリュメルが注射にやってくる。そして、せめてわずかの時間でも、みんなといっしょにいようといっていた。会ってみるつもりなら歓迎するぜ。場合が場合だ、参考になる話があるだろうぜ」

「あしたの三時？」と、ジャックはあいまいに問い返した。「たぶん行く……なんとかつごうして……ありがとう」

三十六

『ユマニテ』社では、誰ひとり、ジャックがアントワーヌとリュメルから聞いた以上のことを知っていなかった。

ジョーレスは、まる一日の予定で、友人マリユス・ムーテ（社会党代議士）の選挙応援のためにローヌ県へ出かけて行っていた。こうした重大な時機に《おやじ》が留守だということから、編集者たちの間にはある種の混乱がみられていたが、それでも風向きは楽天的に傾いていた。みんなは、たいした不安もなしに最後通牒にたいする回答を待っていた。セルビアは、けっきょく列強に圧迫されて、オーストリアが侮辱されたという言いがかりをつけないように、相当和協的な態度に出るだろうと思っていた。とりわけ、ドイツ社会党がフランス社会主義者にたいしてくり返しあたえつづけていた保証が、きわめて重要視されていた。共通の危険をまえにして、たしかに全的協定が成り立つもののように思われていた。そのうえ、国際間の平和運動の拡大については、きわめて希望的な情報が殺到していた。いたるところで、戦争の脅威にたいする示威運動が強化されていた。ヨーロッパにおけるさまざまな社会主義政党は、強力な計画的行動に関して活発な意見の交換をやっていた。戦争阻止を目的とするゼネストの思想は、日に日に具体化されていくらしかった。

ステファニーの室から出ようとして、ジャックは、これまた情報を聞きにきたムールランに行きあった。情勢についてふた言三言話しあったあとで、老革命家はジャックを片すみにつれていった。

「どこに泊まってるんだね？　いま警察の住居人係が、いたるところを調べてるぞ……ジェルヴェもうるさいめに会ったんだ。クラボルも」

ジャックは、トゥルネル河岸《がし》の宿の主人を、臭いとにらんでいないではなかった。そして、自分の旅券が正しいものであったにせよ、警察とかかりあいを持ちたくないと思っていた。

「ほんとだぜ」と、ムールランがすすめた。「ぐずぐずしていないで、今夜のうちにひっこせよ」

「今夜のうちに？」

やってできないことでもなかった。ちょうど七時半が鳴ったばかり。ダニエルとの約束は九時だった。

「だが、ひっこすといったって？」

ムールランが思いついた。『戦旗《エタンダール》』の仲間で、地方行商をやっている男が、ちょうど一週間のあいだ旅に出ることになっていた。その男の年ぎめで借りている部屋が、サン・トゥスタッシュ寺院の門の前、パリ市場近くのジュール町の家の三階にあった。落ちついた古い家で、どう考えても警察のリストに載っているらしくは思われなかった。

「あそこへ行ってみろよ」と、ムールランが言った。

「ここからほんのひと足だ」

ちょうど男は家にいた。すぐに話はまとまった。そしてジャックは、一時間とたたないうちに、その軽い荷物を運んできた。

東部停車場の前まで来たとき、ちょうど大時計は九時何分かを指していた。

ダニエルは外へ出て、食堂の入口で待っていた。ジャックの姿が目にはいると、当惑したようなようすで近よってきた。そしてすぐに、

「ジェンニーが来てるんだ」と、言った。

ジャックは顔をまっかにした。そして、その脣から、聞こえるか聞こえないほどの「おお……」という言葉がもれた。一瞬、矛盾しあったいくつかの考えが胸に浮かんだ。彼は、心の動揺をかくそうとして顔をそむけた。

ダニエルは、ジャックが、目でジェンニーをさがしているものと思った。

「プラットフォームに出ているんだ」と、ダニエルは説明した。そして、言いわけをするかのように、「汽車まで送ってきたいと言ってね……ふたりの会うことは言わずにおいたほうがよかったと思う。言ったら来なかったにちがいないから。だから、ついいましがた話してやったんだ」

ジャックは、さっと決心した。

「じゃあ別れよう」と、彼ははっきり言ってのけた。

「きみにただ《さよなら》が言いたかったんだ……」彼は微笑してみせた。「それもすんだし、おれ

は帰るよ」

「だめだ！」と、ダニエルが言った。「いろいろ話したいことがあるんだから……」そして、すぐにあとからつけ加えた。「新聞を見たぜ」

ジャックは顔をあげた。だが、それにはなんとも答えなかった。

「きみは」と、ダニエルがたずねた。「戦争になったら、どうするつもりだ？」

「おれか？」（彼は首を振ってみせた。それは《説明したらきりがない》とでもいうかのようだった。）

そして、しばらく口をつぐんでから、

「戦争はおこるまい」と、力づよい希望をこめて断言した。

ダニエルは、注意ぶかくじっと彼の顔をみつめていた。

「目下の情勢をいちいち説明するわけにはいかないが」と、ジャックは言葉をつづけた。「だが、おれの言うことを信じてくれ。おれの言うことには自信があるんだ。ヨーロッパのすべての民衆のあいだには、すでにはげしい世論がわきおこっている。社会主義的勢力の大きな結集がなされて、すでにどこの国の政府も、自分たちに国民を戦争に駆り立てるだけの権力があるという自信を失ってるんだ」

「そうかしら？」ダニエルは、明らかに信じられないといったようすでつぶやいた。

ジャックはちょっと目を伏せた。事態の全局が、とつぜん彼の心に思い浮かんだ。彼は、はっきりした図表の形式で、いますべての国々で、社会主義陣営をわけているふたつの流れのことを思い浮かべた。政府にたいしてはげしい敵意に燃え、反乱の目的のため、ますます強く大衆に向かってはたらきかけようとしている左翼の面々。政府の打つ手を信頼し、政府に協調しようとつとめている改革主義の右翼の面々……彼はとつぜん、ひとつの疑いが胸をかすめたのを感じてぞっとした。だが、早くも彼はまぶたをあげていた。そして、あらゆる事情をふみこえて、ダニエルを強く動かすほどの確信をこめてくり返した。

「そうなんだ！……きみには、労働者によるインターナショナルの現在の力がわかっていないと思う！　すべてはまえからわかっていたんだ！　すべては、執拗な反抗のために準備されてたんだ。いたるところの国々で。フランスで、ドイツで、ベルギーで、イタリアで……戦争をおこそうとしたが最後、たちまち全面的な反乱になるんだ！」

「おそらく、戦争よりもっとすごいことになるだろうな」と、気弱そうにダニエルが言った。

ジャックは顔を曇らせた。

「おれはいままでぜったいに暴力の味方でなかった」と、彼はちょっとあいだをおいてから言った。「だが、ヨーロッパ戦争の危険性と、戦争防止のための反乱の危険性とくらべたら、なんでためらう必要があろう？……何百万という人間が愚かしく殺されていくのをふせぐため、バリケードの上で何千かの人間が死ぬだけですむのだったら、ヨーロッパじゅうで、このぼくのように、なんら躊躇しない社会主義者がずいぶんいることだろう……」

《ジェンニーはどうしているだろう？》とジャックは心に思っていた。《兄きの行くのがおそいようだと、きっとやって来るにちがいない……》

「ジャック」と、とつぜんダニエルが呼びかけた。「約束してくれ……」彼は、なんと気持ちを伝えていいかわからないで口をつぐんだ。そして「きみのことが心配なんだ」と、つぶやくように言った。

《彼はおれより百倍も危険にさらされている。それでいて、少しも自分のことを考えていない》ジャックは、とても感動しながらそう考えた。そして、つとめて微笑してみせながら、

「もう一度言うが、おそらく戦争にはならないだろう！……ただ、相当大きな危険がはらまれてる。これを機会に、諸国民が危険の意味をわかってくれるといいんだが……またいつか、ゆっくり話すおりがあろう……では、おれは行く……さよなら」

「いけない！　行っちゃいけない。なぜだ？」

「待ってる人……があるんじゃないか」と、ジャックはやっとの思いでつぶやいた。そして、手をあげて、ぼんやり駅の中を指さした。

「せめて汽車まで送ってくれろよ」と、ダニエルは、さみしそうなようすで言った。「ジェンニーにもあいさつしてやってくれろよ」

ジャックはっと身をふるわせた。虚をつかれたかたちの彼は、うつけたようにただダニエルをみつめていた。「行こう」ダニエルが、なつかしそうに腕をつかんだ。そして、そでの折り返しから切符を出した。「入場券も買ってあるんだ……」

《つれて行かれてなるものか》と、ジャックは思った。《ばかげている……ことわらなければ。逃げださなければ……》だが、心の底の何かはっきりしないうれしい気持ちが、彼をダニエルのあとについて行かせた。

駅のホールは、兵士や、旅行者や、荷物用の手押車でいっぱいだった。土曜の夜のことでもあり、それに多くの人たちにとっては夏休みのはじめにあたっていた。出札口には、たのしそうな、騒がしい人々の群れがひしめきあっていた。ふたりは改札口まで来た。巨大なガラス張りの天井の下は、暗い空気が立ちこめ、そこにはざわめきがあふれていた。人々は耳をろうする喧噪の中にいそがしそうに右往左往していた。

「ジェンニーには、ひと言も戦争のことをいってはいけないぜ」ダニエルは、ジャックの耳もとで、さけぶようにそう言った。

ジェンニーは、遠くからふたりの姿をみとめた。そして、さもその姿が目にはいらなかったとでもいったように、あわててくるりとふり向いた。咽喉《のど》は干からび、首はしゃちほこばったままで、彼女はふたりの近づくのを感じていた。やがて、兄の手が肩におかれた。彼女は、くるりと向き直り、さも驚いたといったふりをしてみせた。ダニエルは、彼女の顔色の悪いのに胸を打たれた。疲労と、別れの興奮のためででもあろうか？　それに、その黒い服との対照のせいかもしれない？……

彼女は、ジャックのほうをみずに、ちょっと頭であいさつするらしいようすをした。だが、兄も前にいることだし、手を出さないわけにもいかなかった。そして、切り口上で、

「わたくし、ご遠慮いたしますわ」と、言った。

「とんでもない！」と、ジャックは勢いこんで答えた。「ぼくのほうが……それに、こうしてはいられないんです……十時までに遠くまで……左岸地区《リーヴ・ゴーシュ》まで行かなければならないんです」

すぐそばの客車の下では、はげしく蒸気が吹きだしていて、たがいの言葉も聞きとれなかった。何か味けない蒸気の雲が彼らをつつんだ。

「じゃあ失敬」ジャックは、ダニエルの腕に手をかけながら言った。

ダニエルの唇が動いた。なにか返事をしたのだろうか？　しかめたような軽い微笑が、その口のはたを引きつりあげていた。兜《カスク》のかげにきらきらと目を光らせ、その眼差しには絶望の色が見えていた。彼は、両手でジャックの手を握りしめていた。それから、急にからだをかしげたかと思うと、無器用らしくジャックをだいてキスをした。それこそは、ふたりにとってこれがはじめてのことだった。

「失敬」と、も一度ジャックが言った。彼は、ほとんど夢中でからだをふりほどいた。そしてジェンニーのほうへ別れの眼差しを投げ、ちょっと頭をさげ、ダニエルのほうへさみしそうな微笑を送ってから、のがれるように走り去った。

だが、駅を出るやいなや、なんともしれぬふしぎな力が彼を人道のはしに立ちどまらせた。たそがれの薄ら明かりの中には、あなたこなたと電灯がともされ、目のまえには、車が縦横に行きかう広場がひらけていた。それは、まるでふたつの世界の分界線とでもいうようだった。向こうには、闘士としての生活が、すぐにも自分を迎え入れようとして彼を待っていた。だが、そこには孤独も待っていた。こちら側、駅のなかにいるかぎり、それとちがった何か可能なことが残されていた。なんだろう？　彼にはそれがわからなかった。また、たしかめてみたいとも思わなかった。ただ、この広場ひとつを越すことによって、運命のあたえてくれるものを拒み、何かすばらしい機会を永久にとり逃すことになるのだというような気持ちがした。

足からは力がぬけ、彼はいくじなく、ただ決断をのばすことしか考えなかった。何台かのからの貨物用手押車が、壁にそって並べてあった。彼は、そのひとつに腰をおろした。考えるためにか？　いな。考えることなぞできなかった。無気力はあまりにも大きく、不安はあまりにも大きかった。彼は、背をかがめ、両手をひざのあいだにだらりとさげ、帽子をあみだにかぶったまま、じっと地面を見すえ、あらい息づかいをしながら、何ひとつ考えていなかった。

偶然ひとつのことさえおこらなかったら、彼はいつまでもそこにじっとしていたにちがいない。そして、そこでじゅうぶん休んでから、ふたたび気力をとりもどし、はげしい生活のリズムのおもむくままに、セルビアの回答を知るために『ユマニテ』社に駆けつけたにちがいない……そうしたうえでは、あらゆる可能の世界は、永久に彼の前に閉ざされてしまったにちがいなかった……ところが、ここに偶然のことがおこった。貨物係が、その手押車を取りに来たのだ。ジャックは立ちあがって、じっとその男を見た。それから時計を見ると、名状できないような微笑を口に浮かべた。

そして、さもうしろ髪を引かれるかのように、さも偶然の衝動に身をまかせるといったように、もう一度ゆっくり駅にはいると、入場券を買い、ホールを抜けて、ふたたび出発ホームの前に立った。

三十七

ストラスブール行きの急行はまだ出ていなかった。後部車両には、貨車標示のふたつの尾灯がじっと動かずに輝いていた。ダニエルとジェンニーは人ごみの中に見えなかった。

九時二十八分。九時三十分。プラットフォームの上ではひとつの突風が人波をゆらぎ立たせた。いよいよ車室のドアが、音を立ててしめられていった。機関車の汽笛が鳴った。アーク灯の青白い光の中に、白い、もくもくした煙が天井さしてのぼっていった。あかるい車両の列ががたりと動いた。きしむ音、重くぶつかりあう音。ジャックは、立ちどまって、まだ動かずにいる後部車両の貨車をじっとみつめていた。だが、それもついにぐらりと動いた。三つの赤い尾灯が遠ざかるにつれて、あとには線路だけが残った。ダニエルをのせた列車は、しずかにやみの中に没していった。

《さてどうする？》と、ジャックは思った。自分でも、まったくどうしようかとためらっている気持ちだった。

彼は、プラットフォームのとっかかりまで歩いていった。そして、急行の出たあと、出口に向かって歩いてくる人波をながめていた。電灯の下に来るごとに、人々の顔は一瞬あかるくよみがえり、つづいてふたたび薄やみの中に消えていった。

遠くからその姿が目にはいったとき、彼は最初逃げだそう、姿をかくそうと思った。だが、彼には、恥ずかしさというよりほかの気持ちが強く動いていた。そして逆に、彼女の前に立とうとして歩みよった。

ジェンニー……

ジェンニーは、まっすぐ彼のほうへ向かって歩いてきた。顔には、兄と別れた感動のあとが見えていた。そして足早に、何も見ずに歩いていた。

二メートルの距離まできて、彼女はとつぜん、ジャックの姿を見つけた。ジャックは、彼女の顔が激動によってけいれんし、このあいだアントワーヌの家で会ったときのように、ひとみが、さっと短い恐怖の光によって大きく見ひらかれるのを見た。

彼女は最初、ジャックが、大胆にも自分を待っていたものとは思わなかった。偶然、帰りおくれてそこにいたのだろうと思った。彼女は一心に、ジャックから目をそらし、顔をあわせないようにしようとしていた。だが、人波に押されるままに、いやでもその前を通らなければならなかった。彼女は、じっと自分の見られているのを感じた。そして、やはり彼が、自分を待つためにそこにいたことをさとった。彼は、ジェンニーが自分のそばまできたのを見ると機械的に帽子をぬいだ。ジェンニーは、そのあいさつには目もくれず、顔を伏せ、少しよろめきかげんに、前を行く旅客たちのあいだをすりぬけながらまっすぐ出口のほうへ向かった。彼女は駆けまいとした。そして、その目的はひとつよりなかった。できるだけ早く、つかまらないところまで逃げること。人ごみにまぎれて、地下鉄にのり、姿をかくしてしまうこと。

ジャックは、彼女のあとを目で追おうとしてふり向いた。だが、そのままそこにくぎづけされた。《これからどうする？》彼は、も一度考えてみた。なんとか決心しなければ。一刻の逡巡もゆるされなかった……《なにしろ見失ってはいけない！》

ジャックは彼女のあとを追った。

旅客や、赤帽や、手押車などがゆくてをふさいでいた。彼は、荷物の上に腰をおろしている家族の一群をよけて通らなければならなかった。自転車の輪にもぶつかった。彼は、目をあげてジェンニーを求めた。だが、もうその姿は見えなかった。彼は、人をよけながら稲妻形に走った。そしてつまさき立っては、おろおろした目で、動いているおおぜいの人々の背をさがした。やがて、奇跡的に、出口のほうへいそいで行く群れの中に、黒いヴェールと、ほっそりした肩が目にはいった……二度と見失っては……視線のさきにしっかりつかまえておかなければ！

だが、ジェンニーのほうが先手を打った。人ごみにのまれたジャックが、おなじところで足ぶみしているあいだに、彼女は改札口を通り、ホールを抜けて、地下鉄のほうへ行くために右へまがった。いまはがまんできなくなって、ジャックは人々をひじでかきわけ、押しのけ、改札口までたどりつき、地下鉄へ通じる階段におどりこんだ。どこへ行ったかしら？　とつぜん、階段の下に姿が見えた。彼は、飛ぶように駆けおりて、距離をちぢめた。

《これからどうする？》と、彼はもう一度考えた。つい鼻のさきに彼女がいる。声をかけたものだろうか？　彼は一歩前に進んだ。彼女のすぐうしろだ。彼は、息切れのする声で彼女の名を呼んだ。

「ジェンニー……」

彼女は、もう逃げだせたものと思っていた。そこへとつぜん、まるで肩をたたかれでもしたように呼びかけられて思わずよろめいた。

ジャックは、もう一度くり返した。

「ジェンニー！」

彼女はそれが耳にはいらなかったように、まるで矢のように走りだした。彼女は恐怖に駆り立てられていた。だが、心は重く、まるで夢のなかで重い荷物を引きずり、それに逃げ足をはばまれてでもいるようだった……

地下道のはずれ、目のまえに、ほとんど人の見えない階段が口をあいていた。彼女は、方向などにはおかまいなしに、いきなりそこへ駆けこんだ。階段は、手すりで半分に仕切られていた。はるか下のほうに、プラットフォームへ出る改札口と、切符を切っている駅員の姿が見えた。彼女は、わななく手でハンドバッグの中をさがした。ジャックにもそれが見えた。彼女は切符を持っている！　ところが自分にはそれがない！　切符がなければ、改札口の回転ドアを通してはくれまい。ジェンニーが改札口まで行ってしまえば、もうつかまえることはできないんだ！　いまや一瞬の躊躇もなく、彼は身をおどらせ、彼女に追いすがってその前にまわると、ふりかえりざまに、荒々しく彼女の行くてをはばんだ。

ジェンニーは、いまはのがれられないことをさとった。両足がわななないていた。だが彼女は、正面から、ジャックの顔をじっとみつめた。

ジャックは、行くてに立ちはだかり、帽子をかぶったまま、まっかな顔、ふくれあがった表情で、ふてぶてしくじっと目を見すえ、まるで悪漢か狂人とでもいうようだった……

「話したいことがあるんだ！」

「いや！」

「話があるんだ！」

ジェンニーは、恐れているようすは毛ほども見せずに、じっと彼をながめていた。その青白い、ひらききったひとみの中には、ただ怒りとさげすみだけがしめされていた。

「行ってちょうだい！」と、彼女は、低く、息切れした、しわがれた声で言った。

ふたりはしばらく、憎しみの眼差しをかわしながら、さもいきり立ったたがいの気持ちに酔うとでもいったように、向かいあったままじっとしていた。

だが、そうしたふたりは、狭い通路をふさぐことになっていた。乗客たちは、気のせくままに、ぶつぶつ言いながらふたりのあいだを通りぬけていた。そして、ふり返りざま、不審らしいようすでふたりをながめていた。ジェンニーもそれに気がついた。するとたちまち、どうしていいかわからなくなった。こんな外聞のわるい目にあうより、むしろ言うなりになったほうが……外聞のわるさ、それが何より問題だった。言いあいだったら、あえて逃げかくれするような彼女ではなかった。せめてこんなところ、物見高い人々の目にさらされないですむのだったら！

ジェンニーは、急にくるりと半回転すると、もと来た道をとって返し、あわただしく階段をあがっていった。

ジャックもあとを追った。

ふたりはとつぜん、駅の外へ出た。

《タクシーをとめたり、電車に乗ったりしたら、こっちもいっしょに飛び乗ってやろう》と、ジャックは思った。

広場は、明るく照らしだされていた。ジェンニーは、大胆に、行きかう車のあいだに飛びこんでいった。ジャックもあとにつづいた。そしてあやうくバスから身をかわし、運転手からの罵声を浴びせかけられた。彼は、一心に、見失いそうな姿に目をそそぎながら、危険のことなぞ物のかずとも思わなかった。いままでにない自信にあふれた気持ちだった。

人道まで行くと、ジェンニーはふり返った。と、わずか数メートルのところに彼の姿が目にはいった。とても逃げられない、と彼女は思った。彼女はしっかり心をきめた。いまこそ決着をつけるため、罵倒してやりたいとさえ思っていた。だが、どこで？　まさかこんな人ごみの中では……

ジェンニーは、その辺の地理にくわしくなかった。大通りがひとつ、右手のほうへ通じていた。そった。

こはもみあうような人通りだった。だが彼女は、行きあたりばったりにその大通りの中へはいって行った。

《どこへ行くんだろう》と、ジャックは思った。《とほうもない……》

いま、彼の気持ちには変化が見られていた。ついいましがたまでのいこじな興奮には、いたたまれない気持ち、いじらしい気持ちがとってかわっていた。

とつぜん、ジェンニーはためらった。左手に狭い人通りのない……そして大きな建物のかげで暗くなった通りのはしがのぞいていた。彼女は、ためらうことなくその通りへはいっていった。

いったいどうしようというんだろう？　ジェンニーは、彼の近づいて来るのを感じていた。何か言おうとしている……耳をそばだて、全神経をあつめて待っていた。何かひと言話しかけてきたら、くるりとふり向いてどなりつけてやろう。

「ジェンニー……ゆるして……」

思いもかけない言葉だった！　さもすまないといったような、悲痛な声……彼女は、気が遠くなりそうな気持ちがした。

ジェンニーは立ちどまるなり、手でかたわらの壁にもたれかかった。彼女は長いあいだ息をこらし、目をつぶったまま、じっと動かずにいた。

ジャックもあえて近づこうとしなかった。彼は帽子を脱いでいた。

「そうしろというなら、ぼくは帰る……ぼくは、ひと言もいわずにすぐに帰る。誓って……」

ジェンニーには、しばらくしてからでなければ、その言葉の意味がわからなかった。

「帰ったほうがいい？」彼は、もう一度低く言った。

ジェンニーは《いけない！》と言おうとした。だが、たちまち、われとわが心に驚かずにはいられなかった。

ジャックは、ジェンニーの答えを待たず、幾度となく低い声でくり返した。「ジェンニー……」そのいかにもやさしい、思いやりふかい、内気な声の抑揚は、いかにもやさしい求愛の言葉のように思われた。

ジェンニーは、それを見のがさなかった。暗い中で、彼女はちらりと、不安そうな、思い決したような相手の顔に目をあげた。幸福のいぶきが、彼女の咽喉《のど》をしめあげた。

ジャックはふたたびこうたずねた。

「帰ったほうがいい？」

だが、そういうちょうしは、いままでとはぜんぜんちがっていた。彼にはいま、ジェンニーが、話を聞かずには追い返すまいという自信が生まれていた。

彼女は、ちょっと肩をすくめて見せた。そして、その表情には、思わず侮蔑するような冷淡さが浮かんでいた。さも、そうした仮面の下に、なおしばらくでも威厳が保てるといったように。

「ジェンニー、聞いてもらいたいんだ……ぜひ……おねがいだ。そうしたらぼくは帰る……あの教会の前の公園まで行かないか……あそこだったら腰をおろせる……どう？」

ジェンニーは、自分のうえに執拗な眼差しのそそがれているのを感じた。それは、声より以上に彼女の心をかきみだした。相手は、なんとしてでも彼女の秘密を聞きだそうと思い決しているようだった。

ジェンニーには、答えるだけの気力がなかった。そしてぎごちない身ぶりで、ただ強いられるといったように壁から身をはなすと、上体をしゃんと立て、目をじっと前へそそいだまま、まるで、夢遊病者のような足どりで歩きだした。

ジャックは、彼女のそばを、黙って、心もちおくれるようにして歩いていった。ジェンニーの歩くあとには、ときおりさわやかな、それとわずかにわかるほどな香料のにおいが流れていた。ジャックは、それを、生ぬるい夜気とともに吸いこんだ。感動と悔恨の気持ちから、彼は涙を浮かべていた。

今夜という今夜、ジェンニーがふたたび自分の前にあらわれて以来、彼は、いかにもつつましい悔恨の気持ちと、許しと愛とを求めたい気持ちが、ひそかに自分の心を悩ましつづけているのを認めずにはいられなかった。それを彼女に言ったものか？　言ったところで信じてはくれまい。乱暴と無作法だけを見せたことだから……無作法にも彼女を追跡して恥をかかせたこと、それは何をもってしてもつぐなうことができないだろう！

三十八

ふたりは、聖ヴァンサン・ドゥ・ポール寺院の正面の前にある小さな公園の中へ、上手のほうからはいって行った。下手のラ・ファイエット広場には、いまは通る車の数もまれだった。公園には、ぜんぜん人けがなかった。だがそこは、落ちついた灯火に照らしだされていて、なんらうしろめたい気持ちが感じられなかった。

ジャックは、ふたりの足を、いちばんあかるいベンチのほうへ向けていった。ジェンニーは、ただなすままにまかせていた。彼女は、心をきめて腰をおろした。だが、その落ちついたようすも、じつは見せかけだけのことであり、いじにも立っていられなくってのことなのだった。ふたりのまわりに聞こえてくる町のどよめきにもかかわらず、彼女は、まるであらしに先だつ雷をはらんだ深い沈黙につつまれてでもいるようだった。そこには、なんともしれず重大な、おそろしい気はいがただよっていた。それは、彼女のほうにあるものでもなく、おそらくは彼のほうにあるのでもなく、それでいてとつぜん爆発しかけているものだった……

「ジェンニー……」

こうしたやさしい声をかけられて、彼女はまるで救われたように思った。それは、落ちついた声だった。やさしい、そして、ほとんど心をなごめてくれるとでもいったような。

ベンチの上に帽子を投げだしたジャックは、彼女から少しはなれたところに立っていた。そして、話していた。何を話しているのだろう？

「ぼくには、ぜったいきみのことが忘れられなかった！」

ジェンニーの口からは、ひとつの言葉が出かけていた。《嘘つき！》だが、彼女は、じっと地面を見つめて、口にだしては言わなかった。

ジャックは、力をこめてくり返した。

「ぜったい」そして、とても長く思われた間をおいてから、さらに低い声でつけ加えた。「きみだってそうだろう！」

これにたいして、ジェンニーは、異議の態度をしめさずにはいられなかった。

ジャックは、さみしそうに言葉をつづけた。「ぼくは思いちがいをしていた！……きみはぼくがきらいだったんだ。そうだ。それにちがいない。ぼく自身にしても、自分のしたことを思うと、自分自身がいやになってくる！……だが、《忘れていた》？　それは嘘だ。ぼくたちは、ないしょで、おたがいにいつも避け合っていたんだ」

ジェンニーは、ひと言も口に出せなかった。だが、せめて自分の沈黙について思いちがいさせないため、わが身にのこっている全身の力を振るいおこして、否定の意味で首をふってみせた。

ジャックは、急に身をよせてきた。

「きみはたしかにぼくをゆるしてくれないにちがいない。ぼくもゆるしてもらおうとは思っていない。ただぼくは、きみにわかってもらいたいんだ。そうだ、おたがい目と目をじっと見つめあって、ぼくを信じてほしいんだ、四年まえ、ぼくが身をかくしたのは、そうしなければならないことがあってのことだ！　ぼく自身にたいし、ぼくはああするよりほかにしかたがなかった！」

彼は、自分でもそれと気づかず、その言葉のおわりに、さも重荷をおろしたといったような、また気が楽になったといったような、軽い興奮をしめしていた。

彼女はじっとしたまま、その冷たい眼差しでじゃりの上を見すえていた。

「この三年間、ぼくはどんなに変わったことだろう……」彼は、言いわけをするような身ぶりをしながら言った。「それは、何ひとつきみに隠そうと思ってのことではない。そうだ！　それとは逆に、いちばんの望みは、きみに何から何まで聞いてもらいたいということなんだ、何から何まで……」

「わたし、何もお願いなんかしないことよ！」と、彼女はさけんだ。その言葉には、鋭いちょうしがこめられていた。それは、彼女を、近づきがたいものに思わせた。

沈黙がつづいた。

「きみは何だか、とても遠くなっちまったような感じだ」と、ジャックはためいきをついた。そして、しばらくあいだをおいてから、相手が気をゆるさずにはいられないような率直さで、こう打ちあけた。「だがぼくは、きみのそばに、すぐそばにいるような気持ちがしているんだ……」

その声には、ふたたび、あの燃えるような、ひきつけられずにはいられないちょうしがこめられていた……ジェンニーは、また急に恐ろしくなってきた。彼女は、自分が、ジャックとふたりきりで、夜、こうしたさみしいところにいることを考えた。そして、立ちあがって、逃げだそうとする気はいをしめした。

「いけない」ジャックは、命令するような手ぶりをしながら言った。「いけない。ぼくの話を聞いてほしいんだ。あんなことをしてのけたぼくには、とてもきみのところへ行く気にはなれなかった。ところが、こうしてきみに会えた。こうしてきみがいてくれる。偶然は、一週間まえからふたりを会わせてくれたんだ……ああ！　今夜このぼくの気持ちをわかってくれたら！　いまのぼくには、ぼくが姿を消さなければならなかったことも、引きつづく四年間のことも、それに——こんな大胆なことまで言ってしまっていいかしら——きみにさせたすべての苦しみのことも、もはやどうでもいいことに思われるんだ！　そうだ、いまぼくの感じていることにくらべて、そんなことはなんでもないんだ……そんなことは、ぼくにとって、もうなんでもないことになってるんだ、きみがそうやってそこにおり、ぼくがこうしてきみに話せている！　このあいだ兄きのところできみに会ったとき、ぼくがどんな気持ちだったか、それがきみにはわからないんだ……」

《そしてわたしの気持ちは！》と、彼女は思わず知らず考えた。だがその時の彼女は、その数日間の心の動揺のことを思いおこし、自分の弱さをふがいなく思って、それを否定しつづけているだけだった。

「ねえ」と、彼は言った。「ぼくはきみに嘘をつきたくない、と思っている。ぼくは、自分自身に話すように話しているんだ。もし一週間まえだったら、ぼくはこの四年間、ずっときみを思いつづけていたなどとはとても言えなかったにちがいない。おそらく、自分にもそれはわかっていなかったにちがいない。ところがいま、ぼくにはそれがわかったんだ。ぼくにはいま、心の中に、いつでも、そしてどこへ行くときも引きずっていた苦しみの正体がわかってきたんだ。それは深いノスタルジア、ひとつの傷口にほかならなかった。それは……それは、自分にきみというもののいないこと、一途《いちず》にきみを慕っての気持ちにほかならなかった。それはぼくにとっての傷口であり、しかもその口を癒着させてくれるものは何ひとつなかった。きみがいま、ぼくの生活の中にかえってきてくれてから、ぼくの心にとつぜん生まれた光のおかげで、それがはっきりわかってきたんだ」

ジェンニーは、たいして耳をかしてもいなかった。彼女はぼうぜんとしていた。血管の鼓動が、頭の中に、耳をろうするほどのひびきを立てていた。身のまわりのあらゆるもの、樹木が、建物の正面が、家々が、ひとしくぼやけ、よろめいていた。だが、一瞬顔をあげたとき、そしてジャックと目が合ったとき、彼女は、少しも悪びれず、相手の眼差しを物ともせずに切りかえすことができた。そして、彼女の沈黙なり、表情なり、首の立てかたなり、《いつまでいやな気持ちをおさせになるの？》とでもいっているかのようだった。

ジャックは、静けさの中に声をひびかせながら、そのまま語りつづけていた。

「きみは何も言ってくれない。きみが何を考えているのか、それはぼくにはわからない。だが、そんなことはどうでもいいんだ。そうだ、ぼくのことをどう思っているか、そんなことはほとんどぼくには問題でない！　ぼくはそれほど、もしきみにしてぼくの話をきいてくれたら、きみを納得させるというだけの自信を持ってるんだ！　明白なことを、なんで否定できるだろう？　おそかれ早かれ、そうだ、おそかれ早かれ、きみにもわかってもらえるんだ。ぼくは、きみに必ずわからせるという、力と忍耐とを持っているつもりだ……ぼくの少年時代、ぼくにとっての世界はきみを中心として動いていた。ぼくには、自分の将来を、きみの将来とひとつにしてでなければ考えられなかった。きみはどう思っていたか知らないが。そうだ、ちょうど今夜とおなじように、きみがどう思っていたかは知らないが。たしかにきみは、いつもすこし……ぼくにたいしてつれなかった！　ぼくの性格なり、教育なり、無作法さなり、ぼくにあっての何から何まで、きみにとっては気にいらなかった。何年かというもの、ぼくのしてあげようとすることにたいして、きみは一種の反感をしめしつづけていた。それがぼくを、さらにおどおどさせ、さらに反感をおこすような男にさせた！　ちがうかしら？」

《そうだった》と、彼女は思った。

「だが、もうそのころから、ぼくにとって、きみの反感なんぞ、ほとんどどうでもよかったんだ……それも今夜と変わっていない……あのころぼくの感じていた気持ち、あのはげしい、一途《いちず》な……そしていかにもすなおで、それでいてぼくの生活の中心をなしていた気持ち、ぼくとして、長いあいだ、それをほんとうの名で呼べなかった、あるいは言うことを恐れさえしていた気持ちにくらべて、そんなことなどたいした問題であり得たろうか？」ジャックの声はふるえていた。それはまるであえいでもいるようだった。「思いだしてほしいんだ……あの苦しかった夏のこと、あのメーゾン・ラフィットでのぼくたちの最後の夏のこと！　あの夏、きみにはわからなかったかしら、ぼくたちが宿命を負わされているのだということを？　そして永久、それから逃れることのできないだろうということを？」

ひとつひとつの思い出はさらにほかの思い出を呼びさまし、それによって心の底からゆりあげられた彼女は、もうそれ以上聞きたくないと思って、ふたたび逃げだしたい気持ちにおそわれた。それでいながら、彼女はひとこともらさず聞いていた。彼女の息も、ジャックにおとらずはずんでいた。そして、自分の気持ちをけどられまいと、力をこめて息をころした。

「ふたりの人間のあいだに、ぼくたちふたりのあいだに見られたような――ああした呼びかけ、ああした望み、ああした大きなあこがれがあった場合、四年、十年の月日がたとうと、それがはたしてなんだというんだ？　それはけっして消えはしない……そうだ、けっして消えたりするものか」と、ジャックは、荒々しいちょうしで言った。それから、声を低めて、さも打ちあけ話といったように「それは、ふたりの気がつきさえもしないあいだに、ますます大きく、ますます深くなっていくんだ！」

ジェンニーは、自分の痛いところ、自分でも気がつかない隠れた傷口をあばかれでもしたように、急所をつかれたように思った。彼女はすこしあお向いた。そして、手をベンチの上におき、胸を張って上体を立てていようとした。

「そしてきみはといえば、あのときの夏のジェンニーそのままなんだ。ぼくにはそれが感じられる。ぼくの見る目にちがいはない。昔どおりのジェンニー！　昔のままにひとりぼっちの」ジャックはちょっと言いよどんだ。「昔のままに……ふしあわせな！……そして、そういうぼくも昔のままだ。ひとりぼっち。そうだ、昔のままのひとりぼっち……ああジェンニー、こうしたひとりぼっちのぼくたちふたり！　ひとりぼっちのこうしたふたりが、四年このかた、別々に、絶望的にやみのなかにはまりつづけていた！　そしてとつぜん、ふたりはこうして会えた！　そして、ふたりがその気になりさえしたら……」

彼は一瞬口をつぐんだ。それからふたたびはげしいちょうしで、

「思いだしてほしいんだ、あの九月の終わりの日のこと。ぼくは全身の勇気を奮いおこして、今夜のように、《きみに聞いてもらわなくてはならないんだ》と言った。きみはおぼえているかしら？　昼ちかく、セーヌ川の土手のうえ、草の中に自転車を投げだして……。ちょうど今夜とおなじように、ぼくは自分だけが話していた……そして今夜とおなじように、きみはなんとも答えなかった……でも、来ることだけは来てくれた。そして今夜とおなじように、ぼくの話を聞いてくれた……ぼくには、きみのわかってくれていることがわかっていた……ふたりは、いっぱい目に涙をためていた……そして、ぼくが口をつぐんだとき、ふたりはすぐに、たがいに顔を見ることもできず、そのまま別れてしまったのだ……ああ！　あの沈黙のなんというおごそかさ！　なんというさみしさ！　だがそれはなんと輝かしい――そうだ、なんと希望に輝いたさみしさ！」

今度という今度は、ジェンニーは、はっと思って身を起こさずにはいられなかった。

「そう……」と、彼女はさけんだ。「それなのに、それから三週間して！……」

はっと息がつまったので、言葉はそこで終わってしまった。彼女は、たしかに、自分でもそれと知

らずに、そうした怒りの感情を小楯にして、あやうくわが身に感じられかけていた気持ちのみだれをわれとわが目からかくそうとしていたのだった。

彼女の本心を十二分に明らかにしたそうした非難のさけび、それは、これまでジャックの心の中にのこっていた懸念や不安を一瞬にして吹きはらってくれた！　彼は深い喜びにおどりあがった。

「ああ、ジェンニー」そう言うジャックの声はふるえていた。「そうだ、ああしてとつぜん身をくらましたことについても、きみに説明しなければならないんだ……だからといってぼくは自分のために言いわけをしようとは思っていない。ぼくは、ふっと気ちがいじみた気持ちになったんだ。だって、ぼくはなんともやりきれない気持ちになっていたんだから！　勉強のこと、家庭での生活のこと、それにおやじのこと、それに、もっとほかのこと……」

ジャックは、ジゼールのことを思いだしていたのだった。今夜すぐに、そのことを話して聞かせたものかしら？……彼はまるで、断崖のふちを手さぐりで進んでいるような気持ちだった。

ジャックは、きわめて低い声でくり返した。

「もっとほかのことも……何から何まで話してしまおう。ぼくはきみにたいして誠実でありたいと思っている。どこからどこまで、誠実で。だが、それはきわめてむずかしい！　自分自身の話になると、たといどんなにやってみても、けっきょくすっかり真実のことは言えないんだ……ああしたのがれたい気持ち、すべてを断ち切って自分を解放したい欲求、あれはおそろしいものなんだ！　病気のようなものなんだ……ぼくは、いままで、落ちつきと朗らかさにあこがれて暮らしてきた！　ぼくはいつも、自分が人々の犠牲になってでもいるように思っている。そして、もし自分が彼らからのがれることができたら、彼らから遠くはなれたところでぜんぜん新しい生活をやり直すことができたら、そのときこそあの朗らかさが得られるように思っている！　ジェンニー、ぼくはきょう確信を持っている、もし世界にぼくを癒してくれ、ぼくを落ちつかせてくれるような人がいるとしたら……——それは、とりもなおさずきみなんだ！」

ジェンニーは、まえにかわらぬ荒々しいようすで向き直った。

「でも、そのわたしは、四年まえ、あなたをおひきとめできなかったんではないかしら？」

ジャックは、彼女の中にある、そして永久に彼女の中にあるにちがいない何か冷酷なものに打ちあたったような気持ちがした。昔もやっぱり、ちぐはぐなふたりの性格は、たまたま折り合えたと思ったようなときでも、いつも、こうした隠れた冷酷さに打ちあたらずにはいなかったのだ。

「それはそうさ……だが……」と、彼はためらった。「思っていることをみんな言わせてもらおう。では、きみはそれまでに、ぼくをひきとめるために何をしていてくれた？」

《おお！》ジェンニーはすなおに考えてみた。《この人が姿を隠そうとしていることがわかったら、たしかになんとかしたにちがいなかったんだ！》

「わかってほしい。ぼくは自分のあやまちをとりつくろおうなどとは思っていない！　そうだ、ぼくはただ……（彼の微笑、やさしい声、それはこれから口にしようと思っていることについて、あらかじめ許しを求めてでもいるようだった。）ぼくは、あのときまで、きみから何をあたえられていただろう？　ほんのわずかのものだけだった！……ときおり、いつもよりはちょっとやさしい眼差しとか、ちょっと手ごたえのありそうな、ほんの少し打ちとけた態度とか。そして、思いだしたように、ちょっと信用していてくれるらしい言葉とか。だが、けっきょくそれが全部だった……しかも、そのほかのときは、言葉を濁したり、取り消したり、はねつけたり！　ちがうかしら？　ぼくを未知のもののほうへ駆り立てていた病的な衝動にたいして、きみは、それと張りあうだけのほんのわずかな励ましだけでもあたえてくれていただろうか？」

すなおなジェンニーは、こうした非難のあたっていたことを認めずにはいられなかった。そして一瞬、自分もすっかり告白して、ほっとした気持ちになりたいとさえ思いかけた。だが、おりもおり、ジャックは彼女のそばに腰をおろした。彼女は、急にからだをこわばらせずにはいられなかった。

「ぼくはまだ、すっかり話してはいなかった……」

この《すっかり》という言葉、それはいままでとちがった、不安をたたえた、いかにも沈痛な、それと同時にいかにも思いけっしたような声で言われたことから、ジェンニーは、はっとからだをふるわせた。

「さあ、どう説明したらいいかしら。あんな……ぼくはきょう、ぜったい秘密を残しておきたくないんだ……じつはあのとき、ぼくの生活にはもうひとりの人がいたんだ。きゃしゃな、かわいらしいひとりの人……ジゼールだ……」

ジェンニーは、鋭い針で胸を刺されたように思った。それにもかかわらず、彼がこうした告白を

——彼として、しまいと思ったらせずにもすんだであろうそうした告白をすすんでしてくれたことから彼女は大きな感動をおぼえて、自分自身の苦しみなど、ほとんど忘れられたように思った。ジャックは、何ひとつ隠しだてをしていない。したがって、自分としてもすっかり信じていいわけなのだ！　彼女は、歓喜といいたいほどの感情におそわれた。そして、これでいよいよ救われる、いままでの苦しかった非情な抵抗もさらりと捨てることができると思った。

ジャックは、ジゼールの名を口にしながら、何かふしぎな呼びかけ、自分の心からずっとまえに消えてしまっているように思っていた悩ましい愛情の激発をしりぞけなければならなかった。だが、それもほんのつかの間だった。それは灰にかくれた埋もれ火の最後の炎であり、おそらく今夜を最後に、永久に消えてしまうものにちがいなかった。

ジャックは言葉をつづけた。

「ぼくのジゼールにたいする気持ち、それをどう説明したらいいだろう？　言葉に出すとちがったものになってしまう……何かしら心をひかれるといった感じ、とりわけ小さいころの思い出にはぐくまれた、はっきりした自覚のない、ほんのうわつらだけ心をひかれているといった感じ、とでもいったものか……だめだ、それだけでは説明がたりない。ぼくは嘘をつきたくない。あったことをごまかしたくない……ぼくには、ジゼールのいてくれることが、家の中でのたったひとつの喜びだった。きみも知ってるとおり、あれはとても善良な女だ……心のあたたかな、自分を無にしてかかれる女だ……ぼくにとって、妹とでもいったような……だが」と、彼は、ひと言ごとにしめつけられるような声でつづけた。「きみにはほんとのことを言わなければならない。ぼくのジゼールにたいする感情……そこには妹にたいする兄の気持ちは失われていた。そこには……純粋な気持ちが失われていた！」ここまで言って口をつぐむと、きわめて低く言葉をつづけた。「ぼくは、妹にたいする愛の気持ち、純粋な愛の気持ちで、きみをこそ好きだったんだ。ぼくはきみを、妹のように愛していた……妹のように！」

今夜という今夜、こうした思い出の胸を刺すようなはげしさに、彼は興奮の爆発をおさえることができなかった。思いがけない、そしておさえられない嗚咽《おえつ》が、咽喉《のど》のところにこみあげた。彼は、うつむいて、両手でさっと顔をおおった。

ジェンニーは、とつぜん立ちあがったかと思うと、ひと足さっと身をすさった。彼女は、相手が意外な弱さを見せたのを不愉快に思うとともに、すっかり動転させられた感じだった。そして、いまはじめて、いままで、ジャックにたいして不愉快に思っていたことに何か思いちがいがあったのではないかと考えてみた。

ジャックには、彼女の立ちあがったのが見えなかった。だが、彼女がベンチを離れたのに気がつくと、てっきり逃げだして、帰ろうとしているものと考えた。それでいて、彼はどうしようともせず、うつむいて泣きつづけていた。彼は、なかば意識的に、なかばずるい気持ちから、この涙を利用しようと思いついてでもいたのだろうか？

だが、ジェンニーは、立ち去るらしいようすもなかった。彼女は、ぼうぜんと立ちつくしていた。

恥じらいと自尊心に身をかため、同時に同情と愛の思いに身をおののかせて、彼女は絶望的に自分自身と戦いつづけていた。彼女はついに、自分とジャックをへだてていたそのひと足を踏み越えた。彼女はいま、自分のひざのあたりに、手の中に埋めているジャックのうつむいた顔を感じていた。彼女は無器用らしく腕をのばした。そして指先が肩にふれると、ジャックの肩ははげしくふるえた。身をひこうとするまもなく、ジャックは彼女の手を取って、しっかりおさえてしまっていた。ジャックは、彼女の着物にそっと顔を押しあてた。この接触によって、相手は火のように燃え立った。かすかな心の声が、これを最後に、彼女があやうく恐ろしい淵に落ちかけていること、とりわけこの人を愛してはならないことを知らせていた……彼女は、はっと身をふるわせ、からだをこわばらせた。だがしりごみしようという気は少しもなかった。おそろしい、と同時にうれしい気持ちで、必至のものを、彼女の運命を受け入れていた。いまは何ものをもってしても、そこからのがれ得るとは思われなかった。

ジャックは、だきしめようとするかのように腕をさしのべた。だが彼は、黒い手袋をはめたジェンニーの手を握りしめるだけで満足した。そして、まかせてくれた彼女の手をとり、ベンチのほうへひきよせると、そこへむりやり腰かけさせた。

「きみだけだ……きみだけが、ぼくにいままで知らなかったこの心の中のやすらぎをあたえてくれたんだ。そして、今夜、きみのそばにいて、ぼくはそれを見いだしたんだ……」

《わたしも》と、彼女は思った。《わたしだって……》

「あるいはいままでに、きみを好きだといった人がいるかもしれない」と、彼はつづけた。声のひびきは沈んでいたが、ジェンニーにとっては、そうしたひびきだけが、すでにじゅうぶん自分の心を打ち、心の奥底まで達し、そこに悩ましくも快い混乱を引きおこしていてくれることが感じられた。

「だが、ぼくは確信する、誰ひとり、ぼくに匹敵するほどの気持ち、これほど深く、これほど久しい、そして、たといどんなことがあっても、これほど潑剌とした気持ちをきみにささげ得るものはないだろうと思うんだ！」

ジェンニーは答えなかった。あまりの感動のはげしさに、彼女は打ちのめされていた。一刻一刻彼女は、自分がジャックのものになっていくのを感じていた。と同時に、自分が相手の愛情に身をまかせていくにつれ、相手もわがものになってくることを感じていた。

ジャックはくり返した。

「あるいはこれまでに、ほかに好きな人があったかしら？　ぼくは、きみのことは何も知らない」

それを聞いたジェンニーは、薄青い、おどろきの目をあげて彼を見た。その清澄な眼差しに触れた瞬間、ジャックは、いま口にした質問を、なごりもとどめぬばかりに取り消すためには、何をささげてもつゆ惜しくない気持ちがした。

ジャックは、確たる事実を認めるといったような、自信のある、率直なちょうしで言ってのけた。

「誰ひとり、ぼくが愛するようにしてきみを愛した人はないんだ……」そして、ちょっと間をおいてから、「ぼくのこれまでの生活、それは今夜を待つためのものだったんだ！」

ジェンニーは、すぐには答えようとしなかった。やがて、いままで彼の聞いたことのなかった、せきこんだ、咽喉《のど》にかかったような声でこうつぶやいた。

「あたしだって」

ジェンニーはベンチの背にもたれ、うつむきかげんになり、目をじっとやみにそそいだまま身動きもせずにいた。わずか一時間で、彼女は十年にもまさる変わりかたをみせていた。彼女はいま、自分が愛されている確信を得て、新しく心をきたえられていたのだった。

ふたりはおのおの、肩に、腕に、相手の燃えるような体温を感じていた。ふたりは息づまる思いで、まばたきし、心をざわめきでみたしながら、なにひと言口をきこうともしないで、ふたりきりの世界、こうした沈黙、こうした夜におびえ、こうした幸福それ自身に、それがひとつの勝利というより、何か目に見えない力への屈服ででもあるかのように思って、その幸福のまえにおびえていたのだった。

たちまちふたりの頭のうえで、いままで停止していたような《時》の中で、教会の大時計が、たたくような、長く尾をひいた響きで鳴りわたった。

ジェンニーは、心をはげまして身を起こした。

「十一時！」

「ジェンニー、行かないで」

「でも、きっとママが心配してるわ」と、彼女は、絶望したようなようすで言った。

ジャックは、ひきとめようとしなかった。むしろ、自分のもっとも望んでいること、彼女をいつまでもひきとめておきたい気持ちをあきらめることに、何かしらふしぎな、新しい喜びを感じていた。

ふたりは、言葉もかわさず、たがいに並んで石段をおりると、ラ・ファイエット広場のところまで歩いて行った。ちょうど人道にさしかかったとき、一台の流しタクシーが車をとめた。

「せめて、家まで送って行かせて？」と、ジャックが言った。

「だめ……」

そう言った彼女の言葉、そこには、さみしそうな、やさしい、同時にきっぱりしたちょうしがこめられていた。そして、たちまちその言いわけとでもいったように微笑してみせた。それは、久しいまえから、はじめて見せてもらうことのできた微笑だった。

「ママの顔を見るまで、しばらくひとりでいたいと思うの……」

ジャックは心に《どうともご随意に》と思った。そして、ふたりが、こうもすなおに別れてしまえること、それを心にふしぎに思った。

ジェンニーはもうほほえんではいなかった。すっきりした顔のうえには、いま生まれたばかりの幸福の中に、かつての悩みのつめあとがいまなおつき刺さってでもいるかのように、苦痛の表情らしいものさえ読みわけられた。

ジェンニーは、ためらうようにこう言った。

「あした、いかが？」

「どこで？」

彼女は躊躇もみせずにこう答えた。

「うちで。あたし、どこにも出ないでお待ちするわ」

ジャックは、ちょっと驚かずにはいられなかった。だが、すぐさま、昂然とした気持ちで、ふたりのあいだにはなんの秘密もあり得ないのだと思った。

「よし、行こう……あした……」

ジェンニーは、ジャックがきつく握りしめていた指をしずかにほどいた。そして、頭をさげると、車の中に姿を消した。車はすぐに走りだした。

ジャックはとつぜん、

《戦争……》

と、思った。

たちまち世界は、光を変え、気温を変えた。腕をだらりとさげたまま、すでに見えなくなろうとしている車のほうへ目をそそぎながら、彼は、一瞬、身を刺すような恐怖と戦わなければならなかった。今夜ヨーロッパのうえに重くのしかかっている不安が、ふたたび彼がひとりになり、自由になるのを待って、むずと襲いかかって来たとでもいうようだった。

《そうだ、戦争じゃない！》と、彼はこぶしを握りしめながらつぶやいた。《革命だ！》

いま、全生涯をかけようとする恋のため、彼にとっては、いつにもまして、正義と清純の新しい世界が必要だった。

三十九

ジャックは、はっと目をさました。見すぼらしいこの部屋……ぼんやりした彼は、光に目をしばだたかせながら、記憶をたどっていた。

ジェンニー……会堂前の小公園……テュイルリー公園……明けがた近く、ガール・ドルセー（ドルセー駅）の裏手でころがりこんだ旅人宿とでもいったようなこの安宿……

ジャックは、あくびをしてから時計を見た。《もう九時だ！……》とても疲れた感じだった。それでいながら、彼はベッドから飛びおり、水を一杯飲むと、鏡にうつった疲れた顔、きらきら輝くわが目を見ながら微笑した。

彼は、ゆうべひと晩外ですごした。夜半ちかく、彼は自分でもどうしてかわからず、『ユマニテ』社の前にいた。彼は、社の中へまではいっていった。そして階段をあがって行きかけて、中途でくるりとひき返した。彼は、ジェンニーが去ったあと、夕刊に出た電報を街灯の灯《ひ》かげでひとわたり読んで最近のニュースを知ったのだった。そうした彼には、いまさら友人たちの政治的論議に耳をさらそうという勇気もなかった。自分自身にあたえられたいまの休戦状態をむだにするなんて。今夜、自分をして人生をじつに美しいものに思わせてくれたこの楽しい信頼感を、急迫した事態によってかきみださせたりするなんて……とんでもない！……で、彼は、どことあてなく、暑い夏の夜を、鳴りわたる頭と、花やかな心をもって歩いてみることにした。このひろい夜のパリで、ジェンニー以外、誰も自分の幸福を知っているものがいないのだと思うと、彼は興奮を禁じ得なかった。おそらくは、今夜はじめて、いままで久しいあいだいつもひきずりまわっていた孤独の重荷から解放された感じだった。彼は、軽やかな、踊るような、早い足どりで、さもそうした足どりのリズムだけがよく自分の歓喜をあらわしてくれるものといったように歩いていった。その心には、ジェンニーのことがついて離れなかった。彼女の言葉を心の中にくりかえしながら、彼には、そのこだまが全身をふるわせ、その微妙な声の抑揚が、まだ耳に聞こえているような気持ちだった。いな、彼女の思い出が、単について離れないというだけではたりなかった。それは自分自身の中に生きているのだった。そして、自分はそれにとらえられ、自分自身をすっかり忘れ、あらゆるもののすがた、世界の意味さえ、それによってすっかり変えられてしまい、それによって清められてしまっているような感じだった……よほどの時間がたってから、彼は、夜でもあいているテュイルリー公園の一角、マルサン館のそばまでやってきた。この時刻、人っ子ひとり見えない公園は、まさに打ってつけのいこいの場所のように思われた。彼は、ベンチに身を横たえた。しばふや泉水からはさわやかなにおいが立ちのぼり、そのなかを、むれるようなペチュニアやジェラニウムのにおいが流れていた。彼は、眠りに落ちることを恐れていた。いつまでも、いつまでも、喜びを味わいつづけていたかった。そして、明け方の微光のさしそめるまで、いつまでも、いつまでも、何をはっきり思うともなく、いままでかつて一度も経験したことのない、清らかな、ひろやかな、やすらぎと壮大さとの感情に心を満たし、次第次第に星かげの薄れていく空へ向かって、じっと目をあけていたのだった。

ホテルを出るやいなや、ジャックは新聞売場をさがした。七月二十六日、日曜日のあらゆる新聞は憤激した見出しをかかげて、セルビアの回答に関するアヴァス通信を載せていた。そして、明らかに政府の命令を受けたとおぼしく、フォン・シェーン大使によって外務省にもたらされた脅迫的な交渉にたいして、いっせいに抗議の言葉をつらねていた。

見出しを一瞥しただけで、刷り立ての新聞紙から発散するインキのにおいが、たちまちジャックの心に闘士的な精神を目ざめさせた。彼は、バスに飛びのるなり、『ユマニテ』社へ急いだ。早朝にもかかわらず、編集室には異常な興奮がみなぎっていた。ギャロ、パジェス、ステファニーもすでにそれぞれの部署についていた。

バルカン方面の情勢については、驚倒させるような詳報がはいっていた。前日、最後通牒にゆるされた猶予期限完了の時刻に、パシッチ首相は、ベルグラード駐在オーストリア公使ギースル男爵にセルビア側の回答をもたらしていた。この回答は、協調的以上のものであり、むしろ屈服を語るものだった。セルビアは、あらゆることを受諾した。オーストリア＝ハンガリー帝国にたいしてのセルビアの宣伝を公に禁止し、そうした禁止を官報に掲載することを受諾した。国家主義団体《ノロードニャ・

オブラーニャ》の解散のみならず、反オーストリア的活動をなした嫌疑ありと認められた将校たちを軍隊から追放することをさえ約束していた。ただし、官報に掲載すべき本文の言辞、それに被疑者たる将校たちを指名すべき法廷の構成方法をしめしてほしい旨を求めていた。これはとるにもたりない保留事項であり、相手かたに不満をおこさせるほどのものとも思われなかった。ところが、あらかじめオーストリア公使館にたいし、武力制裁を不可避なものとさせるため、ぜがひでも交渉を決裂させる指令があたえられていたものらしく、パシッチ首相は官邸に帰り着くかつかないうちに、ギースル公使から《セルビアの回答を不満足なるものと認め》オーストリア公使館全員を即夜セルビアから退去させるという驚くべき通告を受けたのだった。時を移さず、その日の午後念のため動員準備を行なっていたセルビア政府は、急遽ベルグラードを引きあげ、政府事務をクラグレヴァッツに移すことにしたのだった。

事態の重大性は、見る人の目に一目瞭然たるものがあった。いまは一点疑いの余地がなかった。オーストリアは、まさに戦争をしたがっているのだった。

こうした危機の切迫は、『ユマニテ』社に集まった社会主義者たちの信念を動揺させるどころか、むしろ終局において平和が勝利をしめるだろうという信念をますます固めさせているようだった。さらに、インターナショナルの活動に関し、ギャロの手で集められている諸種の確報も、そうした希望を理由あるものと思わせていた。プロレタリアの抵抗は、ますます盛んになっていた。アナーキストの面々まで、闘争に同調をしめしていた。彼らは、一週間後にロンドンで会議を開くことになっていた。そして、ヨーロッパ問題に関する討議は、他のあらゆる討議に先立って行なわれることになっていた。パリでは、労働総同盟は、ヴァグラム通りのホールで、近く大々的な示威運動を行なう計画を立てていた。その公式機関誌『バタイユ・サンディカリスト』は、戦争勃発の場合、労働者階級のとるべき態度に関し、連合会議が正式に議決した決定について、大活字を用いて注意を喚起していた。《あらゆる宣戦の場合にたいして、労働者は即刻革命的ゼネストによって対抗せよ》最後に、今週ブリュッセルの民衆会館に緊急召集されたヨーロッパにおけるインターナショナルのおもだったリーダーたちは、たえず意見を交換しあって、《本部》の集会を準備することに怠りなかった。その集会の明らかに目的とするところは、ヨーロッパ全諸国家における抵抗を統一し、有効な集団的措置を取ることによって、時を移さず、脅威にさらされている諸国民のため、各国政府の危険な政策にたいして痛烈な否定をたたきつける方法をあたえようというにあった。

これらすべての状況は、きわめてさい先よしとの感をあたえていた。

ドイツ系諸国にあって、その平和主義的抵抗にはとりわけ見るべきものがあった。けさ届いたオーストリアとドイツの反政府筋新聞の最近の幾日分かは、人々の手から手へと回覧され、それをギャロが翻訳しながら、希望的な注釈をつけ加えていた。ウィーンの『アルバイター・ツァイツンク(『労働者新聞』)』は、オーストリアの社会党が最後通牒を完膚なきまでに痛撃し、全労働者の名において平和的交渉を要求している荘重なマニフェストを載せていた。《平和はいま一本の糸にかかっている……われらは、われらの全力をあげて否定しているこの戦争の責任を受諾することができない!……》

ドイツにおいても、左翼諸政党の決起が見られていた。『ライプチッツァー・フォルクスツァイツンク』と『フォルエルツ』は、ともに激越な記事をかかげて、ドイツ政府にたいし、オーストリアの行動をまっこうから否定するように求めていた。社会民主党は、二十八日火曜を期して、ベルリンで大々的な集会を催すことになっていた。そして、その全ドイツ国民に向かって発したきわめて強硬な抗議文の中でも、万一バルカンに紛争がおこったにしても、ドイツは厳に中立を守るべきことを直截に述べていた。ギャロは、指導中央委員会がきのう出したというマニフェストにたいして、きわめて大きな重要性をみとめていた。彼はそのいくつかの部分を高い声で訳して聞かせた。《オーストリア帝国主義によってひきおこされた戦争熱は、いまや全ヨーロッパに死と荒廃とをもたらそうとしている。汎セルビア国家主義者たちの行動が非難さるべきものであると同時に、オーストリア＝ハンガリー政府の挑発的態度も痛烈に抗議さるべきである。同政府による要求は、独立国家にたいし、いまだかつてぜったいなされたことのなかったほどの、無法きわまるものである。それは、直接戦争挑発の意図をもって計画されたものとしか考えられないものである。目ざめたドイツの無産階級は、人道と文明の名において、戦争扇動者の憎むべき行動にたいして痛烈に抗議するとともに、政府がオーストリアにたいし、平和維持を目的としてその力を行使せんことを緊急要求するものである》これが読みあげられると、そこに集まっていた幾人かの人々の中にははげしい感激の爆発がしめされた。

ジャックは、仲間たちの無制限な賛成とは意見を異にしていた。彼にとって、このマニフェストはまだまだ手ぬるいもののように思われた。彼は、ドイツ社会主義者たちが、ドイツ系両国政府の共謀事実について、なんら公然触れていないことを遺憾に思っていた。彼は、ベルヒトルト、ベートマン・ホルウェヒ両首相の行動に、通謀の嫌疑のあるらしいことを公表することにより、社会民主党は、はじめて、ドイツの全社会階級の対政府世論を喚起させることができるだろうと考えていた。彼は、そうした自分の意見を確信していた。そしてドイツ社会主義者たちのとっているらしいあまりにも内気な態度にたいして、かなり痛烈な非難を浴びせていた。（彼は、口に出しては言わなかったが、ドイツの社会主義者を通じて、じつは同時に、フランスの社会主義者、とりわけ議会派の面々、『ユマニテ』中心の社会主義者を攻撃していたのだった。これらの人々の態度には、数日来、しばしば小心翼々たるものがあるように思われ、あまりにも政府的、外交的であり、あまりにも国家主義的であるように思われていたのだった。）こうした彼に向かって、ギャロはジョーレスの意見をあげて反対した。ジョーレスは、ドイツ社会民主党の強腰と、その抵抗の効果とを信じきっていたのだった。だが、ジャックからの質問にたいして、ギャロは、ベルリンからの情報によれば、社会民主党の代表的首領たちの大部分が、いまやセルビアにおけるオーストリアの軍事行動がなかば不可避的になっていることを認め、戦争をオーストリア・セルビア国境に《局限する》必要ありとするウィルヘルムシュトラーセ（ドイツ外務省）の措置を支持するらしい態勢にあるということを認めずにはいられなかった。

「オーストリアの現在の態度から考えて」と、ギャロは言った。「それに、現在すでに行動にはいりつつある状況から考えて——このことは、何をおいても考慮に入れなければならない——局地解決は、理論的にも正しく、また現実的でもあるんだ。つまり、隣接建物の破壊によって火をふせぐんだ。紛争の拡大をふせぐということだけを目的とするんだ」

ジャックは意見を異にしていた。

「紛争の局地解決に満足するということは、つまりオーストリア・セルビア間の戦争を――少なくとも――承認したと自白するようなもんじゃないか。その結果、それは列強の仲裁活動参加への、多少とも暗黙の拒絶の意味にも取れるだろう。それだけでもすでに重大だ。しかもそれだけにはとどまらない。たとい局地的なものであっても、戦争となった以上、ロシアは次のいずれかひとつの態度に出ることになるだろう。すなわち、旗を巻いて、セルビアが蹂躪されるのを黙視するか、それともセルビア側に立ってオーストリアと戦うか。ところが、ロシア帝国主義が、その勢力確認のために待ちに待っていたこの機をとらえて、オーストリアにたいする動員がゆるされたものと考える公算はきわめて大きい。その結果、われらははたしてどうなるだろう。同盟条約の自動的発動の結果、ロシアの動員は、たちまちヨーロッパ全土の戦争になる……だから、ドイツは、意識してかしないでか、紛争の局地解決を固執しながら、ロシアを戦争にかり立てている。ぼくの考えでは、平和へのたったひとつの望みの綱は、ちょうどイギリスが言ってるように、むしろ逆に《紛争を局地的なもの》とせずに、これを《ヨーロッパ全部》の外交的問題としてとりあげさせることにある。そうすれば、列国はこの問題に直接関係することになるだろうし、列国政府こぞってその解決に努力することになるだろう……」

みんなは、ジャックの言うことを終わりまで聞いていた。だが、いったん彼が口をとざしたと見ると、反対意見がいっせいにわきたった。みんなはおのおの、異議をゆるさずといったちょうしで、

《ドイツの望むところは……》とか、《ロシアの決心は……》とか言っていた。みんながみんな、まるで、彼ら自身、それら諸国の廟議《びょうぎ》に列していたとでもいうようだった。

議論がますます紛乱をきわめていたところへ、カディウが姿をあらわした。ジョーレスとムテとに同行してヴェーズへ行き、いまローヌ県から帰ってきたところ、汽車からおりてきたばかりというのだった。

ギャロは立ちあがった。

「《おやじ》も帰って来たのか?」

「いや。帰りは午後だ。リヨンによったんだ。絹織物業者のひとりに会う約束があって……」カディウはこう言いながら微笑した。「と言ったところで、失言でもあるまい……つまり、その絹織物業者っていうのは、社会主義の工業家なんだ――そうした男がやっぱりいるんだ――それに平和主義者なんだ……どえらく金を持ってるらしい……そして、宣伝のため、財産の一部をすぐにもインターナショナル本部の会計に提供しようと言ってるんだ! たしかにみあげた心がけだな……」

「金持ちの社会主義者たちが、みんなそう出てくれるといいんだが!」と、ジュムランがつぶやいた。

ジャックは思わず身をふるわした。ジュムランにそそいだ彼の目は、そのままじっと動かなかった。

部屋の中央では、カディウが話しつづけていた。彼は勢いこんで、こんどの旅行、ゆうべの大会について、感激的な話をつづけていた。「《おやじ》は、いつもにまさったできばえだった!」と彼は言った。その話によると、ジョーレスは、開会三十分まえに、セルビアの屈服、オーストリアの拒絶、つづいて外交断絶、両国軍隊の動員といった、それらの情報をつぎつぎに知ったのだった。彼は興奮して演壇にあがった。「《おやじ》としてはじめての悲観的演説だった！」と、カディウは言った。ジョーレスは、とっさの感興にまかせて、現代史のなまなましい情景を描きあげていった。彼は、さも問責するとでもいったように声をはりあげ、つぎつぎに各国政府の責任を糾弾していった。オーストリアの責任は、そのたび重なる大胆不敵な挑発行為によって、これまでにも幾たびか、あわやヨーロッパの天地に火をつけかけたことにある。その下心は、今日まさに明瞭になったのだ。そして、その目的とするところは、こんどのセルビア問題を契機とし、改めて武力を行使することにより、ぐらつきかけているその帝国に補強工作を施そうとするにほかならない。ドイツの負うべき責任としては、この最初の数週間にわたり、オーストリアの戦争的野心を緩和し、それを抑制しようとするかわりに、むしろそれを支持したらしい事実をあげなければならない！　ロシアの負うべき責任としては、執拗に南下政策を遂行し、数年このかたバルカンにおける戦争勃発を期待し、国威を守るというのを口実にして、たいした危険も冒さずこれに容喙《ようかい》し、コンスタンチノープルへの進出と、ダーダネル海峡の占領とを企てた点にある！　さてフランスの責任は、その植民政策、特にモロッコ征服により、いまや他国の併合政策にたいして抗議すべき資格を失い、威信をもって平和を守ることができなくなったという点にある。そして、ヨーロッパ各国のあらゆる政治家あらゆる政府の責任は、三十年来、陰にあって、それに国民の生命がかけられている秘密条約の締結に狂奔していたという点、各国政府を戦争と帝国主義的攻略にかり立てる以外なんの益もない危険な同盟締結に狂奔していたという点にある！　《いまやわれらの前には、恐るべき危機が控えている……》と、ジョーレスはさけんだ。《平和を維持せんがためには、ただひとつのことよりない。それは、プロレタリアが、あらゆる力を集結することなのだ……わたくしは、このことを、一種絶望的な気持ちとともにさけぶものである……》

ジャックは、たいして注意もせずに耳を傾けていた。そして、カディウが語り終わるやいなや立ちあがった。

おりから、やせて、背の高い、見うけたところからだの悪そうな、あごひげを持ち、ごましおの髪、ラヴァリエール風のネクタイを結び、つば広の中折をかぶったひとりの男がはいって来た。ジュール・ゲード（フランスの集産主義的社会主義者）だった。

みんなは、ぴたりと話をやめた。ゲードの存在は、まるで隠者とでもいったような顔、ちょっと辛辣な、諦観したような表情によって、いつも一座にちょっと白けた気持ちをおこさせずにはいなかった。

ジャックは、なおしばらくのあいだ、壁に背をもたせたままでいた。だが、たちまち何か決心がつきでもしたようだった。彼は、時計を見たあとで、ちょっとギャロに別れのあいさつをすると、戸口のほうへ立っていった。

階段では、闘士たちがあがったりおりたりしていて、それがあちらに一団こちらに一団、ほかの者には目もくれず、やかましい論議に花を咲かせていた。階段の下には、青い上着をきた老年の労働者が、ポケットに両手を突っこみ、ただひとり、入口のかまちによりかかって、夢みるように往来の人通りをながめながら、アナーキストたちの古い歌（それは、ラヴァショルが断頭台の下でうたったところのものだった）を、うつろな声をふるわせながら歌っていた。

果報な暮らしがしたいなら、
ええ、それ、
家主のやつをしめころせ……

ジャックは、そばを通りながら、身動きしないでいるその男にちらりと一瞥を投げた。渋紙色をした、落ちくぼんだ顔、はげあがったひろいひたい、上品な一面と卑俗な一面、精悍な一面と消耗した一面のまじりあっているところ、ジャックには、そのどこかに見おぼえがあった。彼は、往来へ出てから、はじめてそれを思いだした。それは、去年の冬のある晩のこと、ロケット町の『戦旗《エタンダール》』社であった男にちがいなかった。そして、ムールランから、兵営の門前で反戦ビラをまいたため、刑務所入りをしてきた男だということを教えられたのだった。

十一時。靄がかった太陽は、町の上に、荒れ模様の暑さを重くたれさせていた。目をさましたときから、まるで影とでもいったように心について離れなかったジェンニーの姿が、このときはっきり思い浮かんだ。すっきりしたその姿、肩のあたりのきゃしゃな曲線、ヴェールのひだにかくれた明るい襟足……彼は、たのしそうな微笑を唇に浮かべた。たしかに彼女は、自分の決心をよしとしてくれるにちがいない……

取引所広場のところで、たのしそうな一隊が彼の前を通り過ぎていった。食料を背負った若い自転車乗りの人々。森の中での、野外の昼食をたのしみに出かける人々にちがいなかった。それをしばらく見送ったあとで、彼はセーヌ川のほうへ歩いていった。べつにいそぐでもない彼は、アントワーヌに会いにいこうと思っていた。だが、兄は、正午までは帰っていないことがわかっていた。町々は、がらんと静まりかえっていた。水をまいたアスファルトからは、強いにおいがあがってきていた。彼は、うつむいて歩きながら、その唇からはわれ知らず歌がもれていた。

果報な暮らしがしたいなら、
ええ、それ……

「先生はまだお帰りではございません」ユニヴェルシテ町の家へ着いたとき、家番の女がこう言った。

ジャックは、その辺を歩きまわりながら、おもてで待っていることにした。やがて、遠くのほうから自動車の音が耳にはいった。アントワーヌが自分で運転していた。彼はひとりで、物案じげなようすだった。車をとめるまえに、彼は弟をじっと見ながら、幾度か首を振ってみせた。

「どうしたっていうんだ、けさの事態は？」

ジャックがドアに近づくが早いか、兄はこうたずねた。そしてクッションの上の、六種ばかりの新聞を指してみせた。

ジャックは、それにはなんとも答えずに、顔をしかめてみせた。

「昼飯をいっしょに食うかい？」と、アントワーヌが言った。

「いや。ちょっと聞いてもらいたいことがあるんだ」

「こんな、往来ばたでか？」

「うん」

「せめて車の中へはいらないか？」

ジャックは、兄のそばに腰をおろした。

「ぼく、金の話で来たんだ」ジャックは、すぐに、ちょっと苦しそうな声で言った。

「金の話？」ほんの一瞬、アントワーヌは驚いたようだった。だが、時を移さずこう言った。「いいとも！　ほしいだけやるぜ」

ジャックは、おこったような身ぶりで押しとめた。

「そんなことではないんだ！……あの、手紙のことについて話したいんだ。お父さんが死んだあとでの……そら……」

「遺産のことか？」

「そうなんだ」

ジャックは、その言葉を口に出さずにすめたことを、まるで子供のようにほっと思った。

「きみは……きみは思い直したというわけなのか？」と、慎重なようすで兄がたずねた。

「おそらくね」

「よかろう！」

アントワーヌは微笑を浮かべた。彼は、いつもジャックが憤慨する——人の心の中を見とおす占者といったようなようすを見せていた。

「べつにとやかくいうわけではないが」と、兄は言った。「あの当時、きみからぼくによこした返事では……」

ジャックは、それをさえぎった。

「ぼくは、ただ知りたいと思うんだ……」

「きみの分がどうなってるかということかい……」

「そうなんだ」

「受け取るばかりになってるのさ」

「では、もし……ぼくがそれを受け取りたいと思ったら、何かめんどうがあるかしら？　長くかかるかしら？」

「簡単だ。公証人のベーノーの事務所で手続きをして、預かり物がどうなってるかを教えてもらうんだ。ほかは、仲買人のジョンロワのところに、株券があずけてある。きみが指図さえしたらそれでいいんだ」

「で、それはあしたでもできるかしら……？」

「ぜひということだったら……いそいでいるのか？」

「うん」

「それなら」アントワーヌは、ほかにへたなことなどたずねなかった。「公証人に、これから行くということを知らせてやったらそれでいいんだ……ところで、きょうの午後、ぼくのところでリュメルに会いにこないか？」

「たぶん……こよう……」

「そうすると万事好つごうだ、そのときさみに手紙をわたす。それをあした、きみがベーノーのところへ持っていく」

「わかった」ジャックはドアをあけながらそう言った。「では、さよなら。ありがとう。手紙をあとでもらいにくる」

アントワーヌは、手袋を脱ぎながら、遠ざかって行く弟をながめていた。《いっぷう変わってやがる！　自分のもらい分がどれくらいあるのか、それを聞こうともしないなんて！》

彼は新聞の束を手に取ると、車を人道によせておき、思い沈んだようすで家の中へはいっていった。

「あちらからお電話でした」と、レオンは、目を伏せたまま言った。それは、バタンクール夫人の名をそれと口に出さないため、レオンがいつも使う婉曲な呼び方だった。アントワーヌのほうでも、いままでついぞ、それについて注意してやろうとも思わなかった。「あちらから、お帰りになったらお電話をいただきたいということでして」

アントワーヌはまゆをしかめた。ひっきりなしに電話に呼びだすというアンヌの悪い癖！……それでいながら、彼はまっすぐ書斎へはいって行き、電話のところへ行った。彼は、麦わら帽子をあみだにかぶり、手をちょっとさし伸べたまま、しばらくは電話の前にじっとしたまま、受話器をはずす気になれなかった。彼は、うつろな目つきで、テーブルの上に投げだした新聞をながめていた。と、とつぜん、くるりと向き直った。そして、

「なんだ、この際！」と、低く言った。

そうだった。きょうというきょう、頭の中はほかのたくさんのことでいっぱいだった。

アントワーヌと話して晴ればれした気持ちになったジャックにとって、あとはジェンニーに会うことだけしか念頭になかった。だが、フォンタナン夫人のいることを思うと、一時半、ないし二時まえに天文台通りの家に出かけて行く気にもなれなかった。

《お母さんには、どういうふうに話しておいたんだろう？》と、彼は考えた。《どんなふうに迎えられるかしら？》

ジャックは、オデオン座近くの学生向きの小料理屋で、ゆっくり昼飯をすませた。それから、時間

をつぶすためにリュクサンブール公園にはいっていった。

西のほうからの重い雲が、ときおり太陽をかくしていた。

《まずイギリスだが、これは動かないにちがいない》と、彼は『アクシヨン・フランセーズ』で読んだ好戦的の記事を思いだしながら考えた。《イギリスは中立を守るだろう。そして仲裁に出るときのくるのを待ちながら、ようすをうかがっているにちがいない……ロシアは、戦争にはいるには二カ月かかるだろう……フランスは、たちまちたたきつけられてしまうにちがいない……だから、国家主義者たちにとっても、平和こそ唯一の合理的解決であるべきはずだ。ああした記事はじつにけしからん、たといステファニーがなんと弁護しようと、その恐ろしい影響力については否定し得ない……さいわい、一般大衆の中には、とても熾烈な保守的本能、何をおいても、現実にたいする驚くべき勘のよさが見られている……》

大きな庭は、光と、陰と、緑のしげみと、花と、遊んでいる子供たちとでいっぱいだった。ひとつの木立の曲がりかどのところで、彼は、あいているひとつのベンチに心をさそわれた。彼はどっかり腰をおろした。待ち遠しさにいらいらしながら、心を集中できないでいた彼は、いろいろなこと、ヨーロッパのこと、ジェンニーのこと、メネストレルのこと、ジョーレスのこと、アントワーヌのこと、父の遺産のことなどを考えていた。彼は、裁判所の大時計が十五分を打ち、三十分を打つのを聞いた。そして、心をおさえながら、なお十分だけ待っていた。だが、とうとうしんぼうできなくなると、立ちあがって、大またに歩きだした。

ジェンニーは、家にいなかった。

それは、彼としてまったく予測できないことだった。《一日外へ出ないでいますわ》たしかにこう言いはしなかったろうか？

とほうにくれたジャックは、おなじ説明を幾たびとなく聞かされた、《奥さまは、幾日かご旅行にお出かけになっておるすでございます……お嬢さまは駅までおいでになりましたが、何時にお帰りになるともおっしゃいませんでした》

やっとのことで、彼は家番室のそばをはなれた。そして、ぼうぜんとして外へ出た。動転しきったジャックは、一瞬、フォンタナン夫人が急に旅行に出たことと、ジェンニーが、ゆうべ家に帰って母に打ちあけたかもしれないことのあいだに、何か関係がありはしないだろうかと考えた。これは、ばかげきった想像だった……そうだ、ジェンニーに会うまで、どうこう考えることはやめにしよう。彼は、家番の言葉を思いだした。《……奥さまは、幾日かご旅行にお出かけになっておるすでございます》してみれば、幾日かのあいだ、ジェンニーはパリにひとりきりでいるのだろうか？　彼は、こうした楽しい予想で、いささか失望をすくってもらえた。

だが、これからいったいどうしたものか？　彼は、きょうの午後、八時十五分までをあけておいた。その時刻に、ステファニーが、グラシエール班の特に活発なふたりの闘士をひき合わせてくれることになっていた。それまでの時間は自由だった。

彼はふと、アントワーヌによばれていることを思いだした。彼は、兄のところへ行き、も一度ジェンニーをたずねるまでのときを消そうと思った。

四十

すでにアントワーヌの客間には、十二人ばかりの人が集まっていた。

ジャックは、はいって行くなり、目で兄をさがした。マニュエル・ロワが出迎えに立ってきた。兄はいま、フィリップ博士と書斎にいるが、すぐやって来るとのことだった。

ジャックは、ステュドレル、ルネ・ジュスラン、それにドクトル・テリヴィエの手を握った。テリヴィエは、ひげをはやした、陽気な小柄な男で、ジャックは、かつて父のまくらもとで会ったことがあった。

背の高い、精悍な顔だちが若いころのナポレオンを思わせる年の若い、ひとりの男が、暖炉の前に立って高い声でしゃべっていた。

「そうなんだ」と、その男は言った。「各国政府は、おなじように力こぶを入れ、おなじような誠実さをよそおいながら、戦争したくないと言っている。それならそれで、なんであれほど我を張ったりしないで、それを実証しようとしないんだろう？　口をひらけば、やれ国家としての名誉とか、面目いる。とか、絶対の権利とか、正当な希望とかだ……どいつもこいつも《そうだ、おれは平和を望んでいる。ただし、おれに利益をもたらすような平和を》とでも言ってるようなんだ。しかも、誰ひとり、こうした言葉を聞いて、憤慨するものがない！　それほどまでに、個人も政府とそっくりなんだ。何より先に、うまい汁を吸おうと思っている！……これこそ重大な問題だ。みんなが得をするようになんていきっこない。平和の維持は、たがいの譲歩なしでは得られないんだ……」

「あれは誰です？」と、ジャックがロワにたずねた。

「フィナツィ。眼科医です……コルシカ生まれです……紹介しましょうか？」

「いや、けっこう」と、ジャックはあわててさえぎった。

ロワは微笑した。そしてジャックを片すみにつれて行くと、親しそうに彼のそばに腰をおろした。

ロワは、スイスを、とりわけジュネーヴをよく知っていた。何年かつづけて、ボート競漕に行ったことがあったからだった。ジャックは、自分の仕事についてきかれたので、自分の個人的な仕事のことや、ジャーナリズムのことなどについて話した。彼はつとめて用心して、この連中に、無益に自分の意見を述べたりしまいと決心していた。彼は、すぐに、話を戦争のほうへ向けていった。このあいだ聞かされた、この若い医師の考え方というのが、心にかかっていたからだった。

「ぼくは」ロワは、すっきりした褐色のひげを、つめのさきですきながら言った。「一九〇五年の秋以来、戦争のことを考えてたんですよ！　といっても、当時ぼくはわずかに十六でした。ちょうど最初のバカロレア試験を通ったころで、スタニスラス学院の哲学級に学んでいました……が、それはそ

れとして、その秋、ぼくははっきり、ぼくたち世代の者のまえに、ドイツの脅威が立ちはだかってい
ることを感じていました。そして、友人たちの多くのものも、ぼくとおなじように感じていました。
もちろん戦争は望ましくない。だが、その当時から、ぼくたちはひとつの当然な、避くべからざる事
実として、それへの覚悟をきめていました」

ジャックはまゆをあげた。

「当然の？」

「そうなんです、つまり清算しなければならないことなんです。フランスを存続させようと思った
ら、いつかは決心しなければならないことなんです！」

ステュドレルがさっとこちらを向き、歩みよって来るのを見て、ジャックは困ったなと思った。彼
としては、第三者をまじえずに、も少し聞きだしたいと思っていたのだった。彼は、ロワに敵意を感
じていた。だがそれには、なんら悪感情といったようなものはまじっていなかった。

「フランスをして存続させようと思ったら、って？」と、ステュドレルは、傲然と言い放った。「こ
れほど腹の立つ言いぐさがあるだろうか」と、彼は言った。だが、それはジャックに向かって言われ
たものだった。「それは、愛国主義を専売にして、いつもその好戦的下心を愛国的感情のかげに隠そ
うとしている国家主義者どもの悪い癖だ。まるで、戦争のほうへかしいでいくのが、愛国主義の免状
でもあるかのように思ってやがる！」

「あなたはえらいよ」と、皮肉なちょうしでロワが言った。「われわれ世代の人間には、あなたほど

のこらえ性がないんだから。もっとじりじりさせられてるんだ。もうこれ以上ドイツからいどまれたら、とても黙ってはいられないんだ」

「だが、いままでのところ、問題はオーストリアがいどんで来ただけのことでしょう……しかも、その相手はわが国ではなかった！」と、ジャックが言葉をはさんだ。

「すると、いずれわが国の番になるのを待ちながら、傍観者的立場に立って、ゲルマニズムによるセルビア蹂躙を黙視なさろうというわけですかい？」

ジャックはなんとも答えなかった。

ステュドレルはあざ笑った。

「弱者を守るんだって？……それならそれで、イギリスが破廉恥にも南アフリカの金鉱に手を出したとき、フランスはなぜ、セルビア人とは別な意味で、弱い、そして同情すべき小民族たるボーア人の救援におもむかなかった？　そして、今日にあっても、なぜきのどくなアイルランドの救援に駆けつけないんだ？……そうしたりっぱなふるまいをやってのけるためには、ヨーロッパの全軍隊を衝突させる危険があるとでも思ってるのか？」

ロワは、ただ微笑してみせただけだった。彼は、きっとしたようすでジャックのほうをふり向いた。

「ステュドレルさんは、感情的に戦争についてとほうもないことを考え……戦争の現実性をぜったい無視しようという方のひとりでしてね」

「現実性だって？」と、ステュドレルが口をはさんだ。「たとえば？」

「たとえば、いろいろなことがあるがね……まず第一に、それは、自然の法則だ。人間の中に深く根をおろした本能で、それを取り除こうと思ったら、ひどい傷手をあたえずにはすまない。健全な人間は、力によって生きなければならない。これが人間自然の法則だ……次には、それこそ、人間にとって、きわめて珍重すべき、きわめてりっぱな……そして、士気高揚に資すべき多くの徳性を発揮すべき好機会なんだ……」

「徳性ですって？」ジャックは、つとめて質問のちょうしを失うまいとしながらたずねた。

「そうですとも」と、ロワは、小さなまるい頭をそびやかした。「ぼくがいちばん高く評価しているところのもの。すなわち、男性的な精力、危険を好む精神、義務の自覚、さらに適切に言えば滅私奉公、そして大きな集団的、英雄的行動のためにする個人意思の放棄……おわかりではないでしょうか、若いしっかりした青年にあっては、ヒロイズムの中にはげしい魅力が感じられているんですが？」

「それはわかります」と、ジャックは、簡潔な言葉で答えた。

「勇気、いいですなあ！」と、勝利の微笑に目を輝かしながらロワがつづけた。「戦争は、われわれの世代のものにとって、ひとつの豪勢なスポーツですな。天下無類の、じつに高尚なスポーツですな！」

「スポーツか」と、憤然としてステュドレルがうなった。「人命を犠牲にしてのスポーツなんだ！」

「それがどうだと言うんだ」と、ロワが言った。「人類の生殖力はきわめて大きい。必要とあったら、ときどきはこうした奢侈《しゃし》もあっていいのではないだろうか？」

「必要？」

「民族の健康には、周期的の大出血が必要だ。あまり長い平和時代がつづくと、世界にはたくさんな毒素ができ、そのために中毒してしまう。家にばかりひっこんでいる人間の場合とおなじように、世界もこうした毒素から清められることを必要としている。ぼくの考えでは、目下の場合、とくにフランスの精神にとって、大出血の必要があると思うな。いや、ヨーロッパの精神にとっても、西欧文明を退廃堕落させたくないと思えば、どうしてもそれが必要なんだ」

「おれに言わせれば、堕落とは、残虐と憎悪にゆずることこそそれなんだが！」と、ステュドレルが言った。

「残虐だなんて誰が言った？　憎悪だなんて、誰が言った？」と、ロワは肩をすくめてみせながら反撃した。「いつも変わらぬきまり文句、いつも変わらぬばかばかしさのくり返しだ！　ぼくは断言する、ぼくたち世代のものにとって、戦争はなんらの残虐への呼びかけを意味するものではない。いわんや憎悪だなんて！　戦争は個人対個人の争いではない。それは個人を超越しているものなんだ。それは、国家相互のあいだのはたし合いだ……目のさめるようなはたし合いだ！　きわめて純粋なひとつの試合《マッチ》だ。戦場にあっての人間は、あのスタディアムにあってとおなじように、たがいに立ちわかれて戦うところの選手たちだ。敵ではない。競技相手というだけなんだ！」

ステュドレルは、まるで馬のいななきといったような笑い声を立てた。彼は身動きもせず、目の前の若い闘技者をながめていた。そうした彼の目の中には、暗い、ひらききった、だが、そこにはほとんど表情というものの見られないひとみが、角膜のなかを泳いでいた。

「ぼくには、モロッコに行っている大尉の兄きがある」と、ロワはしずかに言葉をつづけた。「カリフ、あなたは軍隊というものをぜんぜん知っておられないんだ！　あなたは、若い将校たちの心理がどんなものか、その滅私奉公の気持ちなり、高邁な精神なりをごぞんじないんだ！　彼らこそ、大きな理想に奉仕する無私の勇気のいかなるものであるかを、身をもってしめしている者と言えるだろう……社会主義者の面々は、よろしく彼らを範とすべきだ！　すなわち、秩序ある社会――そこでは各員がほとんど禁欲的な生活のうちに共同体のために生命をささげ、なんら低級な野心のはいりこむ余地のない社会を見いだすにちがいないんだ！」

彼はジャックのほうをのぞきこんだ。そして、さもその裏書きをしてもらおうとでもしているようだった。彼はジャックのうえに、素直な目つきをそそいでいた。そしてジャックは、このうえ黙っていることも男らしくないと思った。

「おっしゃったことは、すべてそのとおりだと思います」と、ジャックは、一語一語よく考えながら言った。「少なくとも植民地軍隊の若い人たちのあいだでは……。そして、たといその理想とするところがなんであれ、理想のために敢然生命を投げだそうとする人々ほど感動させるものはありませんん……。だが、ぼくは同時に、そうした勇ましい人たちが、じつはとほうもない誤りに陥っていると思うんです。彼らは、心から、崇高な使命に身をささげていると思っている。ところが事実は、単に資本のために尽くしているにすぎないんです……たとえばモロッコの植民地問題……それにしてさえ……」

「つまりモロッコの征服さ」と、ステュドレルが鋭く言った。「単なるひとつの事業にすぎない。つまりは大がかりなひとつの《企業》だ！……そこへ死にに行くやつらは、けっきょくだまされているというわけなんだ！　しかも彼らは生命を賭して強盗の片棒をになわせられていることに、気がついてさえもいないんだ！」

ロワは、火の出るような眼差しをステュドレルのうえに浴びせた。彼の顔色は変わっていた。

「こうした腐りきった時代にあって」と、彼はさけんだ。「軍隊こそ神聖な退避所であり、偉大と……」

「や、兄さんが見えた」と、ジャックの腕をつかみながらステュドレルが言った。

フィリップ博士が、アントワーヌを従えてはいって来た。

ジャックは、まだフィリップ博士を知らなかった。だが、兄からたびたびうわさを聞いていたので、好意の目をかがやかして、やぎひげをはやし、だぶだぶなアルパカのモーニングを、かかしそっくりといった感じでやせ肩にひっかけ、踊るような足どりではいってくるこの老臨床家の姿をながめていた。まゆげの陰にかくれたスパニエル種の犬そっくりのきらきら光る小さな目は、右に左に特に誰のうえにそそがれるでもなく、ただきょろきょろあたりをながめまわしていた。てんでに話しあっていたみんなの話し声は、ぴたりとやんだ。そして、代わるがわる博士のそばへよってあいさつをした。

それにたいして、博士は無関心なようすでぶよぶよした手を握らせていた。

アントワーヌは、ジャックを博士に引きあわせた。ジャックは、自分がさも読みとろうとするような目つきでじっと見つめられているのを感じた。そうした無遠慮な態度のかげには、おそらく極度の小心さが隠されているにちがいなかった。

「ほほう、弟さん……なるほど……」フィリップ博士は、ジャックの性格なり、生活なり、そのはしはしをちゃんと心得ているといったような関心をしめして、下唇をかみながら鼻声で言った。

そして、ジャックから目を離さずに、すぐに、

「ドイツにはたびたびおいでになったというお話だが……わたくしもたびたび行きましたよ。なかなかおもしろかったですな」と、言った。

博士は、話しながら、ジャックを次第次第に押して行った。そのためふたりは、しばらくすると窓のそばでふたりきりになってしまった。

「いつもいつも」と、博士は言った。「わたしにとって、ドイツはひとつのなぞでしたな……ではないですかな？　《極端》と……《思いがけないこと》の国ですな……ヨーロッパじゅうで、ドイツ人ほどとりわけ平和主義的な国民がいましょうか？　いませんな……そうしたいっぽう、彼らの血の中を流れているミリタリズムというやつは……」

「でも、ドイツにおけるインターナショナリズムの思想は、ヨーロッパじゅうでいちばん活発なもののひとつなんだと思いますが」と、ジャックは思わず口にだした。

「そうお思いですか？　さよう……すべてはなかなかおもしろい……ところが、わたしのいままでの考えに反して、どうもこの数日来のできごとから考えると……ところが外務省は、どうやらドイツの和協的行動を大いに当てにできるものと思いこんでいたらしいですな。どうもわからないでいるんですな……あなたは、ドイツのインターナショナリズムとおっしゃったが……」

「そうです……ドイツでは、軍部の世界を一歩離れると、そこには軍隊と国民と国家主義にたいしてかなり一般的な不信が見られています……《国際調停協会》はきわめて活発な団体で、それにはドイツ市民階級のあらゆる有名な人たちが名をつらね、そしてわがフランスの平和主義団体とちがった意味での勢力を持っています……忘れてならないことは、ドイツという国では、リープクネヒトといったような激越な闘士が、反戦主義についてのパンフレットを書いて投獄されたあとでも、プロシャの州議会《ラントターク》や、つづいては国会《ライヒスターク》にまで選挙されるということです！　わが国において、著名な反戦主義者が、国会に選ばれ、そこで演説することなどが見られましょうか？」

フィリップ博士は、注意深いようすで鼻をすすっていた。

「なるほど……なるほど……何から何までおもしろいですな……」そして、とつぜんなんのきっかけもなしに「わたしは長いこと、資本、信用、大企業の国際化は、全世界をして、ちょっとした局部的混乱にも連帯責任を持たせるようになり、それこそ一般平和への新しい要因、その決定的な要因になるだろうと思っていましたが……」博士は微笑して、そのあごひげをなでた。そして「もちろんこれは理論のうえからだけの見方ですが」と、なぞのように言葉を結んだ。

「ジョーレスもそう信じていました。ジョーレスは、いまでもそう信じております」

博士は顔をしかめた。

「ジョーレスですか……ジョーレスは、戦争防止にあたって一般大衆の力をも当てにしています……理論上からのですな！……好戦的・闘争的におもむく民衆運動というものはよくわかる……だが、平和維持に必要な反省と意思と節度とを持った民衆運動、そうしたものがはたして考えられるでしょうかな……？」

それからちょっと間をおいて、

「わたしのように戦争を呪詛している連中は、あるいは心の底で、単に特殊な、個人的な、オルガニックな原因……あるいは体質的な潔癖さで動いているにすぎないのかもしれません……科学的な明知のうえに立つとしたら、おそらく破壊の本能こそ自然の本能だと考えなければならないかもしれません。このことは生物学者たちによって相当しっかり確認されているようですが……ところで」と、博士はふたたび話題を転じながら言葉をつづけた。「こっけいなのは、今日ヨーロッパに提出されているあらゆる真剣な、緊急な問題の中で、ひとつとして、そのどれひとつとして、戦争によって快刀乱麻的に解決され得るように思われるものがないということです……するといったいどういうことになりますかな？」

博士は微笑を浮かべていた。彼の言葉は、たったいま自分が言ったり聞いたりした言葉のうえには、まったくもとづいていないもののようだった。濃いまゆげのかげにかくれて、いじわるそうに光っている眼差しを持った博士は、いつも自分自身にむかって何か辛辣な話をして聞かせ、そしてひとりこっそりその皮肉をたのしんでいるようだった。

「わたしの父は軍人でした」と、博士は話をつづけた。「父は第二帝政当時のあらゆる戦争に参加していたので、わたしは子供のころからいろいろ戦争の話を聞かされました。ところがです、どんな戦争であろうと、ちょっとでもその原因なり正確な理由なりをしらべてみると、そこにはいつも《不必然性》を見いださずにはいられないのです。きわめて興味あることですな。……ちょっと距離をおいてながめてみると、近代の戦争は、ふたり三人の政治家にして、もし常識と平和への単なる意思さえ持っていたとしたら、すべてわけなく避け得られたところのものなのでした……いや、それだけではない。大部分の場合、交戦国は、双方とも、相手かたの意図の見あやまりにもとづく、意味のない猜疑心と恐怖心とにかられていたきらいがありますな……一国が他国におどりかかる、その十中の九分までは恐怖心にもとづいています……」博士は、はげしくせきこむとでもいったように、短い、すぐ締めつけられるといったような笑い声を立てた。「つまり臆病な男同士が、夜、歩いていて行きちがう。そして、すれちがおうとしてためらっているうち、とうとう両方からとびかかってしまう。両方が、やられそうだと考える……両方が、たとい危険はあるにしても、ぐずぐずしたり迷ったりするより、いっそひと思いに飛びかかっていったほうがいいと思う。あれとぜんぜんおんなじですな。いやはや、じつにこっけいですな……ところでいまのヨーロッパをごらんなさい。まったく亡霊につかれています。いずれの国もびくびくしている。オーストリアは、ロシアにたいしてびくびくしている。

国威を傷つけられはしまいかと思ってびくびくしている。そのロシアは、ドイツにたいしてびくびくしている。受け身でいると、弱みがあるからだと思われはしまいかとびくびくしている。ドイツはドイツで、コザックの侵入にびくびくしている。まごまごすれば、包囲されはしまいかとびくびくしている。フランスは、ドイツの軍備にびくびくしている。そして、ドイツはドイツで、危険にそなえてびくびくしているからこそ軍備をする……そして、あらゆる国々が、平和のために少しの譲歩もしようとしない。つまり、びくびくしていると思われやしまいかと思っている……」

「そして」と、ジャックが言った。「そのびくびくの状態を、自分たちのためにつごうがいいと認めている帝国主義の国家だけが、それを念入りに助長させているというわけなんです！　数カ月このかたのポワンカレの政策、フランスの内政、これは、国民のびくびく状態を組織的に利用しているもの、と言いきれると思うのですが……」

博士は、相手の言葉には耳もかさずに話しつづけた。

「何よりけしからんのは……」（博士はちょっと冷笑を浮かべた。）「いや、何よりこっけいなのは、すべての政治家どもが、そうしたびくびくを、えらそうなご託宣やからいばりのかげに隠そうとしていることでしてね……」

博士は、アントワーヌがふたりのほうへ来るのを見て話をやめた。アントワーヌのそばには、いまレオンに案内されてはいってきた四十がらみの男がいっしょだった。

リュメルだった。

その堂々たる態度は、生まれながらにして、公的な儀式向きにできあがっているとでもいうようだった。彼は、そのがっちりした頭を、薄いブロンドの、ふさふさと柔らかい髪の毛の重みに引かれるとでもいったようにそりかえらせていた。両端をぴんとはねあげた、濃い短い口ひげは、平らな、あぶらぎった顔に適当な盛りあげをあたえていた。目は、かなり小さく、肉のなかに埋まってでもいるようだったが、その濃い藍いろをした敏捷なひとみは、ローマ人ふうな荘重な顔の中に、燃えるようなふたつの炎を点じていた。全体として、相当個性もあり、いつかは田舎目あての胸像製作所のほどよいモデルにされそうな男だった。

アントワーヌは、リュメルを博士に、そしてジャックをリュメルに紹介した。リュメルは、現代名士のひとりを前にしたといったように、博士の前に頭をさげた。それからジャックに、いそいそした愛想を見せながら手をだした。《第一線の人物は、もったいぶらないことがひとつの強み》とでも、しっかり思いこんでいるようだった。

「ぼくたち何を話していたか、説明するまでもないだろう」と、リュメルの腕に手をかけながらアントワーヌが言った。リュメルは、わが意を得たりといったような微笑をもらした。

「あなたはもちろん、われわれの知らない材料をお持ちでしょうな」と、博士が言った。そして茶化したような目つきで、じっとリュメルの顔をみつめた。「われわれしろうとは、せいぜい新聞で知るのが関の山でして……」

リュメルは、用心ぶかい身ぶりをした。

「でも先生、わたくしにしても、先生以上にはたいしたことを存じておりません……」ちょっと気のきいた応答に相手が微笑したのをたしかめると、言葉をつづけた。「しかし、じつのところ、たいして事態を悲観することもないと思っております。絶望すべき率にくらべて、安心すべき率のほうがずっと大きいと言える、いや、言わなければならないと思っております」

「何よりだな」と、アントワーヌが言った。

彼は、うまくはからって、博士とリュメルをほかの客たちのほうへ近づけ、一同の中央に席をしめさせるようにした。

「安心すべき率と言いますと?」と、ステュドレルは、疑うような口調で言った。

リュメルは自分のまわりに輪をつくっている客たちのうえを、ひとわたりその青い目で見まわしたあとで、ステュドレルのうえに目をとめた。

「事態はなかなか重大です。しかし、誇張して考えてはいけません」と、彼は顔を仰むけかげんにしながら言った。そして、世論の消沈をひき立たせるのを使命とする公人といったようなちょうしで、力を入れて言いきった。「平和維持に役だつための要素は、まだたくさん残っているとお考えになっていただきたいですな!」

「たとえば?」と、ステュドレルが言った。

リュメルは、軽くまゆをよせた。彼は、ステュドレルの執拗さに、いらいらさせられていた。そして、そこに、何か隠れた悪意をかぎつけていた。

「たとえば？」彼はただ、何から話していいか思いまどっているといったようにくり返した。「さよう、まず第一にイギリス方面の要素ですな……独墺両国は、事の当初から、イギリス方面から、とても猛烈な抵抗をうけました……」

「イギリスですって？」と、ステュドレルが言葉をさえぎった。「ベルファストの騒擾事件！ ダブリンでの血まみれ騒ぎ！ バッキンガム宮殿での、アイルランド自治領に関するご前会議の悲惨な失敗！ アイルランドでは、もうまったくの内乱騒ぎがはじまっています……イギリスは、背中に一本矢を突き立てられ、半身不随の状態にあります！」

「いや、かかとにとげが刺さった程度にすぎますまい！」

「先生にあちらからお電話でございます」と、戸口からレオンが言った。

「忙しいと言っといてくれ」と、アントワーヌはふきげんそうに言った。

「イギリスでは、すでにいろいろ経験ずみです！」と、リュメルがつづけた。「あのサー・エドワード・グレー（イギリスの外務大臣）の冷静さというやつをお見せしたいものですな……じつにりっぱな外交官です」と彼は、ステュドレルのほうを見ようともしないで、博士とアントワーヌのほうを向きながら言った。「田舎出の老貴族ですが、国際関係がどうあるべきかについては、きわめて独自の考え方を持っております。彼がヨーロッパのおなじ社会の連中と取りかわしている情報なるものは、公式の情報とちがって、それは紳士間のものなのです。わたくしには、彼が最後通牒のちょうしを見て、彼の持ち前としてぐっときたことがわかりますな。ご承知のように、彼はオーストリアにたいしては勧告を発し、セルビアにたいしては態度緩和の忠告をし、つまり、時を移さずきわめて確固たる態度をしめしました。ヨーロッパの運命は、一部彼の手中にあると言えましょう。しかも、これほどりっぱな、これほど紳士的な手といってはありますまいな」

「だが、ドイツは、彼の申し出を拒絶しましたが……」と、ステュドレルが言葉をはさんだ。

リュメルは、その言葉をさえぎった。

「ドイツの、慎重な、むりのない中立的態度は、イギリスが最初調停に出ようとする機会を遅延させました。だがグレー外相は、なかなか負けてはいないのでしてね。そして——これは申しあげていいかと思います。いずれあしたの新聞、事によったらきょうの夕刊に出るだろうと思いますから——イギリスの外務省は、フランスの外務省と手をつないで、紛争の平和的解決のため、決定的と思われる新しい案を立てました。グレー外相は、時を移さず、紛争問題に関して全面的な討議をするため、ドイツ、イタリア、フランスの三国大使とロンドンで会議することを提唱しました」

「そして、そうした光栄あるまわり道をしているうちに」と、ステュドレルは言った。「オーストリア軍がベルグラードを占領することになりましょうな!」

リュメルは刺激されたような緊張をしめした。

「その点については、あなたはじゅうぶんごぞんじないのではありますまいか? なるほど裏面的にはいろいろ軍事行動が行なわれているにしても、現在のところ、オーストリア・セルビア間には、ほんのまね事といった以外、何事があるとも証明されていませんからな……あなたは、次の重大事実にじゅうぶんご注意かどうか知りませんが、今日までのところ、ヨーロッパのどの国の政府にも、外交的には一片の宣戦布告さえなされていません！　それだけではない。きょうの正午までのところ、オーストリア駐在セルビア公使はまだウィーンを離れていません！　なぜでしょう？　つまり、両国政府間の活発な意見交換のため、その中継の役をつとめているからのことなのです。このことは、きわめていい見とおしをあたえてくれます。意見の交換がつづけられているかぎり！……それに、たとい外交的破局が現実のものとなったにしても、さらにオーストリアが宣戦布告をしたにしても、おそらくセルビアは、賢明な勧告にしたがって、三十万対百五十万というようなバランスのとれない戦争にはいることなく、戦闘を受諾するかわりにみずからの軍隊を撤収するだろうと思われますから……つまり」と、彼は微笑しながら言葉をつづけた。「大砲が物を言わないうちは外交官が物を言うのだ、ということをお忘れにならないでいただきたいと思うのですが……」

アントワーヌの目は、弟の目と行きあった。そして、弟の目の中に不遜な輝きをみとめた。ジャックは、明らかにリュメルにだまされてなぞいなかったのだ。

「しかし」と、フィナツィが微笑しながら口をはさんだ。「ドイツの態度に安心すべき率を認めようとすると、そうかんたんにはいきますまいな？」

「それはまたなぜでしょう？」リュメルは、ちらりとさぐるような一瞥を相手にあびせながら言い返した。「ドイツでは、戦争熱——もちろんわたくしはそれを否定しません——は、ほかの力、きわめて重いほかの力によって調節されております。つまりカイゼルのあわただしい帰国、彼は今夜キール（バルチック海に臨んだドイツ軍港）に着くでしょうが、それがこの数日来の政治的な動きを変えるだろうと思われますな。カイゼルは、ヨーロッパ戦争の危険にたいし、たしかに徹頭徹尾反対するでしょう。彼の親しい顧問役の誰も彼もが平和擁護の信奉者ですから、それに、彼にいちばん信任されている友人のひとりに、ベルリン駐在ロシア大使のリヒノウスキー公爵があります。わたくしもかつてロンドンで会ったことがあるのですが、思慮のふかい、慎重な人物、現在ドイツ宮廷ではきわめて大きな勢力をもっています……戦争のもたらす危険、それはドイツにとってきわめて重大なものがあります！　あらゆる国境を封鎖されたら、ドイツは文字どおり飢え死にしてしまうでしょう。穀物家畜をロシアに求めることができなくなりでもしたら、まさか鋼鉄、石炭、機械だけで、四百万の動員者、六千三百万の国民を養うわけにはいきますまい！」

「しかし、よそからだって買えましょう？」と、ステュドレルが異議をはさんだ。

「ところが、ドイツ紙幣は、たちまち外国から受付け拒絶にあうでしょうから、その代金はいやでも金で支払わなければなりますまい。計算はきわめてかんたんです。ドイツの金貯蔵量はわかっています。ドイツはわずか数週間で、毎日出さなければならない金の払出しがたちまち不可能になってきましょう。するとたちまち飢え死にです！」

フィリップ博士は、小さな、鼻にかかった笑い声を立てた。

「先生はちがったご意見をお持ちでしょうか？」リュメルは礼儀をわすれぬ程度において、意外といったちょうしで博士にたずねた。

「いや……いや……」博士は、人がよさそうにこうつぶやいた。「ただ、それがどうも……理論上の考え方ではないかと思われましてね」

アントワーヌは微笑せずにはいられなかった。彼は、こうした《おやじ》の表現を、ずっとまえから聞かされつづけていたのだった。《理論上の考え方》、《おやじ》にとって、それは《ばかげている》ということの同意義だった。

「わたくしの申したことは」と、自信たっぷりにリュメルがつづけた。「あらゆる専門家が認めておりますことなので。ドイツの経済学者自身でさえ、戦争の場合、ドイツにとって食糧問題の解決は不可能だと申しております」

ロワが、勢いこんで言葉をはさんだ。

「だからこそ、ドイツ参謀本部は、ドイツにとっての唯一の勝算は、短兵急に、疾風迅雷的に勝利を得るにあると言っています。そうした勝利がわずか数週間でもおくれたら、ドイツは、——これは周知の事実ですが——いやでも降服を余儀なくされることでしょう」

「せめて同盟国でもあてにできるのだったら!」と、テリヴィエが、ひげの中からいじわるそうに笑いながら、巻き舌のちょうしで言葉をはさんだ。「ところが、イタリアときたらな……!」

「イタリアはたしかに、絶対中立の決心のようです」と、リュメルが認めた。

「それに、オーストリアの軍隊にしたって!」ばかにしたように口をとがらせ、肩越しに、それを皮肉に指さしてみせるようなようすをしながらロワがさけんだ。

「そうなのです、諸君」リュメルは、こうしたいろいろな口だしに気をよくしながら言葉をつづけた。「くり返して申しあげますが、危険はあまり過大視なさらないことですな……たとえばです、これを申しあげても、機密をもらすことにはなりますまい。目下ペテルスブルグで、ロシア外相サブノフ氏とオーストリア大使とのあいだに会談が進行中で、その結果が大いに期待されております。どうです、こうした直接会談が双方に受諾されたという一事からでも、双方とも力の行使を避けたいと思っていることがわかりはしますまいか？……他方、べつの方法による平和仲介もつい目の前に見えておりますね……たとえばアメリカの……ローマ法王の……」

「ローマ法王の？」と、フィリップ博士はきわめて真剣にこうたずねた。

「そうなのです、ローマ法王の！」と、若僧のロワが裏書きした。椅子の上にさかさにまたがり、腕組みした上にあごをのせて、リュメルの語る片言隻句をも聞きもらさずにいたのだった。

博士は、微笑するまでにはいかなかった。だが、相手をねらうその眼差しには、ユーモア気分が光っていた。

「ローマ法王の仲介とおっしゃる？」と、博士はくり返した。そして静かに「それも理論上の考え方ではないですかな……」

「先生、それはまったくのお考えちがいと思いますが。それがいま、まさに問題とされておりますので。法王の絶対不裁可は、フランツ・ヨーゼフ老帝をきっぱり思いとどまらせ、オーストリア軍を即刻国境内に引きあげさせることになりましょう。各国がみんな知っております。そして目下、法王《ヴァティ》庁《カン》で、たがいにしのぎをけずっております。そのどちらに軍配があがりましょうか？　頭かずの少ない戦争派に、はたして法王の勧告をさえぎることができましょうか？　それとも多数の平和派が、仲介の決意をおさせすることになりましょうか？」

　ステュドレルはせせら笑った。

「わが国から、法王庁《ヴァティカン》に大使を送らなくなっていることが残念だな。法王に、『聖福音書』をごらんくださいとおすすめできたことだろうに……」

　こんどは博士も微笑をもらした。

「先生は法王のお力について、懐疑的でおいでのように思われますが」リュメルの言葉の中には、不満と皮肉のひびきがこめられていた。

「先生はいつも懐疑派でいらっしゃるのさ」アントワーヌは、ちょっと同腹らしい、そして、じゅうぶん敬愛をこめた目つきで博士を見ながら、じょうだんのようにそう言った。

　博士は、アントワーヌのほうをふり向くと、軽くその目をしかめてみせた。

「ねえきみ」と、博士は言った。「正直な話――これも老衰の顕著な徴候にちがいないが――ぼくにはだんだんひとつの定見を持つことがむずかしくなってきたようでね……ぼくには、自分のいままで証明してきたどんなことでも、他の者によってその反対が、おなじ程度に明白に証明され得ないものはない、というように思われだしてきた。これが、きみのいわゆるぼくの懐疑的態度というやつだな？……だが目下の場合、きみはぜんぜん勘ちがいをしておられる。ぼくは、リュメルさんのご専門に敬意を表する。そして、そのご説を承諾することにかけて人後に落ちない……」

「ただし……」と、アントワーヌが笑いながらささやいた。

博士は微笑した。そして、

「ただし」と、はげしく両手をもみあわせながら言葉をつづけた。「ぼくの年になると、もう理屈のうえだけでの勝利をあてにできなくなってきている……平和というやつが、人々の良識の中だけにしか存在しないということだと、その平和というやつも、どうやらなかなかの重態らしい！……といっても」と、博士はすぐに言葉をつづけた。「腕をこまぬいていていいわけではない。外交官のかたがたが大わらわになってやっていてくださることには大賛成だ。いつもなすべきことが残っているといったように、大わらわにやらなければいけないのだ。医学においても、それがわれらの方針だ。なあ、チボー君？」

マニュエル・ロワは、じれったそうな指先でひげをなでていた。彼にとって、老教授によるこの時代おくれの転換論法は、とりわけ腹にすえかねることなのだった。

リュメルもまた、こうした学者風な懐疑的態度を快からず思いながら、じっとアントワーヌのほうをみつめていた。そして相手の眼差しに行きあたると、自分のここに来た真の目的、注射のことを思いおこさせようとして合図をした。

だが、ちょうどそのとき、マニュエル・ロワが彼に向かって、単刀直入にこう言った。

「重大なのは、なんとしても事がうまくいかなかった場合、フランスに準備のないということですな。せめてこんにち、非の打ちどころのない……強力な兵力でもあってくれたら……」

「準備がない？　いったい誰がそんなことを言っていました？」リュメルは、からだを立て直しながら異議をとなえた。

「でも！　アンベール氏が上院でおこなった暴露演説は、かなり正鵠《せいこう》を得ていると思うのですが！」

「とんでもない！」リュメルは、ほんのちょっと肩をそびやかして見せながらこうさけんだ。「あなたのおっしゃるアンベール上院議員によって暴露されたという事実は、じつはすでに誰もが知っている事実で、ぜったいどこやらの新聞が書き立てるほど重大なものではないのでしてね。フランスの兵士が、まるで革命暦二年の時の兵士同様、はだしで戦争に出かけなければならないなんて、そう単純にお考えにならないでいただきたいと思うのですが……」

「いや、靴のことばかりではありません……たとえば重火器といった方面……」

「ごぞんじですか、専門家、とくにきわめて権威ある人々の多くは、ドイツ軍自慢の遠距離射程砲の効用をぜったい否認しています。それはちょうど機関銃と同様でしてね。機関銃のおかげで、歩兵の行軍速度はとてもおそくなりました……」

「どういうんだ、その機関銃というのは？」と、アントワーヌが言葉をはさんだ。

「つまり、歩兵銃と、それにあのフィエスキがつくった、そしてルイ・フィリップ王を殺しそこねた爆発装置との中間をいったようなものなんだ……理論上では、射的場でものすごい偉力を見せている。だが実用という段になると！　一粒砂がまじっただけでも、たちまち動かなくなっちまうらしいや……」

リュメルは、ロワのほうを向き直って、さらに真剣なようすで言葉をつづけた。

「専門家の言によりますと、重要なのは野砲だということです。ところで、わが国の野砲は、ドイツのそれよりずっと立ちまさっているんでしてね。わが国には、ドイツの七十七ミリにくらべて、ずっと多くの七十五ミリがある。しかもこの七十五ミリというやつが、向こうの七十七ミリとは比較にならないほどの性能なのです……ご安心ください……事実において、三年このかた、フランスはきわめて大きな努力をしてきました。兵力集中の問題、鉄道利用の問題、食糧の問題、あらゆる問題が、いまではすっかり解決を見ました。いざ戦争となったあかつき、フランスは絶好の態勢にあると言えるでしょう。そしてわがフランスの同盟国も、それをはっきり心得てますよ！」

「それが危険というわけなのさ！」と、ステュドレルがつぶやいた。

リュメルは、そういうステュドレルの考えが腑に落ちないといったように、無遠慮にまゆをしかめてみせた。こんどはジャックが食いさがった。

「われらにとっては、現在ロシアが、フランス軍隊にあまり信をつなぎすぎないでいてくれるほうがありがたいと思うのですが！」

最初の決心を守りつづけていたジャックは、これまでずっと黙って聞いていた。だが、いまはがまんができなかった。ひとつの問題――彼から見てもっとも重要な問題、すなわち大衆の反対という問題――それに一言も触れる者がいないのだ。彼はいそいで自分の気持ちを打診した。そして、自分にも、この場の空気に必要な、超然とした、純理的なちょうしをとり得るだけの落ちつきのあることをたしかめると、リュメルのほうを向き直った。

「あなたはさっき、安心できる理由をいろいろおあげになりました」と、彼は、落ちついたちょうしではじめた。「しかし、平和維持が可能であるための主な場合のひとつとして、平和主義団体による抵抗をあげることが至当なのではないでしょうか？」彼の眼差しは、ちらりとアントワーヌのほうを盗み見た。そして、そこに一抹心配しているらしいようすを見てとると、ふたたびリュメルのうえへ目をもどした。「現在ヨーロッパには危険がさらに重大さを加えてきたばあい、各国政府を戦争の誘惑からふせぐため、熱心な、固い決意を持った一千万ないし一千二百万のインターナショナリストがいるのです……」

リュメルは、じっと身動きもせずに聞いていた。彼はジャックを、注意ぶかくみつめていた。

「しかしわたくしは、そうした民衆的示威にあなたほどの重要性をおかないでしょうな」と、リュメルは平静に言ってのけた。その平静さのかげには、まぎれもない皮肉なちょうしが感じとられた。「それに、このことにご注意いただきたい。あらゆる国々の首府において、愛国運動は、頑迷な連中の反対運動にくらべて、その数がきわめて多く、かつ強力でしてね……ゆうべベルリンでは、百万のデモ隊が町を練りあるき、ロシア大使館を侮辱し、王宮の窓の下で、„Wacht《ヴアハト》 am《アム》 Rhein《ライン》“（『ラインの守り』。旧ドイツ国歌）を歌い、ビスマルク（普仏戦争当時のドイツ宰相）の銅像を花で埋めました……だからと言って、いくつかの反対運動を否定しようとは思いません。しかし、そうした運動のごとき、ぜんぜん消極的なものなのでしてね」

「消極的？」と、ステュドレルがさけんだ。「戦争の脅威が、民衆のあいだにこれまでの不人気を呼んだためしは、いまだかつてなかったですよ！」

「消極的とおっしゃる意味は？」とジャックは落ちついて聞き返した。

「そうですな」と、リュメルは、しばらく言葉を選んでいるといったようなようすだった。「つまりあなたの言われるような、戦争への見とおしに反対している団体は、それがヨーロッパでひとつの力として認められるためには、まだその数も少なく、じゅうぶん統率もとれておらず、国際的にもじゅうぶん団結されていないんでしてね……」

「千二百万という数がですか！」と、ジャックがくり返した。

「おそらく千二百万はいるでしょう。しかし、その大部分は単なる追随者、《会費を払っている人間》にすぎないのでしてね。この点、お思いちがいは禁物です！　活発に、ほんとにはたらく闘士というのがはたして何人いるでしょう？　しかも、そうした闘士たちの中にも、愛国的感情に色気のある連中も少なくないというわけなんです……国によっては、そうした革命団体が、政府の権力に何か妨害を加えることもあり得ましょう。だが、それもけっきょく理論上だけの妨害、つまり当座のものたるにすぎませんな。というのは、そうした反抗にしたところで、それは権力によって許された範囲で行なわれているにすぎないからのことなんですから。事態がさらに急迫したら、各国政府は、その自由主義のネジをほんのちょっと引きしめるだけで、戒厳令などしく必要はおろか、たちまちそうしたうるさがたを処分できるというわけでしてね……そうなんです……いままでのところ、いずれの国でも、インターナショナルは、政府の行動を確実に牽制するにたるだけの力を持っていません。しかも、こうした危機にのぞんで、過激なやからが、しっかりした抵抗団体をつくろうなんて……」彼は微笑した。「おそすぎましたな……こんどのためには……」

「しかし」と、ジャックが反撃した。「平和の時代に眠っていた反抗勢力が、いまや危機の切迫を前にして憤激し、たちまち強力なものとなってきたときは別でしょう！……たとえばいま、ロシアでのストライキのはげしさが、ロシアで政府を麻痺させないだろうとお思いですか？」

「錯覚ですな」と、リュメルは冷たく言い放った。「失礼ですが、二十四時間おくれておいでだ……最近の電報が、さいわい明確な事実を伝えています。《ペテルスブルグの革命的動乱は鎮圧せられたり》もちろん犠牲はありました。だが、徹——底——的に」

彼は、自分がいつも有利なのをすまなく思うといったように、またまた微笑してみせた。それからアントワーヌのほうへ目を向けると、手首の時計をそれとあらわにあげて見た。

「きみ……残念だが、ちょっと時間のつごうがあるんだが……」

「ああ、いつでも」アントワーヌはそう言って立ちあがった。

兄は、ジャックが反撃に出るのをおそれていた。そして、議論が早くすんでくれることをうれしく思っていた。

リュメルが、改まって丁重さで一同にあいさつしているあいだに、アントワーヌはポケットから一通の手紙を取り出し、弟のそばへ歩みよった。

「公証人への手紙だ。読んでみてから封をしてもらおう……ところで、きみはリュメル君をどう思うね？」

と、さりげないようすでつけ加えた。

ジャックは、微笑しながら、こう答えただけだった。

「じつに顔つきそのままだ！……」

アントワーヌは、何かべつのことを考えながら、それを言いよどんでいるかのようだった。彼は、ちょっとあたりを見まわし、誰にも聞こえないことを見さだめると、声をひそめながら、とつぜん、心にもない軽快なちょうしでこう言った。

「ときに……戦争になったらどうするね？……きみは、徴兵猶予になってたな？　だが……いざ動員ということになったら？」

ジャックは、答えるに先だち、一瞬じっと兄をみつめた。（《ジェンニーも、きっとおんなじことを聞くだろうな》と、彼は思った。）

彼は、はきだすように言いきった。

「ぜったい動員なんかされないつもりだ」

アントワーヌは、かっこうをつけるといったように、リュメルのほうをながめていた。そして、それが聞こえなかったようだった。

兄と弟は、それ以上言葉をかわさず、そのままたがいに別れてしまった。

四十一

「きみの注射はすばらしいぜ」ふたりきりになるが早いか、こうリュメルが言った。「とてもいいようだ。起きるときも楽になったし、食欲も出てきたし……」

「夕方熱は出ないかね？　それに目まいなんか？」

「いや」

「では、もっと量をましてさしつかえないな」

診察室の隣り、ふたりのはいって行った部屋は、白いタイル張りになっていた。中央に手術用のベッドがすえてあり、リュメルはなかば着物を脱ぐと、その上におとなしく横になった。

アントワーヌは、蒸気消毒器のそばにうしろ向きになりながら、薬の調合をやっていた。

「きみの話でかなり安心した」と彼は考えこんだようなようすで言った。

リュメルは、彼のほうへ目を向けながら、病気のことを言っているのか、政治のことを言っているのか、しばらく心の中で考えていた。

「そうだとしたら」と、アントワーヌは言葉をつづけた。「なぜ新聞に、ドイツの態度には表裏があるとか、挑戦的な下ごころがあるとか、さも思うところありげなことを書かせておくんだ?」

「書かせて《おく》んじゃない。書かせているのさ。何か起こったときを思って、世論を準備させておかなければ……」

その沈痛な言葉のちょうしに、アントワーヌはなかばからだをふり向けた。リュメルの顔からは、得意げな確信の色が消えてしまっていた。そして、じっと、うつろな目をあけて、首を振っていた。

「世論を準備させる?」と、アントワーヌが言った。「だって世論は、セルビアの利害問題なんかで、とんだ紛糾に引っぱりこまれることなど、まっぴらごめんこうむると思うだろう!」

「世論だって?」リュメルは、さもわけ知りの男といったように口をとがらせてみせた。「なあにきみ、権力をすこしばかり、それに、情報をぬかりなく細工しさえしたら、ほんの三日で、世論なんかみごとに思う方角にふり向けさせてやれるんだ……それに、大多数のフランス人は、これまでのところ、露仏同盟をいつも得意がっていたんだから。そこの急所を、も一度つついてやることは造作はないさ」

「まさか!」と、歩みよりながらアントワーヌが言った。

彼は、エーテルをしめした綿で、注射する個所をふいた。そして、すばやい手つきで、筋肉に深く針を突きさした。彼は、薬の面の急速にさがっていく注射器の中を黙ってみつめていた。それから針を引き抜いた。

「なるほどフランス人は」と、アントワーヌは言った。「露仏同盟を歓呼して迎えた。ところで、その結果がどういうことになるかを、こんどはじめて思い知らされるというわけなんだ……もうしばらく横になっていて……ところで、ロシアとの条約にはいったいどんなことが書かれているんだ？　誰も知らされていないんだが」

これは、婉曲な質問だった。だが、リュメルはきげんよくそれに答えた。

「ぼくにしたって、べつに雲の上の秘密を知ってるわけではないんだ」リュメルは、片ひじ立てて身を起こしながら言った。「ぼくの知ってるのは……役所の楽屋裏での話なんだ。まず一八九一年に予備協定ができた。つづいて一八九四年に、カジミール・ペリエ（当時のフランス首相）が署名したほんとの同盟条約ができた。その本文は、全部知ってるわけではないが――これは、何も機密というわけではないんだ――露仏両国は、いずれかいっぽうがドイツから脅威をうけたとき、軍事的援助をあたえあおうということを約束したんだ……その後デルカッセ（フランス外相。親英反独主義者）が出、ポワンカレが出た。そして、こんどのロシア訪問となったんだ。これらはもちろん、両国の約束をさらにたしかめ、さらに固める結果になった」

「そうだとすると」と、アントワーヌが注意した。「ロシアが、もしこんにちドイツの政策に口出しするということだったら、それはロシアのほうからドイツに脅威をあたえることになる！　それならそれで、条約面から言って、われらになんの義務もないことになる……」

リュメルは、顔をしかめながら、ほんの一瞬薄笑いを見せた。

「それがなかなかかんたんにはいかないのさ……たとえば、南方スラヴ国家の決然たる保護者をもって任じているロシアが、あすにもオーストリアとの国交を断絶し、セルビア擁護のために動員令を発したとする。ドイツは、一八七九年のオーストリアとの条約に従って、きっとロシアにたいして動員令を発するだろう……そうすれば、その動員令は、フランスをして、かつてロシアと結んだ約束にしたがい、その締盟国を脅かすドイツに向かってたちまち動員令を発せしめることになる……自動的に……」

アントワーヌは、腹だたしさにたえられなかった。

「そうなると、かつてわが国の外交官が、安全の保障が得られでもしたように自慢していた高価な露仏親善が、まさにその正反対の結果をもたらすことになるわけだな！　平和条約どころの騒ぎじゃない。戦争の危機をもたらすことになるんだ！」

「外交官は、あらゆる非難を覚悟のまえなんだ……考えてもらおう、一八九〇年ごろのヨーロッパでのフランスの立場を。フランスを無防備状態におくかわりに、これに両刃《もろは》の剣をあたえたことが、はたして彼ら外交官たちのあやまりだったと言えるだろうか？」

アントワーヌには、それがどうやら体裁のいい理屈にすぎないように思われた。だが、現代史に暗い彼としては、なんと答えていいかわからなかった。いずれにしても、それにたいして回顧的興味しか持てなかった。

「何はともあれ」と、アントワーヌは言った。「きみの言ったとおりだとすると、現在フランスの運命は、一にロシアにかかっているというわけだな？　いや、さらに正確に言えば」と、ちょっとためらったあとでつけ加えた。「すべては、われらの露仏条約への忠誠いかんにかかっているというわけだな？」

リュメルは、ふたたびこわばった微笑を浮かべた。

「ところで、フランスに盟約回避ができるだろうなどと考えてはいけない。今日、わが国の対外政策を握っているのはベルトローだ。彼にして現在の地位にあるかぎり、そして彼の背後にポワンカレが控えているかぎり、わが国の同盟への忠誠についてはなんら問題はあり得ないんだ」彼はちょっとためらった。「このことは、フォン・シェーン大使が無法な提議をした後で開かれた閣議でも明らかなものがあったらしい……」

「すると」と、いらいらしながらアントワーヌがさけんだ。「ロシアのあと押しをしないですむには、いやおうなしにロシアに中立を守らせる以外に手がないわけだな！」

「だが、そのための方法は？」リュメルは、その青い眼差しをアントワーヌのうえにきっとそそいだ。そして、つぶやくようにこう言った。「だが、すでに手おくれでないと誰に言えよう？……」

そしてしばらく黙っていたあとで言葉をつづけた。

「ロシアでは、軍部がとても強硬なんだ。日露戦争での敗北以来、ロシア参謀本部には、その腹いせをしたいというはげしい欲求がのこっていた。そして、ボスニア＝ヘルツェゴヴィナの併合でなめさせられた侮辱を、ぜったい忘れまいと思っていた。たとえばイズヴォリスキーといったような連中——ここで言い添えるが、彼は、けさパリに着くことになってるんだ——のごとき、ロシア国境をコンスタンチノープルまで押しひろげるためとあったら、ヨーロッパ戦争も辞するところにあらずとまで公言している。彼らは、戦争を、フランツ・ヨーゼフの死ぬときまで、できれば一九一七年までおくらせたいと思っているだろう。だが、もしそれまでに好機があったら……」

彼は、急にぐったりしたようすで、息せわしく早口に話しつづけた。そのまゆげのあたりには、憂慮のしわが引かれていた。彼はさも、仮面をはずしでもしたようだった。

「そうなんだ。率直なところ、ぼくは絶望しだしている……さっききみの友人たちの前では、むりにも強がって見せていた。だが、じつをいうと形勢ははなはだおもしろくない。きわめておもしろくないために、外相は大統領といっしょにデンマーク行きをとりやめ、最短距離をとってフランスに帰って来つつある……正午の電報もおもしろくなかった。ドイツは、グレー英外相の提案に飛びつくどころか、あるいははぐらかしたり、あるいは屁理屈をこねたり、つまり仲裁会議を流産させるため、あらゆることをやってるらしい。本気で事態を悪化させようとしているのだろうか？　それとも、四カ国会談だけを排撃しようという腹なのだろう？　つまり、オーストリア・イタリアの関係が緊張する結果として、会議の裁定では、オーストリアが必ず三対一でやっつけられることがわかっているのだから……これはドイツにたいして、せいぜい親切な……だがきわめて正鵠《せいこう》を得ているらしい仮定なんだ。だがそのあいだにも事態はどんどん進行している……すでにいたるところで戦争準備がなされている……」

「戦争準備が？」

「のっぴきならなくなってきている。各国はすべて、当然動員のことを考えている。そして、万一にそなえて、その準備をやっている……ベルギーでは、すでにきょう、ブロックヴィルを首班とする臨時会議が開かれた。明らかに戦争に対応するための軍事会議だ。さらに十万の軍隊を戦線に送るため、三期分の兵の召集が計画された……フランスでも同様だ。けさも外務省で会議があって、念のため、戦争準備をすることにきまった。トゥーロンやブレスト（フランス軍港）では、艦隊に港内待機の命令がくだった。モロッコにも、電報で、即刻黒人部隊五十個大隊をフランスに送れと命令された。その他、等々……各国政府は、すべてこうした線に向かって動いている。こうして事態は、自然に深化の一途をたどっている。というのは、参謀本部の専門家であるかぎり、いったん国民動員という恐ろしい歯車を動かしはじめたからには、途中で準備をゆるめたり、猶予したりすることのできないことを知らないものはひとりもないんだから。つまりこうして、きわめて平和主義的な政府にして、なおかつ次のようなジレンマにかかっている。すなわち、どうせ準備したんだから、というだけの理由で、ひと思いに戦争をはじめてみるか、それとも……」

「それとも、取消し命令を出して、すべてを後退させ、戦争準備をやめさせるか！」

「そのとおり！　だが、その場合には、向こう何カ月間動員の必要なかるべしという絶対的確信が持てなければ……」

「というわけは?」

「というわけは——これまた専門家にとってなんの異論もない定理なんだが——いままで動いていたものをぴたりととめると、複雑な組織のあらゆる歯車がこわれてしまい、しばらくは使用不可能になるんだから。ところで現在、近く動員の必要なかるべしという確信の持てる国がどこにある?」

アントワーヌは黙っていた。そして、いかにも心を動かされたようにリュメルの顔をながめていた。やがて彼は、つぶやくようにこう言った。

「おどろくなあ……」

「おどろくべきは、そうしたまことしやかな見せかけにもかかわらず、事実はおそらくばくちのようなものにすぎないという一事なんだ! いまヨーロッパに行なわれているのは、おそらくとほうもない大がかりなポーカー勝負だ。めいめい相手をおどして、それで自分が勝とうとしている……オーストリアが、気心のわからぬセルビアの咽喉《のど》をじわじわしめあげていると、相棒のドイツは、恐ろしい形相をしてみせている。その目的とするところ、おそらくロシアの行動と、列強の和協的仲裁を食いとめようというのにあるのだろう。つまりポーカーの場合とおなじように、いつまでも、みごとにブラフ(嚇威)しつづけたものが、勝利をしめるというわけなんだ……ただし、これまたポーカーの場合とおなじく、誰も相手のカードを知っていない。ドイツの態度、ロシアの態度、そこにどの程度のかけ引きがひそんでいるか、どの程度の攻撃意図がふくまれているか、そこのところは誰も知らない。きょうまでのところ、ロシアはいつも、高びしゃなドイツの出方のまえにゆずっていた。そこで、ドイツなりオーストリアなりは、当然こう考えていると思う。《ちょっとブラフしてやりさえしたら、ロシアはこれからもひっこむにちがいない》だが反対に、これまでロシアがひっこみつづけていたればこそ、こんどというこんど、思いきって打って出ることも考えられるというわけなんだ……」

「おどろくなあ……」と、アントワーヌがくり返した。

彼はがっかりしたようすで、手にしていた注射器を蒸気消毒器の皿の中に入れ、窓のそばへ歩みよった。ヨーロッパ政局を語るリュメルの言葉を聞いていると、彼はまるで、あらしに出あって、しかも船員すべてが気ちがいになっているのに気がついた乗客とでもいうような不安を感じた。

沈黙がつづいた。

リュメルは立ちあがっていた。彼はズボン吊りをつっていた。そして、機械的に、誰も聞いているもののなかったことをたしかめようとするようにあたりを見まわし、アントワーヌのそばに近づくと、「なあチボー」と、声を低めて言った。「これは口外できないことなんだが、きみは、医者として、秘密を守ってくれるだろうな」

彼は、じっと、アントワーヌの顔をみつめた。アントワーヌは、何も言わずにうなずいてみせた。

「いいか……いまロシアでは、まったく信じられないことがおこっているんだ！　ロシア政府が、あらゆる微温的な態度をかなぐり捨てるだろうということについては、サゾノフもいくらかまえからにおわせていた！……ところが、われらはまさに、ついいましがた、ペテルスブルグからのきわめて重大な情報に接した。ロシアの意図は、いまやまったく疑いを容れないものになっている。すでに総動員がはじまってるんだ！　恒例の大演習は中止された。軍隊は、息せききって衛戍地《えいじゅち》へかえった。四つの主要軍管区、モスクワ、キエフ、カザン、オデッサでは、動員令が発せられた！……きのう二十五日、あるいはおそらくおとといかもしれない、軍事会談の席上で、参謀本部はツァーにせまって、ドイツにたいし《予防的意味において》いそいで武力抗争を準備すべしという文書による命令を出させたはずだ……ドイツも、たしかにそれを知っているにちがいない。ドイツの態度も、すくなくもこのことによって容易に説明できるんだ。ドイツの方でもこっそり動員している。しかも、ドイツは特にいそいでそれをやらざるを得ない立場にあるんだ……それにドイツは、きょう、きわめて重要な申入れを行なった。すなわちロシアにたいして、もしロシアが戦争準備を停止しないようだったら、しかもロシアにしてさらにこれを強化するようだったら、ドイツはいやでも動員令の発動を余儀なくされるだろうと公然通告した。そして、そうなれば、全面的戦争になるだろうということを明言したんだ……これにたいして、ロシアがなんと回答するか？　すでに責任きわめて重大であるロシアとして、もし譲歩の態度に出なかったとしたら、その責任はますます重大なものとなってくる……しかもロシアは……どうやら譲歩しそうに思われないんだ……」

「わが国はどうする？　そうなったあかつき？」

「わが国？……わが国？……いったいわが国はどうしたらいいんだ？　ロシアの態度を非難するか？　そして、いまやあらゆる力の結集、あらゆる国民的感激が必要とされる時を目の前に控えて、わが国民の士気を阻喪させていいのだろうか？　ロシアの態度を非難するか？　そして、わが国をぜんぜん孤立の立場においていいのだろうか？　わが国にとってのたったひとつの同盟国とけんかわかれをしてもいいのだろうか？　そしてイギリスの世論が、憤然として露仏提携に背をむけ、その政府をしてドイツがたに味方させるようになるのをながめていたいというのだろうか？……」

部屋の戸が、そっとふたつたたかれたのを聞いて、リュメルは言葉を切った。廊下にレオンの声がした。

「あちらさまからまたお電話でございます……」

アントワーヌは、じれったそうなようすをした。

「言ってくれ、おれはいま……いや、まて！」と、彼はさけんだ。「出よう」そして、リュメルのほうへ向かって、「ちょっと失敬する」と言った。

「さあさあ。それに、とてもおそくなっちゃった。おれは帰るよ……では、失敬……」

アントワーヌは、いそいで小さいほうの書斎へもどっていって、受話器をはずした。

「どうしたんだ？」

向こうでは、アンヌが、こうした無愛想なちょうしにびっくりして、はっと身をふるわせた。

「そうそう」と、アンヌは下手に出た。「きょうは日曜だったのね！……お客さまがいらっしゃるのね……」

「どうしたんだ？」と、彼はくり返した。

「ただちょっと……でも、おじゃまじゃない？……」

アントワーヌは答えなかった。

「わたし……」

彼がとてもこちこちになっているのを察したアンヌは、なんといっていいか、どういう嘘をついたらいいかまったく見当がつかなかった。

ほかに言いようもなかった彼女は、おずおずしながらつぶやくようにこう言った。

「今夜ごつごうはどう？……」

「だめだ」と、彼はぶっきらぼうに言ってのけた。それから声をやわらげて、

「だめなのさ、今夜は……」

彼は、急にかわいそうになっていた。アンヌのほうでもそれと察した。それが、彼女には、うれしくもあり、つらくもあった。

「わかってくれなければ」と、彼は言った。(アンヌの耳には、男のためいきをつくのが聞こえた。)

「それに、きょうはからだがあいていない……あいていたにしろ、こうした際に夜あるきなんて……」

「どうした際？」

「だって、きみは新聞を読んだだろう？　何がおこりかけているか知ってるだろう？」

彼女は、はっと身をすくめた。新聞？　政治問題？　そんなことで自分に会うまいとしているのか？　《嘘をついているにちがいない》と、彼女は思った。

「では……今夜……わたくしたちの家にいらっしゃらないの？」

「だめだ……帰りはきっとおそくなる。それに、疲れてしまうだろう……だいじょうぶ……むりいうなよ……」そして、気ののらないちょうしでこうつけ加えた。「たぶんあした……あした、できたらぼくのほうから電話をかける……じゃ、さよなら！」

そして、返事を待たずに受話器をかけた。

四十二

ジャックは、兄のもどって来るのを待たずに外へ出た。そして天文台通りの家番から、もうお嬢さんは一時間以上もまえに帰っていると聞かされたとき、兄の家に長居をしたのが惜しかったようにさえ思われた。

彼は、大またに段をあがって、ベルを鳴らした。そして、胸とどろかせながら、ドアの向こうにジェンニーの足音をうかがっていた。だが、聞こえてきたのは彼女の声だった。

「どなた？」

「ジャック！」

ジャックは、かけがねと鎖の音を耳にした。やがてドアがあけられた。

「ママは出かけたのよ」彼女は、しっかり戸じまりをしておいたことを説明するように言った。「いま停車場へ送ってきたところ」

ジェンニーは、彼を招き入れようとしたとたん、ちょっと気がさしでもしたように、ドアのかまちのところに立っていた。だが、ジャックは、誠実な、明るい表情で彼女の顔をながめていた。それがすぐに彼女の不安な気持ちをぬぐい去ってくれた。いま、彼はそこにいる！　きのうの夢がつづいているのだ！……

ジャックは、やさしさをこめた唐突さで、両方の手を彼女の前へさし出した。彼女もまた、悪びれない、すなおな動作で自分の両手をさし出した。そして、手をそのままにしてふた足ばかり身を引くと、ジャックを家の中に入れてやった。

《どこに通したらいいかしら》ジェンニーは、彼を待ちながら、こんなことを考えていた。客間では、いろいろな物の上におおいがかけてある。では自分の部屋か？　そこは彼女にとってのくつろぎの場所であり、自分だけの場所であり、たとい相手が誰であれ、そこへ通すのはちょっと恥ずかしく思われた。ダニエルでさえ、めったには入れてもらえなかった。あとはダニエルの部屋と、母の部屋だけ。母と娘は、いつもその母の部屋にいたのだった。ジェンニーは最後に、兄の部屋にしようと思いついた。

「ダニエルのお部屋へいらっしゃいな」と、彼女は言った。「家の中でたったひとつ涼しいお部屋なんだから」
まだ軽い喪服を持っていなかった彼女は、家の中では、襟のあいた、白地の古い夏服を身につけていた。それが彼女に、若々しいスポーティフなようすをあたえていた。なるほど腰のあたりは細く、すっきりした足をもった彼女ではあったが、からだつきはきわめてしなやかであるとは言えなかった。というのは、本能的に自分の動作に心をくばり、つとめてものごしをぎごちなくさせていたからだった。だが、そうした心くばりにもかかわらず、すっきりした彼女の手足は、若さのしめす弾力性を隠そうとしてもかくしきれないでいた。

ジャックは、うわのそらの気持ちで、彼女のあとについていった。あたりを見まわしながら、彼は感動せずにはいられなかった。すべてのものに見おぼえがあった。玄関や、そこにおかれたオランダふうの箪笥、それにドアの上にかけたデルフト陶器の皿。むかしフォンタナン夫人が、ダニエルのはじめて描いた木炭画を掛けておいたねずみ色の廊下の壁、子供たちが写真の暗室にした、赤いガラスをはめた引っこんだ部屋。それにダニエルの部屋。壁いっぱいの本棚。雪花石膏の古い掛け時計、えんじビロードの二脚の安楽椅子。そこには幾度となく、ほんとに幾度となく、ダニエルと向かいあって腰をかけたものだった……

「ママは旅行に出かけたの」と、ジェンニーは、落ちつかないのを隠そうとするように、ブラインドをあげながら説明してきかせた。「ウィーンへ行ったの」

「どこ?」

「ウィーン、オーストリアの……おかけにならない？」彼女は、ジャックのおどろいたようすにも気がつかずに、ふり向きながらそう言った。

（ゆうべ、ジェンニーは、予期に反して、おそく帰ってきたことについて何も母から聞かれなかった。フォンタナン夫人は、翌日の準備に気をとられて――ダニエルのいるうちは、彼女はそれにかかれずにいたのだった――ジェンニーの留守のあいだ、時計を見ることさえできずにいたのだった。で、ジェンニーも、べつに言いわけをせずにすんだのだった。かえって母のほうが、隠し立てをするためにいささかとり乱しながら、十日ばかり留守にするといそいで告げた。つまり、そのあいだに、現地へ行って《事の始末をつけ》てこようというのだった。）

「ウィーンへ？」と、ジャックは、腰をおろそうともせずにくり返した。「そして、だまって立たせてあげた？」

ジェンニーは、言葉短に、事の成りゆきを話して聞かせた。そして、自分が反対すると見るや、母が言葉をさえぎって、どうしてもウィーンに行かなければ、困った問題の始末がつかないと言ったむねを話して聞かせた。

ジェンニーが話しているあいだ、ジャックは、やさしく彼女を見まもっていた。彼女は、上体をまっすぐに立て、まじめな顔をして、行儀よく、ダニエルの机の前の椅子に腰をかけていた。唇を少し引きしめている口のひだには、――《いつも口をきかずにいすぎるためなんだな》と、ジャックは思った――反省と意思の強さが見られていた。いささか固い感じの態度。そして、目はじっと、気をゆるさずに相手を見つめていた。疑いと言おうか、高ぶりと言おうか？　それとも気おくれとでもいうのだろうか？　いや、彼女を知りつくしていたジャックにとっては、そうしたぎごちなさが、彼女生来のものであり、それがただ一種の性格、何かしら心あっての控えめ、ひとつの道徳的態度以外の何ものでもないことがわかっていた。

ジャックは、こうしたおりもおり、オーストリアへ出かけることの不心得を知らせてやろうとしてためらった。彼は、控えめがちにこうたずねた。

「兄さんはその旅行のことを知っている？」

「知らないわ」

「ああ」ジャックはとつぜん、話して聞かせる決心をつけた。「ダニエルは、明らかに反対したにちがいないな。お母さんは、オーストリアが動員していること、国境が軍隊で守られていること、ウィーンがあすにも戒厳令下におかれることをごぞんじなかったのかしら？」

こんどはジェンニーがびっくりした。一週間このかた、彼女は新聞ひとつ読むひまがなかったのだった。ジャックは、言葉短に、主なできごとについて話して聞かせた。

ジャックは、用心して、真相を伝えながら、あまり心痛させないようにと心をくばった。彼女からの質問には、底にまさかといった気持ちがうかがわれて、彼女の政治的関心のいかに薄いかがしめされていた。歴史の本に出てくるような戦争のひとつ、それがいままさにおこりかけているということなど、なんら彼女を恐れさせてはいないのだった。戦争になったら、ダニエルがたちまち危険にさらされるであろうことさえ、彼女の念頭にはないのだった。彼女はただ、戦争の場合、母の身におこるであろう具体的な困ったことだけしか考えていなかった。

「おそらく」と、ジャックはせきこんで言った。「お母さんは途中で旅行をあきらめなければならなくなるだろう。待っていたまえ。きっと帰ってみえるから」

「そうかしら?」彼女は、勢いこんだようすでこう言った。そして、さっと顔を赤らめた。

ジェンニーは彼に向かって、母が出発してくれてうれしかった、打ちあけるときがそれだけ延びることになったから、と言った。それに加えて、それはなにも母の反対をおそれてのことではない、とも言った。それでいて彼女は、母に自分のことを話さなければならないこと、自分の気持ちをあからさまに打ちあけなければならないことを何よりおそれていたのだった。

「あなたおぼえていることね?」彼女は、まじめなようすでジャックを見ながらつけ加えた。「わたしは、口に出さずに、わかってもらうのが好きなのよ……」

「ぼくだって」と、笑いながらジャックが言った。

話は、ずっと打ちとけたちょうしになってきた。ジャックは、彼女のことについていろいろ問いかけながら、もっとはっきりした話をと迫ってみたり、彼女自身その気持ちを突きとめかねているのをてつだってやったりした。ジェンニーのほうでも、たいしてつとめるという気持ちでなしに、問われるままになっていた。いろいろなことをたずねられても、べつに反発もしめさなかった。むしろ、次第に、たずねられるのがうれしくさえも思われていた。そしてジャックのため、いそいそとしていつもの控えめを踏み越えている自分自身を見いだし、われながらおどろかずにはいられなかった。つまりこれまで、誰ひとり、こうした熱情的な、迫るような眼差しで自分に身をよせかけてきてくれたものがなかったのだった。誰ひとり、気をわるくさせまいというこれほどまでの心づかい、理解しようというこれほどまでのねがいをもって、話しかけてきてくれたものがなかったのだった。彼女は、かつておぼえたことのないようなあたたかさにつつまれていた。これまでは、ただとじこめられて生きてきたといった感じ。ところがいま、自分をとじこめていたしきりがぐっと取りのけられ、思いもよらぬ地平線が見わたされたといった感じだった。

ジャックはたえず、わけもない微笑を浮かべていた。それはジェンニーに向かってというより、彼自身の幸福を思っての微笑だった。彼は、その幸福に放心してでもいるようだった。いまはヨーロッパも念頭になかった。ジェンニーと自分と、それ以外に何もなかった。彼女の口をもれるあらゆる言葉、たとい無意味なようなものでさえ、それが自分だけへのもの、きわめて打ちとけたもののように考えられて、おどりあがるような感謝の気持ちを感じないではいられなかった。心には、いま新しい自信が生まれかかり、心は得意にあふれていた。それは、ふたりの恋が、単にたぐいまれな貴いものたるにとどまらず、ほかに類のない、いままでかつて例のなかったできごとであると思われたからにほかならなかった。ふたりは口に、たえず《こころ》という言葉をくり返した。そして、そのたびごとに、この漠とした、なぞめいた言葉が、ふたりだけの知る魔法の言葉のように、ことさらのひびきをもってふたりの胸にひびくのだった。

「ぼくが何におどろいているかわかるかしら?」と、とつぜんジャックがさけんだ。「それはね、ぼくがちっともおどろいていないということなんだ! ぼくは、心の底に、こうしたことになるのを一度も疑っていなかったんだ!」

「あたしだって!」

それは、ジェンニーにとっても、ジャックにとっても、ともに真実であるとは言えなかった。だが、そのことを思うにつれ、ふたりには、一日たりとも希望を忘れた日がなかったように思われてきた。

「そして、こうしてここにいるのが、きわめてあたりまえのことのように思われるんだ……」と、ジャックはつづけた。「きみのそばにいると、やっと自分のほんとの風土の中に身をおくことができたような感じだ!」

「あたしだって!」

(ふたりはこうして、ふたりがいっしょであると感じること、どんなことにもおなじ気持ちであると言いあえること、それがなんともうれしく、それに身をまかせつづけないではいられなかった。)

ジェンニーは、いままでの席を立って、ほとんど乱暴とさえ思われるようなポーズで、ジャックの前に腰をおろした。恋慕の気持ちが、すでに彼女のからだのうえに変化をしめしてでもいるようだった。このことは彼女の態度にもあらわれ、そこには、いままでついぞ見られなかったような一種のやさしさ、しなやかさがあたえられでもしたようだった。ジャックは、こうした転身をうっとり見まもっていた。ジャックは、彼女のうごきにつれての上半身の陰影のたわむれ、着物の下の筋肉のうごき、呼吸のきざむ律動をながめてたのしんでいた。求めあい、身をよせたかと思うとたちまちはなれ、離れたかと思うとひとつに会う、あの愛しあった二羽の鳩とでもいったような敏捷なふたつの手、彼にとってはそれも見あかぬものだった。きわめて小さい、まるい、盛りあがった、白いつめ——《まるで、はしばみの実の片われのような》と、ジャックは思った。

彼は一瞬、身をよせかけた。

「ねえ、いろいろふしぎなことを発見したんだ……」

「何?」

ジャックの言葉を聞こうとして、彼女は椅子の腕木にひじをつき、手のひらにあごをのせた。頬をささえた彼女の指、そのあいている人さし指だけがやわらかく唇にたわむれ、そうかと思うと、しばらくこめかみのほうまで伸びていった。

ジャックは、ずっと近くから彼女を見ながらこう言った。

「昼間見ると、きみのひとみの光は、まるでふたつの小さな青玉、あるいはふたつのサファイアみたいだな……」

ジェンニーは、きまりわるげに微笑しながらうつむいた。それからふたたびからだを起こすと、まるでじょうだんとでもいったように、そのしかえしにじっとジャックの顔をみつめた。

「わたしには、ゆうべからあなたが変わったように思われるわ」

「変わった?」

「ええ、とても」

ジェンニーは、何かなぞめいたようすをしていた。ジャックは、彼女にいろいろ問いつめた。そして、とどのつまり、数かずの憶測、推測、訂正などのあったあとで、彼女の言いだせないでいたことを了解することができた。すなわち彼女は、ジャックがここへやって来るなり、ふたりの恋と無関係な、何か隠れた心配事に心を奪われていることを感じたというのだった。

ジャックは、さっとひとなで、ひたいに髪をかきあげた。

「じつは」と、なんのまえぶれもなしにジャックが言った。「ゆうべから、こんなことをやってたんだ」

ジャックは彼女に、テュイルリー公園での夜のこと、午前中の『ユマニテ』社のこと、アントワーヌをたずねたときのことを次から次へと話して聞かせた。細かいことまでくわしく話し、作家気どりのいい気持ちで、その場所や人々のことを描きだし、ステファニー、ギャロ、フィリップ、リュメルの言った言葉をつたえ、それにたいする自分自身の反発のことを話してきかせ、自分の感じた不安や希望を打ちあけ、自分がいま、戦争の脅威をまえにしてやっている闘争の意味をわからせてやろうと努力した。

ジェンニーは、息をはずませ、とほうにくれでもしたように、ひと言も聞きもらさずに耳を傾けていた。彼女はいま、とつぜんジャックの生活の中だけでなく、ヨーロッパの危機のまっただなか、見も知らぬ恐ろしい問題に直面して投げだされていたのだった。大きな社会という建築が、とつぜんゆらいだ感じだった。彼女はちょうど、地震に襲われ、身のまわりに、壁とか屋根とか、これまで自分を保護していてくれ、自分の安全を保証していてくれ、自分がぜったいこわれることのないと思いこんでいたあらゆるものが、目のあたりくずれ落ちるのを見せられでもしたような恐怖を感じていた。

ところで、ついきのうまで彼女にとって未知のものだった世界にあってのジャック自身の活動については、彼女はまだ完全にその価値をのみこめないでいた。だが、自分の恋を正しいものと思うためにも、彼女はジャックをきわめて高く評価しなければならなかった。彼女は、ジャックの目的が高邁なものであることを疑わなかった。ジャックがその名を引用した人々——メネストレルといい、ステファニーといい、ジョーレスといい——すべて特別な尊敬に価すべき人々であると信じて疑わなかった。ジャックもそれらの人々と志をおなじくしているということから、それらの人たちの志は、たしかに正しいものにちがいなかった。

ジャックは、ちょうしに乗っていた。ジェンニーが聞いていてくれることによって、彼はささえられ、陶酔させられていた。

「……ぼくたち革命家は……」と、彼は言った。

ジェンニーは目をあげた。ジャックは、その目の中に驚きの色を見た。

彼女は生まれてはじめて、好意のこもった声で、そしてつつましい敬意をこめて、《革命家》という言葉の口にされるのを耳にした。その言葉は、きょうまでのところ、卑しい欲望を満たすためには、富んだ人々の住むあたりに放火略奪をやりかねない、うさんくさい顔をした人々の姿を思い浮かばせるところのものだった。それは、爆弾を上着の下にかくした破廉恥な人々、それにたいして社会は流刑処分をもってするよりほかに道がないといったような人々のように思われていたのだった。

ジャックはいま、社会主義のこと、自分がインターナショナルに加盟するにいたったことについて話しはじめた。

「ぼくが革命団体に飛びこんだのを、単なる同情のためくらいに思ってくれてはこまるんだ。ぼくは、長い疑いのあとで、そして大きな煩悶、大きな精神的孤独になやまされたあとで、そこに到達することになったんだ。きみにはじめて会ったころ、ぼくは、人間の同胞愛とか、真理や正義の勝利とかを信じたいと思っていた。ぼくは、そうしたものの勝利が、わけなく、しかも手近に得られるものと思っていた。ところがぼくは、すぐに、それが自分の夢にしかすぎなかったことを発見した。そして、心の中がまっ暗になった。そのころのぼくは、一生の中での最悪な時期にあった。ぼくは、落ちるところまで落ちていった。ぼくは底まで、どん底まで落ちていった……そして、ぼくは革命の理想によって救われたんだ」と、彼は、メネストレルにたいする深い感謝を思い浮かべながら言葉をつづけた。「革命の理想は、とつぜんぼくの視野をひろげ、照らしだし、そして子供のころから、反抗的で、くだらない人間だったこのぼくに、生きることの意義を教えてくれた。ぼくは、正義の勝利が、たやすく、かつ近きにありと思っていたことの愚かしさをさとった。と同時に、絶望するということの、さらに愚かであり、けしからんことであるのをさとった！　とりわけぼくは、そうした勝利を信じるために、積極的な方法のあることを知った！　そして、ぼくの本能的な反抗の精神も、それを自分とおなじような反抗者たちとともに社会進展のために用いることにより、はじめて実を結ぶものであることを知ったのだ！」

ジェンニーは口だしをせずに聞いていた。それに、プロテスタントとしての彼女の遺伝は、あらかじめ彼女に、社会は厳格な公式主義に従わせるべきものでないという考え、同時にまた、人間は、その当然の義務として自己の個性を発揚し、自己の良心の命ずる行為を極の極まで遂行すべきであるという考えを持たせてくれていた。ジャックには、自分のわかってもらえていることが感じられた。彼は、ジェンニーの沈黙の中に均斉のとれた健やかな知性、純粋思弁の鍛えこそなけれ、あらゆる偏見を立ち超えて自由に飛翔できる知性、ただきっかけのあたえられるのを待っている知性のおののきを見いだしたのだった。そして、彼女が踏み出さずにいる控えめのかげに、おさえられているひとつの感性、真に全身的犠牲に値する大義名分のためとあったらすすんでそれを受け入れ、それに殉じようとする感性の脈搏を見いだしたのだった。

だが、ジャックの口から、自分がいままでなんとも思わずにいたこの資本主義社会が、じつは許すべからざる不正の礼讃に終始するものであることを聞かされたとき、彼女は思わず、それが信じられないことででもあるかのように、ほとんど否定するといったように、口をとがらせて見せないではいられなかった。そうしたことをあまり考えていなかった彼女は、人の境遇の不平等を、性質の不平等にもとづく、避くべからざる結果ででもあるように考えていた。

「おお！」と、ジャックはさけんだ。「そうした貧しい人々！　きみはたしかにそのほんとうのことがわかっていないにちがいない！　でなければ、そんなにかぶりを振っては見せないはずだ……きみは、自分のすぐそばに、生きるということが、毎日の仕事におしつぶされて苦しむという以外の何ものでもないといったような人々、適正な賃金もうけず、将来の保証もなく、希望を持とうにも持ちようがない不幸な大衆のいることを忘れているんだ！　きみは石炭が掘り出されたり、工場が作られたりすることを知っている。だがきみは、一生かけて、炭坑のやみの中であえいでいる何百万人のことをふっと考えてみたことがあるだろうか？　また、工場の耳を聾《ろう》するような機械の響きの中で、神経をすりへらしている別の何百万人のあることを考えてみたことがあるだろうか？　さらにはまた、なかば特権階級ともいえる農村の人々、毎日毎日、季節によって、あるいは十時間、あるいは十一時間、あるいは十四時間と土をほりかえし、そして、その汗の結晶である農産物を、仲介業者に搾取されている人々のことを考えてみたことがあるだろうか？　これが、人間の労苦というものなのだ！　これははたして誇張だろうか？　ぜったいに！　ぼくは、自分のこの目で見てきたことを話しているんだ……ぼくはハンブルクで、飢え死にをしないため、このぼくとおなじような必要、すなわちパンを得るという必要にかり立てられた百人ばかりの連中といっしょに人足稼業をやったことがある。三週間というもの、ぼくは、《この梁《はり》をもちあげろ！　この袋を持て！　この砂車をひっぱれ》とどなりつづける、まるで看守といったような人足頭の命令のままに、朝から晩まで生活したんだ。夜になると、わずかばかりの賃銀をもらって荷揚げ場をはなれる。そして食物や、アルコールに飛びつきにいく。ぐったり疲れ、からだはあかでにちゃにちゃ、からだもからっぽ、頭の中もからっぽ、はげしい疲れに打ちのめされて、この野郎、という気さえおこらないんだ。そうだ、おそらくこれが何よりおそろしいことだ。ああしたきのどくな連中は、その大部分が、自分たちを犠牲としている社会悪について、気がつきさえもしていないんだ！　ああした囚人のようなおそろしい生活、それを平気でがまんしていられる力、それがどこから出てきているか、ほんとに考えないではいられない！　ぼくは、その地獄から逃げだすことができた。というのは、おりよく何カ国語かを知っていて、新聞記事を読むことができたからだ……だがほかの連中は？　彼らは、向こうでずっと、徒刑囚のような生活をつづけている！　こうした事実、ねえジェンニー、ぼくらは、こうした事実が存在しているということ、これからも引きつづき、それが地上における人間たちの正常な状態であるということを承認する権利を持っているのだろうか？

たとえば工場だ！　ぼくは一時、フィウメで、あるボタン工場に職工として働いていたことがある。ぼくは、十秒ごとにたえず材料を投げこんでやらなければならない機械の、その奴隷とでもいったようだった！　ちょっとのあいだも、頭なり手なりをおるすにしているわけにいかない……何時間も何時間も、いつもおなじ動作をくり返していなければならなかった。なるほど、ほんとうの疲れはなかったかもしれない。だが、仕事を終わったあとでは、あのハンブルクで二時間立てつづけにセメント袋をかつがされ、目はほこりで痛くなり、咽喉《のど》はかさかさになったとき以上に、仕事自体の愚劣さのため、まるでばかみたいになってしまっていた！……ぼくはまたイタリアのシャボン工場でたくさんの女たちを見た。その仕事というのは、十分ごとに、四十キロの重さの粉シャボンの箱を持ちあげ、それを運ぶということだった。それをしないときは、立ったままでハンドルをまわしているのだった。そのハンドルがとてもかたくて、それを動かすためには、足を壁にあてて からだを弓なりにしなければならなかった。しかも女たちは、一日八時間もそうした労働をしていた……ぼくは、作り話をしているんじゃない！　ぼくはプロシャの毛皮工場で、十七になる少女たちに、朝から晩まで皮にブラシをかけさせているのを見たことがある。少女たちは、毛が咽喉《のど》にはいるので、仕事をつづけるためには、一日に何度か外へ吐きに出なければならなかった……しかもその賃銀のおそまつさといったら！　というのは、どこへいっても、おなじ疲労にたいして、男よりも女のほうが安いにきまっているんだから……」

「なぜ？」と、ジェンニーが聞いた。

「つまり、女には、父親なり、夫なりがいて、生活をたすけてくれていると思ってなんだ……」

「それはたしかに、そういう場合が多いんだわ」と、彼女が言った。

「とんでもない！　そうしたきのどくな女たちが働かなければならないということ、それこそつまり、いまの社会で、男にたいし、その肩にかかっている者たちを養うだけのものが支払われていないからのことではないか？　ぼくは、いま外国の労働者の場合だけを例にひいた。だが、いつか、朝、イヴリーなり、ピュトーなり、ビヤンクールなりに行って見るがいい……きみは、まだ七時にならないうちから、身軽になって工場で働くため、子供を託児所へあずけにくる女たちが列をつくっているのを見るだろう。そうした託児所を（工場の費用で）作った工場主たちは、もちろん本気で、労働者にたいして自分たちは恩恵をほどこしていると信じている……だが、考えてみるがいい、八時間の仕事のまえに、五時に起きてコーヒーをわかし、洗濯をすませ、子供に着物をきせ、少しばかり部屋をかたづけ、そして七時には仕事にかけつけなければならない母親たちの生活、それがいったいどんなものであるかを？　恐ろしい生活とは言えないだろうか？　しかも、そうした生活が現実にあるのだ！　そして、そうした生活を犠牲として、資本主義社会は栄えているんだ！……ほんとにジェンニー、こうしたことを許しておいていいものだろうか？　何百万という生活を犠牲にして、その上に栄えている資本主義社会を、だまって見ていていいものだろうか？　いな！……だが、こうしたこと、またそのほかすべてのことを変えるためには、権力の所在を変えなければだめなんだ。プロレタリアによる政治力の獲得が必要なんだ。どうだ、きみにわかったかしら？　きみがとてもおそれているらしい《革命》という言葉、その言葉の意味がこれなんだ……新しい、そしていままでのものとまったくちがった社会組織が、人間に、単に存在するばかりでなく、生きることをゆるさなければならないんだ！　個人にたいし、単に労働の利益の物質的な分けまえばかりでなく、自由と、時間と、安楽の分けまえ、これなくしては人間としての尊厳を発揮できないものをとりもどさせてやらなければならないんだ……」

「人間としての尊厳……」と、ジェンニーは考えこんだようすでくり返した。

ジェンニーはとつぜん――彼女はそのことを恥ずかしく思った――自分が二十歳にもなりながら、世の中の労働と困窮について何ひとつ知っていなかったことに気がついた。一九一四年代のブルジョワ娘に生まれた自分と労働大衆と、そのあいだに見られる階級の隔たりには、古代文明における階級の隔たりにくらべておさおさ劣らないほど截然たるものがあるのだった……《でも、わたしの知ってるお金持ちは、必ずしもその誰も彼もが非道な人とは言われない》と、彼女はむじゃきに考えてみた。彼女は、自分の母親もそれに関係している、困窮家庭への《施し》をするプロテスタントの事業のことを考えていた。……彼女は、自分の顔が恥ずかしさに赤くなるのを感じた。慈善！　彼女はいま、そうした施し物を受ける不幸な人々と、搾取されながら、生活権と自由人としての《尊厳》とを要求している労働者とのあいだに、すこしの一致点もないことを理解したのだった。ああした貧しい人たち、それは彼女が愚かしくも信じこんでいたように、けっして民衆とは言えないのだ。それはブルジョワ社会の寄生虫にすぎないのだ。それは、ジャックによって語られた労働者の世界にくらべて、施し物のためにそれらの人々を訪れる貴婦人たちとおなじ程度に、まったく似ても似つかないものなのだった！　ジャックによって、彼女は《プロレタリア》というものを知らされたのだ。

「人間としての尊厳」と、彼女はもう一度くりかえした。そういう言葉のちょうしから、彼女がそれに全幅の意味を持たせていることがうけとられた。

「おお！」と、ジャックは言った。「最初はたいした結果が得られないにちがいない。……革命によって解放された労働者は、最初まず、きわめて利己的な――きわめてげびたとさえ言おう――欲望に飛びついていくにちがいない……これは、あきらめなければならないことなんだ。そうした下等の欲望があってのち、はじめてほんとの……内面的な進歩……」といって、ジャックはしばらくためらったのち「精神的な教養が可能になるんだ」と、つけ加えた。

彼の声は、かすれたようになっていた。彼のよく知りつくしていた苦悩が、いま彼の咽喉《のど》をしめつけていた。それにもかかわらず彼は話しつづけた。

「不幸にしてわれわれは、次の必然を認めなければならない。すなわち、風俗上の革命は、制度上の革命よりもずっとずっとおくれるものだという事実を。だが、われらは、人間というものを疑ってはならない。そうだ、それを疑う権利はない。なるほど人間にはずいぶんいやなところもある。だがぼくは、それは大部分、現在の社会の結果であると信じ、また信じたい……悲観説とたたかうんだ。そして、人間を信じ得るところまでやっていくんだ！　人間には、偉大なほうへ向かおうという、隠れた、抜くべからざるあこがれがある。いや、必ずそれがあるはずなんだ……そうした灰に埋まった火だねの上に、たえず気ながに息を吹きかけ、それをかき立て……いつの日にか、それを燃えあがらせなければならないのだ！」

ジェンニーは、こくりとうなずいて、賛成の意をあらわした。顔のうえには、かつてなかった決意の色がうかがわれ、目には、深い沈痛さがあふれていた。

ジャックは、うれしそうな微笑を浮かべた。

「だが、社会変革はいずれ後になってのことなんだ……まず何よりさしせまっているのは、それはいま、戦争をやめさせなければならないことだ！」

ジャックはとつぜん、ステファニーと会う約束のあったことを思いだし、置き時計のほうへ一瞥を投げた。時計はとまっていた。彼は、自分の時計を出して見て、おどりあがった。

「もう八時か？」彼は、夢からさめたように言った。「あと十五分で、取引所まで行かなければ！」

ジャックはとつぜん、ふたりの話が、思いがけない、そしてきびしいものになっていたことに気がついた。ジェンニーを失望させたであろうことを思った彼は、その言いわけをしようとした。

「いいえ、いいえ」と、彼女はすぐに打ち消した。「わたし、いろいろなことについてのあなたのお考えが知りたいの……あなたの生活が知りたいの……わかりたいの……」そして、その熱情的な言葉のちょうしは、こう語ってでもいるようだった。《そうやって打ちあけてくださるあなた、ありのままを見せてくださるあなた、それがあなたの愛情のいちばんりっぱなしるしなんだわ。わたしにとって、それが何よりうれしいのよ！》

「あした」と、ジャックはドアに歩みよりながら言った。「ぼくはもっと早くこようかしら？　昼飯をすましたらすぐ」

ジェンニーは微笑した。

それが彼女のひとみの底まで明るくさせた。彼女としてはこう言いたかった。《ええ、いらしって、できるだけたびたび……あなたが来ていてくださるときだけ、わたし生きているといった感じ！》

だが、彼女は、顔をあからめて、口をつぐんでいた。そして、彼のあとから家の中を歩いて行った。

半びらきになった客間の戸口で、ジャックは立ちどまった。

「はいってもいいかしら？　いろいろなことを思いだすんだ……」

ブラインドはしまったままだった。ジェンニーは、前に立ってはいって行って、窓をあけた。ジェンニーには、その歩きかたなり、部屋を横ぎって、べつに粗暴というのでもなく、しとやかに、それでいてきっぱりした態度で自分のしようと思ったことのほうへまっすぐに歩いていくところなり、そこに何かしら彼女独特のものが見られた。

たばねられた窓掛け、巻いてある敷物、寄木細工のゆかなどからは、布のにおい、蠟のにおいがただよっていた。ジャックはすべてを、微笑しながらながめていた。彼は、アントワーヌにつれられて、はじめてここへ来たときのことを思いだしていた……あのとき、ジェンニーは、ふきげんなようすで、バルコニーのところへ行ってひじをついていた。そして自分は、ここのすみのところで、まの抜けたようすでガラス戸棚の前に立っていた。彼は、いま、それのおおわれている布をあげてみるまでもなく、あの日、手持ちぶたさをとりつくろうためにながめていたボンボン入れ、扇、ミニアチュールといったような骨董品のすべてを思いだすことができた。それらは、その日につづく何年というもの、いつも、ちゃんとおなじ場所に見いだされていたものだった……そして、その引きつづく何年というもの、いろいろちがったジェンニーのすがたも、まるで原画に重ねた透き写しとでもいったように、いま目のまえで重なりあっているのだった。彼は、ほんの少女のころのジェンニーの態度、娘になってからの彼女の態度、その気むずかしさのこと、むら気なこと、とつぜん顔を赤らめたり、時には何か打ちあけ話をするとでもいったようなそぶりを見せられたことなどを思いだしていた……

ジャックは、彼女のほうをふり向いて、微笑してみせた。自分の思いが、彼女にわかったというのだろうか？　おそらく。だが、彼女はひと言もいわなかった。彼もまた、だまったまま、しばらく彼女をながめていた。彼はきょう、こうして彼女を、ふたたびおなじ客間の中で、率直な、いささかきつい眼差し、すべすべしたふしぎな顔だち、悪びれもせず、といって放縦にもながれず、かつての日とおなじように、しっかりみずからをおさえている姿で見いだすことができたのだった……

「ジェンニー、ママのお部屋を見せてもらえるかしら？」

「どうぞ」と、彼女は、なんのおどろきもしめさなかった。

壁にはいっぱい肖像や写真がかけられ、上に透かしレースをかけた緑色のダマスの大きなベットのすえられているその部屋、これもまた彼がすみからすみまで知りつくしているところのものだった！　ダニエルは、いつもまず、ドアをたたいてから彼をはいらせたものだった。たいていの場合、フォンタナン夫人は、電気のかさのつくり出すばらいろの光の下《もと》、暖炉をかこんですえられた二脚のベルジエールのひとつに腰をかけて、炉の火にちかく、修養書とかイギリス小説とかを読んでいた。夫人は、開いた本をひざにおき、さもこれほどうれしいことはないといったように、明るい微笑とともにふたりを迎えてくれるのだった。夫人は、ジャックを自分の前にかけさせ、はげますような眼差しとともに、生活のこと、勉強のことなどを聞いたものだった。そして、ダニエルが、ふと気がついてくずれたまきを起こそうとすると、おどけた手つきでいきなり彼から火ばさみをとりあげ、《だめ、だめ》と笑いながら言ったりした。《おやめ。あんたは、〈火の性質〉を知っていないんだから！》

ジャックは、こうしたすべての思い出を払いのけるのにひとほねだった。

「では」と、ジャックは、ドアのほうへ行きながら言った。

ジェンニーは、彼を控えの間まで送っていった。

彼女はとつぜん、ジャックから、きわめておごそかなようすでながめられているのに気がついて、なんともわからぬ恐怖におそわれて顔を伏せた。

「きみはここで、いつも幸福だった？　ほんとに幸福だった？」

ジェンニーは、それに答えるに先だって、良心的に自分の過去を考えなおし、いままでの幾年かのこと、不安な、ややこしかった少女時代のこと、いつも気をつかい、心を集中し、口かず少なくすごした少女時代のことをしばらく思いおこしてみた。そうしたわびしい過去のなかにも、いくつかの明るみだけは見いだすことができていた。たとえば母の慈愛のこととか、ダニエルがやさしくしてくれたこととか……だが……自分ははたして幸福だったろうか、ほんとに幸福だったろうか？　ちがう。そうだ、ぜったいに。

ジェンニーは目をあげた。そして否定するように首を振って見せた。

彼女は、ジャックが、深く息をつき、きっぱりしたようすで髪をかきあげて、とつぜん微笑するのを見た。ジャックはなにひと言いわなかった。彼は、ジェンニーに、その幸福を引き受けてやると約束するわけにはいかなかった。だが、微笑しつづけながら、そして、じっと彼女のひとみの奥をみつめながら、やって来たときとおなじように彼女の両手を取り、その上に唇を押しあてた。ジェンニーは、彼から目を放さなかった。そして、心の高鳴るのを感じていた……

彼女は、ずっとあとになってから、ジャックのすがたが――立ったまま、彼女のほうへ身をかがめていたときの彼の姿が――いかにそのとき、自分の記憶にはっきりきざみつけられたかを知ったのだった。彼のひたいなり、黒い髪の毛なり、鋭い不敵な、大胆な眼差しなり、彼女のために期するところあるらしい自信たっぷりな微笑なりが、いかにおどろくべき強烈さで自分の一生かけて思いだされることになるだろうかを知ったのだった……

四十三

建物の中庭に、深くこもってひびいてくるサン・トゥスタシュ寺院のひなびた鐘の音に、ジャックは朝早くから目をさました。まず胸に浮かんだのはジェンニーのことだった。ゆうべはずっと、そして眠りつく瞬間まで、彼はいくたびとなく天文台通りの家をたずねたときのことを思いだしていた。そして、彼の思い出の中からは、たえず新しい記憶のふしぶしが浮かびあがっていた。彼は、自分の新しい部屋の道具立てにむとんちゃくな目をそそぎながら、しばらくベッドの上に身を横たえていた。壁には湿気が粉をふき、天井は、あちらこちらはがれていた。見おぼえのない服が、衣装掛けのくぎにかかっていた。箪笥の上には、仮綴本や小冊子の包みがうず高く積まれていた。亜鉛の洗面器の上のほうには、シャボンがかかったためしみになっている勧工場物の鏡が光っていた。この部屋に暮らしていた同志は、いったいどんな生活をしていたのだろう？

窓は、夜どおしあけたままにしておいた。だが、朝早いにもかかわらず、中庭からあがってくる空気は臭く、息がつまりそうだった。

《二十七日、月曜日》と、彼はナイト・テーブルの上においた手帳を見ながら思った。《けさ十時にC・G・Tの連中に会うこと……そのあとで、金の件だ。公証人と仲買人に会わなければならない……だが、一時には、彼女の家にいる。彼女のそばに！……そのあと、四時半には、ヴォジラール町で、クニッペルディンクのための集まりがある……六時には『リベルテール』社……そして、夜は示威運動……ゆうべはなんだか騒然としていた。きょうはたしかに、いろいろなことがあるにちがいない……大通りを、いつまでも愛国青年どもの跳梁にまかせておいていいものか！　けさの示威運動はうまくいくぞ。ビラもいたるところに張られたことだし……土建連合の連中は、組合のほうに呼びかけた……サンディカリスム運動が、党の運動としっかり結びつくこと、これが何より重要なんだ……》

彼は、いそいで廊下の水栓へいって水さしに水をくむと、上半身裸になって、冷たい水でからだをふいた。とつぜん彼は、マニュエル・ロワのことを思いだした。そして、その若僧の医師に罵詈《ばり》雑言《ぞうごん》をあびせはじめた。《けっきょくするところ、きみが非国民呼ばわりしている連中は、とりもなおさず、きみたちの資本主義に反対している連中なんだ！　きみたちの制度に反対したが最後、たちまち非国民呼ばわりとおいでになる！　口をひらけば〈祖国〉とおっしゃる》と、彼は、ずぶりと頭を水の中につけながら言った。《だが、本音を押したら〈きみたち社会!〉であり〈階級〉なんだ! 祖国をまもる美名のもとに、きみたちの社会組織を体よく守ろうという腹なんだ!》彼は、両手でタオルの両端をにぎると、はげしく背中にこすりながら、来たるべき世界のことを夢みつづけていた。それは、さまざまな国家が、地方的・自治的団体として、ひとしくプロレタリア的組織の下に結合された世界だった。

彼はやがて、ふたたびサンディカリスムのことを考えた。

《しばえのある仕事をしようと思えば、どうしても組合内部にはいらなければ……》彼はひたいを曇らせた。いったい自分は、なんのためにフランスにいるのだろう? 情報収集の任務。まさにそれにちがいない。しかも自分は、誠心誠意それをやってきた! きのうもまさに、ジュネーヴあてに短い《報告》の何本かを送った。メネストレルは、たしかにそれを役立てるにちがいない。だが自分は、調査という任務の重要性に、夢をきずいてなぞいないのだ。《役に立たなければ、ほんとに役に立たなければ……働かなければ……》彼は、こうした希望をもってパリに来た。ところが、自分が単に一個の傍観者にすぎないこと、けっきょく、何もせず――何もできないでいることが腹だたしかった! こうしたインターナショナルの仕組みでは、いやおうなしに制限をうけ、何ひとつしようとしてもできないのだ。党に属していないもの、ずっとまえから党の組織にはいっていないものには、何ひとつ実質的な行動はゆるされなかった。《ここに、革命対個人のすべての問題がかかっている》彼はとつぜん、がっかりしたように考えた。《自分は、本能的に逃げだしたい気持ちから、ブルジョワジーを脱走した……たしかにそれは、個人としての反抗の気持ちからであり、階級的な反抗の気持ちからではなかったのだ……それ以後、自分は自分のことを考え、自分をさがしもとめるために時をすごした……おい同志、きみはとてもほんものの革命家にはなれないぜ！……》彼は、ミトエルクからかけられた非難の言葉を思いだした。そして、ミトエルクのこと、メネストレルのこと、すなわち、断固たる現実的な考え方によって、ぜったい血による革命の必要を認めている人々のことを考えた。彼は、おそろしい暴力という問題に、咽喉《のど》をしめあげられたような気持ちがした……《ああ、いつの日にか自由になりきることができたら……自分の全身を投げだすんだ……全身を投げだすことによって、自分を完全に自由にするのだ……》

ジャックは、彼にとっていつものとおりの、こうした懊悩と失望のうちに洗面をすませた。だが、幸いそうした気持ちも長くつづかず、たちまち外面的生活のはげしさがそれにとってかわった。

《情報を見に行こう》彼は、気をひき立てながらそう思った。

そう思っただけで、彼には元気がもどってきた。そして、部屋に鍵をおろすと、いそいで町へ出ていった。

新聞にも、そうたいしたことは出ていなかった。右翼の新聞は、《愛国者連盟》がストラスブールの像のまえでやったデモを中心に、いろいろやかましく書き立てていた。報道紙の大部分は、公報をつつみかくしているとでもいったように、言葉たくさんなつじつまのあわない解説をかかげていた。そのねらいは、不安材料と希望材料とを巧みに組み合わせることにあるらしかった。左翼の機関紙は、今夜、レピュブリック広場でのデモに参加するよう、あらゆる平和主義者たちによびかけていた。『バタイユ・サンディカリスト』紙は、その第一ページに、《今夜こぞって街頭に》と、かかげていた。

十時に待ちあわせることになっていたボンディー町へ行くまえに、ジャックは『ユマニテ』社によってみた。

ギャロの事務室のドアのところで、彼は、年のいった女闘士に呼びとめられた。たびたびプログレ亭の集会で会ったことから、彼はその顔を知っていた。十五年まえから入党していて、『自由婦人』の編集をしている女だった。みんなからは、ユリーおばさんと呼ばれていた。みんなは、彼女のあくこと知らぬおしゃべりに辟易して、つとめて避けている彼女ではあるが、誰も彼もがいちように親しみを持っているのだった。度がすぎるほど親切で、どんなむずかしいことであろうとわれからすすんで世話を引きうけ、人を紹介するのが何より好き、年もとり、静脈瘤をわずらっていながら、あるいは失業者に職をさがしてやり、あるいは困った同志を助けてやるとか、疲れを知らないありさまだった。ペリネが警察といざこざをおこしたときにも、彼女はすすんでペリネを泊めてやったのだった。なんとも変わった女だった。みだれほうけたごま塩の髪は、会合の席でも、まるで海千山千といった感じだった。顔には、昔のなごりを忍ばせていた。《お面はそっくりそのままだが》と、ペリネは、フォブールなまりで言っていた。《からだはだいぶ雨もりだな……》熱心な菜食主義者である彼女は、最近ひとつの協同組合をつくったが、その目的とするところは、パリの町のひとつひとつに、菜食主義者のレストランをあたえようというにあった。おりからの時局もなんのその、彼女は信者獲得の機会をのがさず、ジャックの腕にとりつくと、その説得にとりかかった。

「相談してみるがいいよ！　お医者さまに相談してみるんだね……腐った食べ物、死んだ獣の肉なんか食べつづけていてごらんよ、からだのちょうしはわるくなろうし、頭にしたって、じゅうぶんのはたらきをしなくなってしまうんだからね……」

ジャックは、やっとのことで彼女の手をのがれ、ギャロの事務室にはいっていった。

ギャロのほかにも人がいた。秘書のパジェスが名まえのリストをさし出すのを、彼はいちいちしらべては赤鉛筆でしるしをつけていた。そして、テーブルに山と積まれた書類の上から顔をあげ、ジャックにかけろとしめしながらも、なおしるしをつづけていた。

ジャックは、その顔を横からながめていた。そのねずみのような横顔は、わずかに人間の顔といえるようなしろ物だった。斜めに高まった鼻の線が、だいたい顔の造作の全部だということができた。その線は、上のほうへいくにつれ、ごま塩髪のもじゃもじゃの藪の中へと隠れていた。下のほうは、まるでペンふきといったように突っ立っているひげの中で終わっていて、そのひげの中には、ひっこんだ口もと、それにそげたようなあごがかくれていた。ジャックは、ギャロをながめるたびに、いつも驚きと好奇心とを感じさせられていた。それはまるで、偶然山あらしのからだをまるめようとするところを見つけでもしたようだった。

さっとドアがあいて、ステファニーが飛びこんできた。上着もつけず、ふしくれ立った腕のひじのところまでシャツのそでをまくりあげ、鳥のような鼻の上に、眼鏡をどっしりのせていた。きのう、ブリュッセルの《組合会議》で議決された日程を持ってきたのだった。

ギャロは立ちあがった。だが、パジェスのわたしたリストを手から放さず、それをたいせつに書類箱の中にしまいこんだ。三人は、ジャックのことなぞそっちのけで、しばらくその日程のことについて論じあった。そうしたあとで、きょうの情報についての感想を語りあった。

明らかに、けさの空気はだいぶ緩和されていた。中央ヨーロッパからの情報には、何か希望の持てる余地が見られていた。オーストリアの軍隊は、あいかわらずダニューブ川を越えずにいた。セルビアと断交するため、オーストリアが取った疾風迅雷的なやり方のあとの休止期、ジョーレスによれば、それには大いに意味があるということだった。セルビアの回答に明らかにしめされた善意と、列強こぞっての憤激を前に、オーストリア政府は、明らかに武力行為に移ることをためらっているにちがいなかった。いっぽう、きのうドイツがロシアにたいして発したため列国政府をして大いに不安ならしめた動員の脅威も、詮ずるところ、さまで悲観的なものではないらしかった。人によっては、それは平和を確保するための誠実さに出たもの、思うところあっての強力行為であるとも言っていた。事実、その直接の結果としては、かなり希望的なものが見られていた。すなわちロシアは、セルビアにたいし、オーストリア軍が進出した場合には、一戦をまじえずして後退するという約束をさせていた。つまり、それによって時をかせぐことができるわけであり、当然のこととして、和解の形式も見いだせようというわけだった。

ジョーレスのもとには、国際的抵抗運動についての、かなり希望的なさまざまな情報がはいっていた。イタリアでは、社会党議員はミラノに集まって情勢を検討し、イタリア社会党の平和への態度を明らかにすることになっていた。ドイツでは、政府のとった強圧手段も、反抗派の力を沈黙させるにいたらなかった。そして、ベルリンでも、戦争反対の大示威運動が、あしたを期して行なわれることになっていた。フランスでは、全土にわたり、急を聞いた社会主義者とサンディカリストの各支部が、地域的ストライキの計画を練っていた。

誰かが、ステファニーに、ジュール・ゲードが待っていることを知らせにきた。約束の時間がせまったジャックは、彼とともに部屋を出た。そして、ステファニーの事務室までいっしょにいった。

「局部的計画?」と、ジャックがたずねた。「いざというとき、ゼネストにまで持ってくためにか?」

「ゼネスト、もちろんさ」と、ステファニーが答えた。

だが、ジャックの見たところ、その語調には、いささか確信が欠けているらしかった。

リアルト亭は、ボンディー町にあった。《労働総同盟》の近くにあるということから、そこは組合員の中でも、とくに活発な連中の集まり場所になっていた。ジャックはそこで、リチャードレーから連絡をたのまれていたC・G・Tのふたりの闘士と会うことになっていた。ひとりは、小学校の教員だった。ほかのひとりは、以前冶金工場の工場長をしていた男だった。

すでに話は小一時間もまえからかわされていた。ジャックは、どうしたら戦争反対を目的として、C・G・Tと社会主義者との活動をもっと緊密ならしめることができるかという、目下研究している方法についての情報が得られるおもしろさから、いつまでも話を打ち切ろうという気になれずにいた。ちょうどそのとき、カフェーのおかみが、集会用にあてられた奥の間の戸口にあらわれて、奥へ向かってこうどなった。

「チボーさん、お電話」

ジャックは、立ちあがるのをためらった。誰もここまで自分を追ってくる者はないはずだった。誰かほかに、チボーという男がいるのだろうか？……だが、誰ひとり立ちあがるもののないのを見た。彼は、出てみようと決心した。パジェスだった。そういえばジャックは、ギャロの事務室を出るとき、ボンディー町で人と会うようなことをもらしたのを思いだした。

「つかまってよかった！」と、パジェスが言った。「いま、スイス人がやってきて、きみに会いたいと言った……きのうから、ほうぼうさがしたって言ってたぞ」

「どんな男だ？」

「妙な小男さ。白い髪の毛の小さな男で、それに白こなんだ」

「わかった……スイス人じゃない、ベルギー人だ。で、パリにいるのか？……」

「どこにきみがいるかは言えなかった。そして、口から出まかせに、一時にクロワサン亭に行くように言っといた」

《ジェンニーのところをどうしたらいいだろう?》と、ジャックは思った。「だめだ」と、ジャックはすぐに言った。「一時に人と会う約束がある。ぜったいはずすことができないんだ……」

「それはどうともごかってさ」と、パジェスははっきりさえぎった。「だが、何かいそぎのことらしいぜ。メネストレルからきみへの連絡を持ってきたんだ……なにしろ、伝えるだけは伝えたぜ。失敬」

「ありがとう」

メネストレルから? いそぎの連絡?

ジャックは、当惑しながらリアルト亭を出た。天文台通りの家へ行くのを延ばす決心はつきかねた。だが、けっきょく理性が勝利をしめた。そして、公証人のところへ行くまえに、大いそぎで郵便局に飛びこむと、ジェンニーあてに、三時でなければ行けない旨の速達を書いた。


ベーノー事務所は、トロンシェ町の堂々たる建物の二階にあった。

これがほかのときだったら、ベーノー先生のいやにおさまったものものしさ、建物なり、家具なり、書記たちなりの構え、紙くずの墓地とでもいったような、陰気な、ほこりっぽい事務所の空気など、ジャックは笑いだしたくなったにちがいなかった。彼は、相当な敬意をもって迎えられた。なんにしても、故チボー氏の息子であり、その相続人にちがいなかった。おそらく、これからも得意先になるだろう。下っぱから《先生》にいたるまで、相続財産にたいしてうやうやしい尊敬をしめしていた。ジャックはいくつかの書類に署名させられた。そして、この大財産を一刻も早く手に入れたいと思っているらしい彼を見て、相手は婉曲に、それをどうするつもりかとたずねたのだった。

「申すまでもございませんが」ベーノー氏は椅子のひじ掛けの先についている獅子頭をつかみながら言った。「こうした変動期には、取引所のほうでもいろいろと……株式に明るい連中にとっても、まったく思いがけない場が見られるものでして……いっぽう、リスクのほうから申しましても……」

ジャックは、話を打ち切って、事務所を出た。

仲買人の事務所では、異常な興奮が檻格子のうしろの店員たちを動揺させていた。たえず電話が鳴っていた。いろいろの命令がどなられていた。取引所の立会い開始時間がせまっていた。そして全般的事態の重大さから、波瀾の多い立会いが予想されていた。ジョンコワ氏自身に面会を求めたジャックは、何かと文句をつけられた。彼は、支配人に会うことで満足しなければならなかった。そして、持株全部を即刻処分したい旨を切り出すやいなや、それにしては時機がわるい、全体の取引きとして、ずいぶん大きな損失を覚悟なさらなければなるまいと言われた。

「そんなことはかまいません」と、彼は言った。

きっぱりした彼の態度に、相手は何も言えなかった。こんなとほうもないことをやろうとしながら、しかもこれほど落ちついているというのは、この風変わりな客は、何か特別な早耳で、おそらくとんでもない奇利をねらっているのかもしれない。いずれにせよ、処分の依頼をはたすためには、およそ二日を見なければならなかった。ジャックは立ちあがって、それでは水曜日に来るからその日、全財産を現金で、事務所の会計で受けとれるようにしておいてほしいと言った。

支配人は、ジャックを踊り場《バリエ》のところまで見送っていった。

ヴァンネードは、ぽつねんと、戸口に近い椅子にかけていた。テーブルの上にひじをつき、両手の中にあごをうずめて、目をしょぼしょぼさせながら、はいって来る人を見まもっていた。カーキ色の妙な植民地服を身につけ、それがまた、髪の毛同様色あせたものだった。そのため、このクロワサン亭に集まるものの服装はとても風変わりなものにきまっていながら、それでも目につかずにはいなかった。

ジャックを見ると、彼は立ちあがって、青白い顔をさっと染めた。そして、しばらく口がきけなかった。

「やあれやれ！」と、ヴァンネードは、ほっとしたようなちょうしで言った。

「なんだ、きみもパリに来ていたのか？」

「やあれやれ！」と、白このヴァンネードはくり返した。その声はふるえていた。「ねえ、ボーチー、ぼくはとてもこわくなってきたんだ！」

「なぜさ？　いったい何事があったんだ？」

視力をかばおうと手をかざしたヴァンネードは、用心しいしい、近所のテーブルをながめまわした。

ジャックは何か気がかりになって、そばへいって腰をおろすと、その耳もとに口をよせた。

「あんたに用ができたんだ」と、ヴァンネードはささやいた。

ジャックの目の前を、ジェンニーの面影がさっと通った。彼は、いらだたしげに髪をかきあげ、落ちつきを失った声でこうたずねた。

「ジュネーヴでか？」

ヴァンネードは、乱れた髪を否定の意味で振ってみせた。そして、ポケットの中をさがしていたが、やがて紙入れから表書きのない一通の封書を取りだした。そして、ジャックが、熱に浮かされでもしたようにそれを開いているあいだに、ヴァンネードは彼の耳もとにささやいた。

「ほかにまだわたすものがあるんでさ。エベルレ名義の身分証明書」

封筒の中には、ふたつ折りになった手紙がはいっていた。その第一ページの表には、リチャードレーの筆跡で短い手紙が書かれていた。そして、ほかのページは、白いままのようだった。

ジャックは手紙を読んでみた。


　パイロットはきみに期待している。いずれ後便。ぼくたち、水曜日ブリュッセルで会うことになっている。失敬。

R.

《いずれ後便》……ジャックは、この書式を心得ていた。白いページには、隠顕インキで指令が書かれているのだった。

「これを読むためには家に帰らなくっちゃあ……」

ジャックは、もどかしそうに、手紙を指にまきつけていた。「だが、ぼくが見つからなかったら、どうするつもりだったんだ？」と、彼はたずねた。

ヴァンネードは、とても人のよさそうな微笑を浮かべた。

「ミトエルクがいっしょなんです。そんなときには、ミトエルクがあけてみて、あんたの代わりにやることになってたんです……同志たちとは、水曜日ブリュッセルで落ちあうことになってて ね……じゃ、あんたはもう、ベルナルダン町のリエバールさんとこに泊まってるんじゃないんですかい？」

「ミトエルクはどこにいる？」

「向こうでもあんたに会いたがっているんですよ。三時に、バルベス通りの、エルディングのところで会うことになってるんです。ミトエルクとは国がおなじで、ぼくたちもそこに泊まってるんです」

「ところで」と、ジャックは、手紙をポケットにおさめながら言った。「きみはぼくのところにつれてゆきたくない。家番に不審をおこさせてはつまらないから……だがミトエルクをつれて、四時十五分に、モンパルナス駅の電車待合室の前にこないか？　ヴォロンテール町のおもしろい集まりにつれてゆくから……そして今夜は、食事をすまして、いっしょにレピュブリック広場のデモにいこうや」

それから三十分ののち、ジャックは部屋にとじこもって、指令の文句を拾っていた。

二十八日火曜日、ベルリンにいること。十八時、ポツダム広場のアッチンゲル方に行くこと。そこでTr・に会って、はっきりした指令をうけること。

事がわかったら、すぐの列車でブリュッセルに急行すること。

十二分の注意をとられたし。Vより渡された書類以外、携帯すべからず。

不幸逮捕され、間諜として起訴されたときは、ベルリンのマックス・ケルフェンを弁護士に選ぶこと。

この事件は、Tr・とその友人たちの発意にかかる。Tr・は、とくにきみといっしょにやりたいと申しでた。

「いよいよだ」と、ジャックは低く言った。そして、すぐに《役に立つこと……行動だ!》と、心に思った。

洗面器からは、現像液のアルカリ性のにおいがにおっていた。彼は、手をふいてから、ベッドのところにきて腰をかけた。

《さて》と、彼は、つとめて落ちつこうとしながら考えた。《ベルリン……あしたの晩……朝の汽車だと、夕方の六時に会えるようには向こうへ着けまい。どうしても、きょう二十時の汽車でたたなければ……何はともあれ、ジェンニーに会いに行くだけの時間はある……よかろう……だが、デモには行けないな》

彼は、少し息をはずませながら考えていた。ゆかの上に開かれていたスーツケースの中に時刻表があった。彼は、それを取って、窓のそばへ歩みよった。まるで息がつまりそうな暑さだった。

「しかたがなければ、零時十五分の準急にしてはどうだろう?……時間は長くかかるだろうが、そうすれば今夜のデモにも行けよう……」

隣の部屋からはかん高くふるわしている女の声が聞こえていた。女は、アイロンをかけているらしかった。ストーヴの上にがちゃりとおかれるアイロンの音が、ときどきその歌声をさまたげていた。

《Tr・これはトラウテンバッハだ……たしかに……。やっこさん、何をたくらんだのかな? それにまた、なぜこのおれをというんだろう?》

彼は、汗びっしょりのひたいをふいた。いよいよ行動だと思う気持ち、使命の性質がなぞであること、おそらく危険がともなうであろうことなどを思って、彼は興奮していた。そうしたいっぽう、ジェンニーと別れなければならないことを思うとやるせない気持ちにもなるのだった。

《水曜にブリュッセルで会うんだったら》と、彼は思った。《事が順調にはこびさえしたら、木曜には帰ってこられる……》

それで心が落ちついた。わずか三日だけ留守をするにすぎない。
《すぐにジェンニーに知らせなくっては……四時十五分にモンパルナス駅の前まで行きたかったら、これからすぐでかけなければ……》
出発までに、も一度帰れるかどうかわからなかった。彼は、紙入れのものをすっかり取り出し、万一を思って自分名義の書類を小包につくり、上に、メネストレルの住所を書いた。そして、ヴァンネードの渡したエベルレ名義の書類だけを持った。
こうして彼は、天文台通りの家へ出かけていった。

四十四

ジャックの鳴らすベルの音を聞いて、ジェンニーはすぐにドアをあけた。まるできのう別れたときそのままの場所で、彼の来るのをずっと待ってでもいたようだった。

「いやなことを知らせにきたんだ」彼は、あいさつもせずにそう言った。「今夜、フランスを離れなくちゃあ」

ジェンニーは、どもるように言った。

「フランスを離れるって？」

彼女は、蒼白になって、じっとジャックをみつめていた。自分につらい思いをさせることをいかにもつらく思っているらしい彼を見ると、自分の悲しさなどとても見せたくない気持ちだった。だが、いままたまたジャックを失うこと、それは彼女として、力にあまる苦しみだった……

「帰ってくるよ。木曜日、おそくも金曜には」と、彼はいそいでつけ加えた。

ジェンニーは、じっとうつむいたままだった。そして、深くふかく息をついた。ほんのりした薄紅のいろが、ふたたびその頰の上にあらわれた。

「三日だけ！」ジャックは、つとめて微笑をよそおった。「たいして長いことじゃない。三日だけ！……これから一生幸福でいられるふたりじゃないか！」

ジェンニーは、不安らしい、問いかけるような眼差しを彼のほうへあげた。

「何も聞かないでほしいんだ」と、彼は言った。「ぼくは、ある任務を言いつかった。それで出かけなければならないんだ」

《任務》という言葉を聞いて、ジェンニーの顔には、ありありと大きな不安の影が刻まれた。それを見たジャックは、ドイツへ行って何をするのか自分自身にもわからないながらも、彼女を安心させてやらなければと考えた。

「外国の政治家たちと連絡しに行くだけなんだ……なにしろ、ぼくは、外国語が流暢に話せるんで……」

ジェンニーは、注意ぶかく彼を見まもっていた。彼はそのまま言葉を切った。そして、玄関のテーブルの上に開かれていた何種かの新聞をしめしながら、

「どんなことがおこっているか、知ってるね?」

「ええ」彼女は、簡潔な返事をした。そのちょうしから推して、彼女もいまや、彼に劣らず時局の重大さをじゅうぶん認識していることがうかがわれた。

ジャックは彼女のそばへ歩みより、両方の手をとってひとつにあわせ、そうした手の上にキスしてやった。

「ぼくたちのところへ行こう」ジャックは、ダニエルの部屋のほうを指しながらそう言った。「ほんの何分かの時間しかないんだ。その時間をむだにしたくない!」

ジェンニーはようやく微笑を浮かべた。そして、自分が先に立って廊下を歩いていった。

「ママからはなんにも言ってこない?」

「何も」彼女は、ふり向きもせずにそう言った。「ママは、きょうの午後早く、ウィーンにつくはずなの。あしたでなければ電報がこないだろうと思うわ」

部屋にはいると、すべてはジャックを迎えるためにととのえられていた。ブラインドがおろしてあるので、光線もなごやかだった。そうじもすっかりできていた。窓には、アイロンをかけたばかりの窓掛けがかかっていた。置き時計も動いていて、机のすみには、スイートピーの花束がおかれていた。

ジェンニーは、部屋の中央で立ちどまると、注意ぶかい、いささか不安らしい眼差しで彼をながめ

た。ジャックは微笑して見せた。だが、彼女はそれにさそわれなかった。

「で」と、ジェンニーは落ちつかない切り口上で言った。「ほんと？　何分かだけ？」

ジャックは、彼女のうえに、やさしい、微笑をふくんだ、ちょっと見すえるような眼差しをそそいでいた。それは、うわのそらの眼差しではなかった。それどころか、しっかりした、注意をこめての眼差しだった。だが、それはジェンニーに、何か落ちつかない感じをあたえた。ジャックがここへ来てからというもの、何か思いつめているらしいその目が、一度も自分の目の中をみつめてくれない感じだった。

ジャックは、ジェンニーの唇の震えているのを見た。そして、彼女の手をとって、つぶやくようにこう言った。

「ぼくの勇気をくじかせないでね……」

ジェンニーは、つと身を起こした。そして微笑して見せた。

「それでけっこう！」と、ジャックは、彼女を腰をかけさせてやりながら言った。

つづいて彼は、考えの順序などは説明しないで、低い声でこう言った。

「自分自身を信じなければ。自分だけを信じるんだ……自分の運命をしっかり意識したもの、そして、そのためにすべてをささげるものだけにしか、しっかりした心の生活は得られないんだ」

「そうだわね」と、彼女は口ごもるように言った。

「自分自身の力を意識するんだ！」ジャックは、自分自身に言いきかせるように話しつづけた。「そして、その力が、ほかのものから悪いと言われても、それはなんともしかたがないんだ……」

「そうだわね」と、彼女は、ふたたびうつむきながらくり返した。

この幾日、ジェンニーはすでに幾たびとなく、ちょうどいまの場合とおなじように、次のようなことを考えていた。《あの人は、こう言った。わたしはいつも、それを思いだすことにしなければ……そのことを考えてみるために……そのことをもっとしっかり理解するために……》彼女は、一瞬目を伏せると、じっと身動きせずにいた。そして、その伏せられた顔の深い沈思の色を見ると、ジャックは心にみだれを感じて、しばらく何も言えなかった。

やがて、彼は、おさえたような、震えるちょうしでこうつけ加えた。

「ぼくの生涯での決定的な日は、それは、ほかのものから、けしからん、危険だと言われていたことが、じつはその反対に、ぼくの中でのいちばんりっぱな、いちばん正しいものだということが理解されたその日だった！」

ジェンニーは、それを聞いていた。彼女にはそれがわかった。だが、なんだかめまいがするような感じだった。二日このかた、彼女にとって、心の世界の地層は、ひとつひとつくずれていっていた。身のまわりには、ひとつの空虚が掘られ、しかも、ジャックがすべての判断をその上にきずいているらしいあの新しい価値なるものも、まだその空虚を埋めてくれるまでにいっていないのだった。ジェンニーは、とつぜん、ジャックの顔が輝きだすのを見た。ジャックは、またもや微笑を浮かべていた。だが、それはいままでとまったくちがったものだった。彼はいま、いい考えを思いついていた。そして、その目は早くも、ジェンニーへ向かって問いかけていた。

「ねえ、ジェンニー……今夜はきみひとりだろう？……どうだい……ぼくといっしょに、どこでもいい……晩飯をたべにいく気はないか？」

ジェンニーは、なんとも答えずに彼の顔をながめていた。こうした素朴な申し出——まったく思いもよらないこうした申し出に、あっけにとられていたのだった。

「七時半まではからだがふさがってる」と、彼は説明した。「そして、九時にはレピュブリック広場に行かなければ。だが、どうだろう、このすばらしいときをいっしょにすごすことにしたら？」

「いいわ」

《じつに独特なものを持っている》と、ジャックは思った。《いいにしろ、いやにしろ、我のつよい、と共にきわめてすなおであるという独特さ……》

「ありがとう！」彼は、たまらなくうれしくなってこうさけんだ。「だが、迎いに来るだけの時間はない。もし七時半に取引所の前まで来てくれたら……？」

ジェンニーは、承知のしるしに頭をさげて見せた。

ジャックは立ちあがった。

「では、ぼくは出かける。またあとで……」

ジェンニーは、引きとめようとしなかった。そして、黙って、階段のところまで送ってきた。

ジャックが階段をおりかけて、も一度最後の、そしてやさしい別れの微笑をするためにふり向いたとき、ジェンニーは、手すりの上に身をかがめ、とつぜん大胆にこう言った。

「わたし、同志たちといっしょのあなたを考えるのがうれしいの……たとえば、あのジュネーヴで……あそこでだったら、あなたはほんとのあなたになれてよ……」

「なんでまたそんなことを？」

「なぜって」彼女は、適当な言葉をさがしているとでもいうようだった。「これまでわたしが見ていたあなたは、どこにいても、いつも――さあ、なんと言っていいかしら？――なんだか……ふるさとを持たない人のような感じ……」

ジャックは、階段に立ちどまっていた。そして、顔をあげて、真剣なようすで彼女をながめた。

「思いちがいをしないでほしい」と、彼ははげしいちょうしで言った。「あそこへ行っても、ぼくはやっぱりふるさとを持たぬ男なんだ！　どこへ行ってもふるさとを持たぬ男。ぼくにはいつでもふるさとがなかった。ふるさとなしで生まれた男だ！」彼は、微笑してからこうつけ加えた。「そうだジェンニー、きみのそばにいるときだけ、ふるさとのないことを忘れていられる……少しでも……」

微笑が消えた。そして、何かほかのことを言いよどんでいるらしかった。彼は、手で、なぞのようなしぐさをして見せた。そして、そのまま去っていった。

《完全無欠だ》と、彼は思った。《完全無欠だ。だがおれにはどうもわからない！》これはけっして非難ではなかった。ジェンニーが、いつも彼を引きつけずにはいなかった魅力にしても、一部分、こうしたなぞめいたところに存したのではなかったろうか？

家までもどったジェンニーは、しばらくのあいだ、しめてあるドアのところに立ったまま、遠ざかる足音に耳をすましていた。《ああ、なんという複雑な人なんだろう！……》彼女は、とつぜんこう思った。だがそれは、そのことをざんねんに思う意味ではけっしてなかった。彼女は全的にジャックを愛していた。そのために、おそれの感じ、あるいは水脈といったように、あるいは足跡といったように、彼のうしろに残されるそうした漠としたおそれの感じさえも好きに思っていた。

四十五

ヴォジラール通りでの集会は、ヴォロンテール町にあるカフェー・ガリバルディのプライヴェート・ルームで開かれていた。

ジャックの紹介で、ヴァンネードとミトエルクは、スイスの党代表として迎えられ、前のほうに席をあたえられていた。

司会者のジボワンが、クニッペルディンクに発言をゆるした。この老理論家の著作はスウェーデン語で書かれていたが、その影響は、すでにずっとまえから、北欧の国境を越えて知られていた。重要な著作はすべて翻訳されて、ここに集まった人々の多くもそれを読んでいた。彼は、ひじょうに正確なフランス語を話していた。頭に雪白の髪をいただいた背の高い姿、きらきら輝く使徒といったような眼差し、それが彼の思想をさらに重からしめていた。彼は、ヨーロッパ列強の過激な国家主義に、ずっと以前から不安と反対とをいだかせられていた、平和的な、そして純粋的な中立国家の国民だった。そうした彼は、きびしい見とおしでヨーロッパの現状への批判を試みていた。熱のこもった、じゅうぶんなデータに裏づけられた彼の演説は、たえず拍手によって中断されなければならなかった。

ジャックは、うわのそらの気持ちで、たいして耳をかしていなかった。彼は、ジェンニーのことを思っていた。ベルリンのことを思っていた。クニッペルディンクが、抵抗への熱烈な呼びかけで話しおわったとき、彼はそのあとの一般討論を待たずに立ちあがった。彼は、ヴァンネードとミトエルクを『リベルテール』社へ誘おうと思ったのをやめて、夜のデモのために落ち合う場所だけをつたえてやった。

テアトル・フランセ座の前の広場まで来たとき、彼は時計を見てから予定を変更した。モンマルトルまでは遠かった。『リベルテール』社まで行くよりは『ユマニテ』社へ行って、きょうの午後の情勢を聞いたほうがいい。

クロワサン町まで来たとき、彼は歩道の上に、ちょうどミラノフといっしょに『ユマニテ』社から出てきた、印刷工のブルーズを着ているムールランおやじの姿を見つけた。そしてふたりといっしょに数歩あるいた。

ジャックはミラノフが、共産党の連中と関係のあることを知っていた。そこで、今週末のロンドン会議に出るつもりかどうかたずねてみた。

「期待なんかできるものか」と、かんではき出すようにミラノフが答えた。

「それに」と、ムールランが口をはさんだ。「会議はうまくいかないらしいや。目下のところ、みんな目をつけられまいとしているからな。みんな地下にもぐってるんだ……警視庁でも内務省でも、早くも網を張ってやがる。《B手帳》に物を言わせようと、手ぐすね引いてるというわけなんだ！」

「B手帳？」と、ミラノフが言った。

「臭い連中のリストなんだ。形勢非なりと見るが早いか、ねずみ取りの用意が必要だからな……」

「あそこでは、みんなどう言ってるんだろう？」ジャックは『ユマニテ』社の窓を指しながらこうたずねた。

ムールランは肩をゆすってみせた。最近の電報は、すべてかんばしからぬものだった。

ペテルスブルグからは、いつもなかなかすばらしい情報を手に入れる『タイムズ』(イギリス新聞)特派員の大胆不敵な電報によって、ツァーが、オーストリア国境に配置された十四軍団に動員許可をあたえたという報道がもたらされていた。これが、ドイツの警告にたいする回答というわけだった。ロシア人は、人々の一時の希望に反して、たじろぎをみせないばかりか、公然攻撃的になってきていた。ロシア政府は、もしドイツにして、たとい一部動員でも行なったが最後、時を移さず総動員令を発するといっておどしていた。ところがベルリンからの電報によると、ドイツ政府は、あらゆる遠慮をかなぐりすてて、活発に動員準備中ということだった。参謀本部長のフォン・モルトケが急に呼びよせられていた。ドイツ一般大衆は、御用新聞によって戦争切迫のことを知らされていた。『ベルリーナー・ロカールアンツァイゲル』紙は、オーストリアの最後通牒を弁護する長い論文を掲載し、セルビアの意気阻喪を大げさにつたえていた。ベルリンでは、朝早くから、恐怖におそわれた金利生活者たちによって、銀行の窓口が襲撃をうけたらしいということだった。

フランスでも、銀行はおなじく襲撃をうけた。リヨン、ボルドー、リールでは、預金引き出しの殺到から、銀行は苦境に陥っていた。パリ取引所では、きょうの午後、まったくの暴動さわぎがおこっていた。ひとりのオーストリア生まれの無免許仲買人が、国債値さがりの口火を切ったというので《スパイを殺せ!》というごうごうたる声につつまれた。間一髪というところで警官が中に割ってはいった。ところが、警視総監によってあらかじめ柱廊が取り払われてしまっていたので、警官は、たけり狂った群集にその男を半殺しのめに合わせまいとして、大骨折ったということだった。事はばかげていたとは言え、それは、戦争による民心の興奮を伝えてあまりあるものだった。

「そして、バルカンのほうは」と、ジャックがたずねた。「オーストリア軍は、まだセルビア国境をおかしていないんだろうな」

「それはまだだということだ」

だが最近の電報によると、きょうまで延期されていた攻撃が、今夜決行されるだろうということだった。ギャロは、たしかな筋からの報道だと言って、オーストリアの総動員は事実上決定され、それがあした発令され、三日で完了するだろう、ということを伝えた。

「フランスでは」と、ムールランが言った。「休暇中の将校や、兵士や、鉄道従業員や、郵便局員は、みんな電報で呼びもどされたんだぜ……そして、ポワンカレ自身も範をしめして、途中どこにもよらずにひき返しつつあるんだ。水曜にはダンケルクに着くだろう」

「ポワンカレといえば……」と、ミラノフが言った。そして彼は、ウィーンでもっぱら取りざたしている、意味深長なうわさを伝えた。すなわち七月二十一日、冬宮での外交団招宴のおりから、ポワンカレは例の鋭い声で、オーストリア大使に次のような言葉を口にして、それが大きなセンセーションをおこしたということだった。《セルビアは、ロシア国民ときわめて昵懇《じっこん》な友人でありますぞ。そして、そのロシアは、フランスという同盟国を持っておりますぞ！》

「いつもあいかわらずの威嚇政策だ！」と、ジャックは、ステュドレルのことを思いだしながらつぶやいた。

ミラノフは、デモの時間がくるまで、プログレ亭へ行こうと言った。だが、ムールランはそれに反対した。そして、「今夜はもう、おしゃべりはたくさんだ」と、傲然としたちょうしで言い放った。

「ちょっとお願いしたいことがあるんだけれど」ミラノフが行ってしまうと、ジャックが言った。

「ジュール町のぼくの部屋に、個人的の書類を入れた、ひものかかった包みをおいてきたんだ。くらいこみでもするようだったら、それを、ジュネーヴの、メネストレルのところに送り届けさせてもらえまいか？」

ジャックは、それ以上何も説明せずに微笑して見せた。ムールランは、しばらくまじまじ見つめていた。だが、何ひとつ聞こうとしないで、首をたてに振ってくれた。そして、いざ別れようとしたときに、彼はしばらく、ジャックの出す手を自分の手の中に握っていた。

「成功をいのるぜ……」と、彼は言った。（そして、こんどはじめて、《若いの》という言葉をつかわなかった。）

ジャックは『ユマニテ』社にもどってきた。ジェンニーと落ち合う時まで、三十分のひましかなかった。

カディウ、コンペール・モレル、ヴァイヤン、サンバをまじえて、一団の社会主義者たちがジョーレスの事務室から出てくるところだった。ジャックは、彼らが、つづいてギャロの事務室へはいっていくのを見た。そして、くるりと向きを変えると、ステファニーの室のドアをたたいた。ステファニーは、ひとりで、立ったまま、外国新聞のいっぱい載っているテーブルの上にかがみこんでいた。

ステファニーは、大柄で、やせていた。胸はくぼみ、肩はとがっていた。漆黒の髪にかこまれた面長な顔は、けいれんのために妙にゆがんで、ときどき、気がちがいでもしたように見えるのだった。たくましく、南仏生まれのものらしい元気さだった。（彼は、まさにアヴィニョンの生まれだった。）史学のアグレジェ（大学教授資格所有者）だった彼は、社会闘争に飛びこむまえには、地方で何年か教鞭をとっていた。彼の教え子たちは、いつも彼のことを忘れなかった。彼を『ユマニテ』社に入れさせたのは、ジュール・ゲードだった。自分がたくましい健康の所有者であることから、病弱な者を喜ばなかったジョーレスは、彼の力量だけは認めながらも、とくに愛してはいなかった。それにもかかわらず、ジョーレスは、彼を社内での最高級の地位のひとつにつかせ、いろいろむずかしい仕事をまかせていた。

その日の午後、ジョーレスは、彼に、議会における社会党と党の行政委員会とに連絡をとるようにたのんでおいた。ジョーレスは、ロシアのあらゆる武力干渉にたいし、社会党議員による公式抗議をおこさせようと考えていた。彼は、フランスをしてロシアと共同の歩調をとらせないよう、そして、ヨーロッパにおける平和的仲裁者たる役割を演じるため、あらゆる行動の自由を確保させたいと思って、さかんに外務省にはたらきかけていた。

ステファニーは、《おやじ》と長いこと話しあってきたところだった。彼はジャックに、《おやじ》が、いつもとちがってとりわけ神経質になっていたことを隠さず話した。ジョーレスは、あすの『ユマニテ』紙に、《戦争今朝開始されん》という、爆弾的な見出しをつけることにきめていた。

ジョーレスは、ステファニーといっしょに、外国にたいし、フランス全労働者の名において、社会党がその平和的意見を表明するためのマニフェストの草案を書きあげていた。ステファニーは、その全文をおぼえていて、狭い室の中を歩きまわりながら、歌でもうたうような声でそれを引用して聞かせた。鳥のような眼差しをした彼の小さな目は、たえず眼鏡のかげで動いていた。骨ばった、かぎなりの鼻は、まるで鳥のくちばしのように突きだされていた。

「《暴力政治にたいし、社会主義者は全国民に呼びかけるものである……》」と、彼は、腕を振りあげながら朗々と述べ立てた、そこには、まるで連禱《リタニー》とでもいったように、こうした元気のいい宣言の文句をくり返しながら、今夜の自分の信念を励まし立たせようと思っている彼の気持ちが明らかに見てとられ、感動を誘わずにはいなかった。

ドイツ社会主義者の出したおなじような声明も、きょうの昼とどいていた。ジョーレスは、ステファニーにてつだわせて、自分でそれを翻訳した。《戦争が襲いかかろうとしている！　われらは戦争を望んでいない！　国際平和万歳！　ドイツの良心あるプロレタリアは、人類と文明との名において、はげしい抗議を提出する！……ドイツ政府にたいし、平和確保のため、オーストリアにたいしての力の行使を要求する。そして、もし恐るべき戦争にして避くべからざるものであるとしたら、ドイツがぜったいに紛争の外に立つべきことを要求する！》

ジョーレスは、こうしたふたつのマニフェストをならべたポスターをつくり、それを何千と刷ってできるだけすみやかに、パリ全市に、またあらゆる大都市に張り出させたいと思った。すでにこの日の夕方から、社会主義者の経営によるあらゆる印刷所は、この仕事のために動員されていた。

「イタリアでも、みんななかなかやってるらしい」と、ステファニーが言った。「ミラノにあつまった社会党議員団は、政府に、イタリアが三国同盟の他の盟邦と同調しないことを公に宣言させるため、イタリア議会の緊急臨時召集を要求する動議を可決した」

彼はさっと、テーブルの上の二枚の新聞を手にとった。

「これがムッソリーニの『アヴァンティ』紙に出た社会党のマニフェストの翻訳だ。《イタリアのとるべき態度はひとつあるのみ、すなわち、中立！　イタリア・プロレタリアは、ふたたび屠殺場に送られるのをしのぶつもりか？　声をひとつにしてさけべ。戦争反対！　ひとりの人をも、一銭の金をも、戦争に送るな》」

この訳文は、翌日の『ユマニテ』紙の第一ページに載ることになっていた。

「水曜には」と、彼は言葉をつづけた。「ブリュッセルでは万国社会主義同盟の集まりがあるだけでなく、夜は夜で、ジョーレスの司会する、そして、ベルギーのためにはヴァンデルヴェルドが、ドイツのためにはハーゼとモルケンブールが、イギリスのためにはケヤ・ハーディーが、ロシアのためにはルバノウィッチが司会する反戦大会が開かれることになっている……とてものすごいことになるだろう……あらゆる国々のからだのあいている闘士たち全部が、この集会を全ヨーロッパのものすごいデモにするため、こぞってブリュッセルへ出かけることになっているんだ。全世界のプロレタリアが、各国政府の政策に反対して立ちあがるところを見せてやらなければ！」

彼は、室の中を歩きまわりながら、鼻にしわをよせ、唇を引きしめ、ふがいなさを痛嘆しながらも、しっかり踏みこたえ、絶望しまいと戦っているというようだった。

ドアがあいて、マルク・ルヴォワールがはいってきた。赤い顔をして、興奮しているようすだった。はいって来るなり、彼はくずれるように椅子にかけた。

「いったい、やつらがしたくないっていうのは本心だろうか？」

「戦争をかい？」

ルヴォワールは、外務省からやって来たのだった。そして、そこからの奇怪な報告をもたらしてきた。うわさによれば、ドイツ大使フォン・シェーンは、外務省を訪れて、ドイツは、ロシアにたいして、もし一徹な態度を放棄するようだったら、ロシアの顔を立てるため、オーストリアをして、セルビアの領土尊重について公式な誓約をさせてもいいと申しでたらしい。つづいて大使は、フランス政府が、新聞を通じて、フランスとドイツとは《平和確保を熱望する点において全然協同の立場に立ち》共に手をたずさえて行動しているものであり、ロシアにたいして熱心に態度緩和を勧告しつつあるという公式発表をして欲しいと申しでたものらしい。しかるにフランス政府は、ベルトゥローの意見に押されてこの申し出を受諾せず、同盟国ロシアの猜疑心を挑発することをおそれて、ドイツとのいかなる《協同関係》をも発表することを拒絶したものらしい。

「ドイツがどんなことを申し出ても」と、ルヴォワールは結論をくだした。「外務省では《それはわなだ！》と言っている！　四十年来、いつもかわらぬくり返しだ！」

ステファニーの小さな目は、心痛の表情を浮かべながらじっとルヴォワールにそそがれていた。その黄いろい顔は、さらに長く伸びた感じで、ゼラチンのような頬の肉が、あごの重みでたれさがりでもしたようだった。

「困ることは」と、彼はつぶやくように言った。「ヨーロッパにおいて、七人ないし八人――あるいは十人――の人間が、自分たちだけで《歴史》を作ろうとしていることなんだ……おれは『リヤ王』(シェークスピアの戯曲)を思いだす。《少数のばか者が、盲人の群れを導いているような時代はのろわしいものじゃ！……》さ、行こう」彼はとつぜん、ルヴォワールの肩に手をおいて言った。「《おやじ》に知らせに行かなければ」

ジャックは、ひとり残されて立ちあがった。ジェンニーに会いに行く時刻だった。《そして、あしたの晩はベルリンだ……》彼は、ただ時おり自分の任務のことを思いだしていた。だが、思いだすたびに、そこにはふるえあがるようなうれしさ、それにまじって一抹の不安が感じられていた。それは、自分に期待されていることを、十二分にはたし得ない場合を考えての不安だった。

四十六

取引所の大時計はまだやっと三十分を指しているのに、ジェンニーはすでにやって来ていた。ジャックは遠くからその姿をみとめて、立ちどまった。すっきりした彼女の姿は、新聞売子や乗合自動車の従業員たちのはげしく行きかうなかに、じっと動かず、すでにとざされている鉄門の前にくっきり浮きあがっていた。ジャックは、長いこと、歩道の端に立ってその姿をながめていた。こうして偶然、ひとりの彼女の姿をながめていると、はるか昔の感動がふたたび心によみがえってくるような感じだった。昔、メーゾン・ラフィットで、ジェンニーの姿をかいま見たいばかりに、彼は幾度となくフォンタナン家の庭のまわりをうろつきまわったものだった。ジャックは、ある日の夕暮れ、彼女が白い着物を着て、樅の木のしげみから出て来るのを見たときのことを思いだした。ちょうど日の光のしまになったところにさしかかった彼女は、瞬間光の円光に取りまかれて、まるで亡霊とでもいったように見えたのだった……

きょうの夕方、ジェンニーは、喪のしるしのヴェールをつけていなかった。黒い着物を着ていたので、それがことさら彼女の姿をすっきり見せていた。着物についても、その動作におけるとおなじように、人のおもわくを考えることなぞぜったい念頭におかない彼女だった。ただ自分に納得のいくことだけしか求めない彼女だった（気ぐらいの高い彼女は、人が自分をどう思うかなど、まったく気にかけていなかった。そうしたいっぽう、人が自分のことをなんとか思ってくれるだろうなどと、考えてさえみないほど謙遜な気持ちをもっていた）。彼女は、簡素な型の、きわめて実用的な着物が好きだった。それでいて、彼女はあか抜けしていた。だがそのあか抜けのしかたには、もっぱら簡素と、生まれついての教養とがしめされていて、そこにはいささかうるおいがかけ、きつさがうかがわれていた。

ジャックが近づくのを見ると、彼女ははっとしたようすで、微笑を浮かべながら歩みよってきた。そうだ、彼女はいま、かなり楽に微笑を見せられるようになっていた。だが、もっと正確に言えば、何か取りとめのない震えがその口のはたをけいれんさせ、明るい目の奥には、小さな光が燃えているのだった。ジャックはいつもそれを見のがさなかった。そして、そのたびごとに胸を高鳴らせていた。

ジャックはまず、ちょっといやがらせを言ってやった。

「きみが笑っているのを見ると、いつもなんだかおめぐみをうけているような気持ちだな」

「そうかしら？」

ジェンニーは、ちょっと誇りを傷つけられたような気がしないではいられなかった。だが彼女はすぐに、ジャックの言うとおりだと思った。そして、あわや自分のことをもっと手きびしくやっつけてみようとした。《そうよ、わたし、こわばった、がんこな顔をしてるわよ……》だが、自分のことを口に出すことにかけては、いつも気のすすまない彼女だった。

「形勢はますます悪い」と、とつぜんジャックがためいきをつくように言った。「どの国の政府も我を張っている。そして威圧政策をやっている……われ劣らじと強気なんだ」

ジャックが来たときから、彼女は、いかにも疲れたような、心配そうな顔をしているのに気がついていた。彼女の眼差しは、もっとはっきりした情報を聞かせてほしいとでもいうようだった。だが、ジャックは、強情にかぶりを振った。

「よそう……こんな話はやめだ……話したところでなんになる？　もうたくさんだ……それより、ちょっと息抜きのできるあいだに、すべてを忘れさせてほしい……時間がたいせつだ。町へ行って食事をしよう。ぼくは昼飯を食っていない。ものすごく腹がへってる……行こう」ジャックは、そう言いながら彼女をうながし立てた。

ジェンニーは、彼についていった。《もしママかダニエルに見つかったら》と、彼女は思った。こうして、ふたりきりでこっそり出かけること、それはまだ誰にも気どられずにいるふたりの交情に、とつぜんはっきりした形をあたえることであり、それが彼女を、何かあやまちを犯した小娘でもあるかのようにおどおどさせていた。

「あそこはどうだろう？」と、ジャックは、町かどにあった一見ぱっとしないレストランを指しながら言った。人道へ向かってあけひろげられた店先からは、白いテーブル・クロースのかかったいくつかのテーブルが見えている。「落ちつけそうじゃないか、え？」

ふたりは往来をわたり、その小ざっぱりした、客のひとりもいないレストランのしきいをいっしょにまたいだ。奥には、台所のガラス戸の向こうに灯《ひ》をともした釣りランプの下に、テーブルについているふたりの女のうしろ姿が見えた。だが、そのどちらも、ふり向こうとはしなかった。

ジャックは、ものぐささそうなようすで、腰掛けの上に帽子を投げだすと、店の者の注意をよびさまそうと、奥のほうへ進んでいった。彼は、しばらく、じっと動かずに、突っ立ったまま待っていた。ジェンニーは、彼のほうへ目をあげた。するとたちまち、台所からの光で妙にゆがめられた彼のふけた顔が、まるで知らない人の顔でもあるかのように思われた。ジェンニーは、悪夢を見ているとでもいったような感じ、人さらいの手によって恐ろしいところへつれて行かれる小娘の恐怖とでもいったようなものを感じた……だが、そうした気迷いも、ほんの一秒時のことだった。ジャックは早くも、こちらへもどって来かけていた。そして、影の位置が変わることから、その顔も元の顔にかえっていた。「かけたまえ」と、ジャックは、腰掛けをかけやすいようにしてやりながら言った。「そうじゃない。ここへかけるといい。明かりが目にささないですむから」

ジェンニーには、こうした男らしい心づかいによって見まもられているということ、それはまったく生まれてはじめてのことだった。彼女は、うっとりと身をまかせていた。

台所では、若いほうの女——桃色の上着をつけ、雌牛のようなひたいの上に髪の低くはえかぶさっている気の抜けたようなふとった女が、やっとのことで腰をあげて、さも餌をたべているさいちゅうをじゃまされた動物とでもいったような気むずかしさでふたりのほうへやってきた。

「食事をさせてもらえますかね?」と、ジャックはふざけたようなちょうしでたずねた。

女は、まじまじ彼をみつめていた。

「お望みでしたら」

ジャックの目は、楽しそうに、女とジェンニーとのあいだを往復していた。

「卵はありますね? ある? それに、コール・ミートを少し?」

女は、胸のかくしから紙片を取りだした。

「これだけですわ」それはまるで《よかったら召しあがれ、いやならおよしなさい》とでもいっているかのようだった。

ジャックの上きげんは、そんなことによって何ひとつ影を落とされたようには見えなかった。

「けっこう!」と、ジャックは声高くメニューを読みあげ、ジェンニーに目まぜで問いかけてから言った。

「とんだ愛嬌者さ」と、ジャックはつぶやいた。そして、笑いながら、ジェンニーと向かいあったところに腰をおろした。

ジャックは、すぐ立ちあがって、ジェンニーがジャケットを脱ぐのをてつだってやった。

《帽子も取ろうかしら》と、彼女は考えた。《よそう、みだれ髪を見せることになるんだから……》だが、彼女はすぐに、そうした浮きうきしたことを考えたのを恥ずかしく思った。彼女は、大胆な手つきで帽子を取った。そして、髪に手をあててみようともしなかった。

ふきげんな顔の女が、湯げの立つスープ入れを手にして、ふたたび姿をあらわした。

「すてきだぞ！」と、ジャックは、女の手から大さじを取りながらさけんだ。「こんなポタージュがあるなんて、さっきひと言もいわなかったじゃないか……いいにおいだ！」そして、ジェンニーのほうを向いて、「よそってあげようか？」と言った。

彼の陽気さには、ちょっと上ずったところが見られていた。さし向かいではじめて食事をするということは、彼女におとらず、彼をおどおどさせていた。そして彼は、きょう一日の屈託ごとを、すっかり忘れきれずにいたのだった。

ジェンニーのうしろの緑がかった鏡は、彼女の一挙一動をそのまま写しだしていて、ジャックは、自分の前にいるジェンニーの生きた上半身の向こうに、すっきりした彼女の肩や襟首をながめることができていた。

自分の見られているのに気のついたジェンニーは、とつぜん彼に向かってこう言った。

「ジャック……あの……あなた、わたしというものをよく知っていてくださるのかしら？　考えてみるとこわいようだわ……あなた……わたしについてとほうもない夢を見ておいでなんじゃないかしら？」

ジェンニーは、心の底からの不安をかくそうとして微笑して見せた。それは彼女が《自分はいつか、彼の望んでいるような者になれるかしら？　わたしはけっきょく、彼を失望させることになるんじゃないかしら？》と考えるとき、いつもおそいかかってくる不安だった。

ジャックのほうでも微笑してみせた。

「では、ぼくのほうからも、きみはぼくというものをよくわかっていてくれるのかしら、とたずねた場合、きみはなんて返事をする？」

ジェンニーは一瞬ためらったあとで、

「わたし、きっと、いいえとお答えするにちがいないわ」

「だが、きみは同時に《そんなことはどうだっていい》と思うだろうな。それはそのとおりにちがいないんだ」と、ジャックはあいかわらず微笑しつづけながら彼女に応じた。

ジェンニーは、首をたてに振って、それにちがいないという意味をつたえた。《そうなんだ》と、彼女は考えた。

《そんなことはどうだっていいんだ……いまにわかることなんだ……あら、わたしとしたことが、まるで世間一般の親たちの考え方をするなんて！》

「おたがい信用し合っていなければ」と、ジャックは力をこめて言いきった。

ジェンニーは、それにはなんとも答えなかった。ジャックは、ちょっと心配そうに見まもっていた。

だが、幸福に面がわりした彼女の表情を見ると、それこそ何よりも安心できる答えのように思われた。

あたたかいバターのにおいが、室の中ににおってきた。

「ほうら、またやまあらしがやって来たぞ」と、ジャックがそっとささやいた。

桃色の上着を着た女が、オムレツを運んできた。

「ベーコン入りか？」とジャックがさけんだ。「こいつはすばらしい！　あんたが料理をしているのかね？」

「もちろんですわ！」

「それはすてきだ！」

女は、もったいぶって微笑してみせた。だがすぐに、つつましそうな態度を見せた。

「あの、ここでは晩のお食事はおそまつなのよ……おいでになるなら朝のうちでなければ。おひるなんか、ひとつだってあいたお席はありませんもの……ところが夕方ときたら、とても静かで……お好きなかた同士ででもなければ……」

ジャックは、いたずらっぽく、ジェンニーと目と目を見かわした。さも女の無愛想な顔をほころばせてやることができてほっとしたとでもいうようだった。

「ほほう」と、ジャックは、機を見て舌鼓を打って見せながら言った。「これはまさにすばらしいオムレツだ！」

女は、ほめられたので、笑いだした。

「わたし」と、女は、まるでないしょ話とでもいったように、かがみこんでささやいた。「お料理のことは、誰にも聞いたりしないんですよ。ただ、食道楽のかたがただけをおたより申して」

女は、そう言いながら、前掛けのポケットに両方のこぶしをつっこんだ。そして、得意らしく腰を振りふり、向こうのほうへ歩き去った。

「それとなくおせじを言ってくれたのかな！」

と、笑いながらジャックが言った。

ジェンニーは、ぼんやりしたようすで考えこんでいた。この場のできごと、それはとるにたりないものだった。だが、彼女はそこに、おどろくべきことの数かずを発見した。ジャックは、あきらかに一種の熱を放射する才能を持っていた。ひとつの言葉により、ひとつの微笑により、そして相手に関心をしめすことにより、そこに信頼と共感とを生みだすに必要な気温をつくりだす才能を持っていた。ジェンニーは、誰にもましてこのことを知っていた。ジャックのそばにいると、どんなにひねくれた、どんなに打ちとけない人たちも、ついに呪縛から解き放され、気持ちがほぐれ、打ちとけてこずにはいないのだった。だがジェンニーにしてみれば、そうした才能ほどおどろくべきものはなかった！

というのは、彼女は、ジャックと反対に、また兄のダニエルとも反対に、他人にたいしてほとんどなんらの興味をも持っていなかった。彼女は、自分の世界に深くとじこもったままで暮らしていた。彼女は、何をおいても自分自身の空気を清らかに保っていたいと思い、自分と身近な人々とのあいだにさえいつも適当な距離をおき、世間に接するときは、何ものによっても傷つけられることのないような、すべすべした表面だけを見せておくようにつとめていたのだった。《だが》と、彼女は考えた。《こうしてジャックがどんな人にでも興味を持たせる好奇心、それは反射的に、彼にひとりの人を選択させることを不可能にさせるものではないだろうか？》

「あなたは好きになることがおできになれて？」と、ジェンニーは、思いつくままに彼にたずねた。「誰にもまして、あるひとりの人を好きになることがおできになれて？　そしていつまでも？」

ジェンニーは自分の言葉が、どんなにあいまいで、無器用なものであったかに気がついた。そして、さっと顔をあからめた。

ジャックは、ちょっと狼狽したようすで、いったいどうしてそんなことを問いかけるのだろうと、じっと彼女をながめていた。なにしろ誠実な返事をと思っていた彼は、彼女の質問を心の中にくり返した。それというのも、ふたりは、なかば迷信めいた気持ちから、たといわずかなことであれ、たがいにだましあうようなことでもあったら、それこそふたりの愛の神聖をけがすものと考えていたからのことだった。

《誰かひとりを好きになれるかって？》と、ジャックはあやうく口にだして言いかけた。《たとえばぼくのダニエルにたいする友情といったようなもの？》だが、この例はごまかしのものにすぎなかった。というのは、その友情にしても、時の力に抗し得なかったものだったからだ。

「なるほどいままではできなかったろう」ジャックは、いささかぶっきらぼうなちょうしで告白した。そして、さらににがりきったちょうしでこうつけ加えた。「だからといって、これからもできないって言えるだろうか？」

「できないとは思わないわ」と、あわただしくジェンニーがつぶやいた。

ジャックは、彼女のがっかりしたようすに心を打たれた。彼は、感じやすい彼女にたいして、必要とする十二分な注意を怠ったことに気がついたが、それもいまは手おくれだった。彼は、何か言いそえようとして、ためらった。おりから女が次の皿を運んでくるのを見た彼は、あきらかに自分の乱暴な言葉のゆるしを求めるといったように、わずかに、なだめるような微笑を送ってみせた。

ジェンニーは、じっと彼を見まもっていた。ジャックが、こうして急に極端に移ること、それは何か危険なことででもあるように彼女の心をおびえさせた。だが同時に、それは自分でもなぜとわからず、うれしいものに思われてならなかった。おそらく、そこに自分の優越感、力とでもいったようなものが見いだせたとでもいうのだろうか？《この変人……》と、ジェンニーは何かしんみりした優越感をもって考えていた。いままで彼女の顔を曇らしていた影がさっと消えた。そして二日このかた彼女の全身をくつがえし、生まれ変わったものにさせていた心の中の幸福への確信が、ふたたび身うちにみなぎりわたるのが感じられた。

女が室を出て行くなり、ジャックはきっぱりしたちょうしでこう言った。

「きみの信頼もまだぐらついてるな……」

そうした言葉のちょうしには、なんの非難めいたものも見られなかった。そこにはただ、くやしいといった感じ、同時に悔恨といったようなものがあるだけだった。というのは、彼は、自分の過去における態度が、ジェンニーのあらゆる不信を正当づけるものであることを忘れなかったからのことだった。

ジェンニーは、すぐに彼の心のこだわりを見てとった。そして、あらゆるにがい思い出をはらいのけようとして、あわただしい口調でこう言った。

「それはわたし、信頼させられつけていないからのことなんだわ……いままで一度だって」（彼女は言葉をさがしていた。そして、かつてジャックの言った言葉がふと口に浮かんだ。）「心の落ちつきを知らなかったからなの。小さい時分から……わたし、そんなふうな女なのよ……」彼女は微笑してみせた。「でないにしても、少なくもそんなふうな女だったの……」そして、低い声で、目を伏せながらつけ加えた。「わたし、いままでに誰にもこんなことを打ちあけたことがなかった」そして、きわめて自然に、ちょっと料理場の戸口のほうへ目を投げたあとで、テーブル越しにジャックのほうへ両手をさし出した。きゃしゃな、あたたかな、むき出しのままの両手。そして、その手は震えていた。ジェンニーは、いま自分がすっかりジャックのものであることを感じていた。そして、もっともっと身をまかせ、彼の中に身を投げだし、溶けこんでしまうことだけしか考えなかった。

ジャックは、つぶやくようにこう言った。

「ぼくもきみとおんなじなんだ……ひとりぼっち、いつもひとりぼっち！　そして、いつも不安な気持ちだった！」

「知ってるわ」ジェンニーは、そっと手を引きながら言った。

「ある時は、自分はほかの人たちよりすぐれたものだと思ってもいた。そして、高ぶった気持ちに酔いしれていた。またある時は、自分がばかで、無学で、みにくい男のように思っていた。そして、身も世もあらぬ恥ずかしい気持ちになっていた……」

「わたしとすっかりおんなじだわ」

「いつも、よその人といったような気持ち……」

「わたしも」

「……ただ自分の風変わりなことを小たてにして……」

「わたしもだわ。そこから踏みだそうという望みも持たず、ほかの人とおんなじようになろうという望みも持たず……」

「それでいて、ある時期に、自分自身にぜんぜん絶望することがなかったのは」ジャックは、とつぜん感謝にあふれるようなちょうしで言葉をつづけた。「それはいったい誰のおかげだと思う？」

一瞬、ジェンニーは、おろかしくも、彼が《きみの》と言ってくれはしまいかと思った。だが、ジャックは言葉をつづけた。

「ダニエルだ！……ぼくたちの友情は、何よりもまず、たがいに信頼しあうということだった。ダニエルの愛、ダニエルの信、それがぼくを救ってくれた」

「わたしの場合も」と、ジェンニーはつぶやくように言った。「わたしの場合もまったくおんなじ！ わたし、ダニエル以外に、ひとりもお友だちがいなかったの」

ふたりは、たがいに、そしてたがいの口を借りて自分自身の心境を語りつづけながら、いつあきるともおぼえなかった。そして、食い入るような夢中な眼差しで、じっとたがいに目の奥までもと見すえていた。ふたりは、たがいがよくわかりあえたことの告白、ないしその決定的な証左とでもいったように、こちらの微笑に相手の微笑の答えてくれるのを待っていた。きわめてたのしい奇跡とでも言おうか、こうしてたがいが、相手の直観によってやすやすと見とおしてもらえ、ふたりともこれほどおなじ気持ちでいることのわかったというふしぎさ！ ふたりは、こうしたたがいの打ちあけ話がいつはてるとも考えられず、そして、いまのふたりにとって、こうしてたがいにしらべつづけていることこそ、この世にあって、これ以上たいせつなことがないといったように思われた。

「そうだ、ぼくが堕落しなかったのはまったくダニエルのおかげなんだ……それに兄きの」と、ジャックはちょっと考えたあとでつけ加えた。

ジェンニーの顔には、われにもあらず冷然とした表情がうかがわれた。ジャックは、すぐそれに気がついた。彼はちょっと狼狽して、目までで彼女に問いかけた。

「きみは、ぼくの兄きをよく知っている？」彼は、確信をもってアントワーヌをほめあげようと思いながらこうたずねた。

ジェンニーは、あやうく《わたし、あの人大きらい》と、言いかけた。だが、彼女は、こう言っただけだった。

「わたし、あのかたの目がきらい」

「目が？」

ジャックにいやな気持ちをさせずに、どういうふうに自分の気持ちを言いあらわしたらいいのだろう？　それでいて、ジェンニーは、何ひとつ隠しだてをしたくなかった。たとい、それがジャックにとってつらいことであったにせよ。

ジャックは、気にかかるようすで詰めよった。

「兄きの目の、どこがいけないんだろう？」

ジェンニーはちょっと考えていた。

「さあ……いいことと、よくないことの見わけのつかない、見わけができなくなったというような目……」

こうした奇妙な判定のまえに、ジャックはどう考えていいかわからなかった。彼はその時、かつてアントワーヌについてダニエルが言った言葉を思いだした。《ぼくが、なんできみの兄さんに引かされているかわかるかい？　彼の判断の奔放不羈《ふき》なところさ》ダニエルは、アントワーヌに、たといどんな問題であろうと、あらゆる道徳的関心をはなれ、平然として、まるで解剖材料でも見るような目でながめる力のあるのを賛嘆していた。ユグノー教徒の血を引いた彼にとっては、そうした考え方こそ、まさに少なからぬ魅力を持つものだった。

ジャックの目は、もっと明確な説明を求めたがっているようだった。だが、その目にたいして、ジェンニーの顔は、いかにも平静で、いかにも冷然としていた。彼はそれ以上、つっこんでたずねてみる気になれなかった。

《なぞの女だ》と、ジャックは思った。

桃色の上着をつけた女が、料理をさげに来てこうたずねた。

「チーズは？　くだものは？　フィルターつきのコーヒーは？」

「わたし、何もいらないわ」と、ジェンニーが言った。

「じゃあ、フィルターつきのコーヒーひとつ」

ふたりは、コーヒーの運ばれるのを待って、ふたたび自由に話しはじめた。ジャックは、こっそりジェンニーをながめていた。そして、いまさらのように、彼女の目の表情と顔の表情とがいかにちがっているか、またその目の表情が、若々しい、まるで未完成といったような顔の表情にくらべて、いかに《ふけて》いるかに気がついた。

ジャックは、わざとらしく身を乗りだした。

「きみの目を見せてほしい」彼は、検査のようなことをする申しわけとでもいったように微笑していた。「ぼくは、それを学びとりたいと思うんだ……とても澄んでるなあ……明るい青さ、冷たい青さ……それに、ひとみときたら！　ひっきりなしに形が変わる……じっとしていて！　とてもすてきだ」

ジェンニーもまた、彼をながめていた。だが微笑ひとつ浮かべず、いささか気だるいといったようすで。

「ほら」と、ジャックが言った。「きみがちょっと注意をこめると、青い虹彩が収縮する……そして、ひとみが、どんどん小さくなっていく……しまいに、小さな小さな一点になるほど。まるい、はっきりした、針の穴みたいになってしまうほど……きみの目の中には、なんというすばらしい意思がひそんでいるんだ！」

彼はふとジェンニーが、闘争のためのすばらしい片腕になってくれるだろうということを考えた。するととつぜん、いままでのあらゆる関心がふたたび心の中によみがえってきた。彼は、機械的に、時間をたしかめ、壁にかかった時計のほうをふり向いた。

ジェンニーは、彼の表情の暗くなったのに、とつぜんおびえたようにつぶやいた。

「何を考えていらっしゃるの？」

ジャックは、手つきもあらく、たれさがる髪をかきあげた。

「ああ！」彼は、われにもあらずこぶしを握りしめながら言った。「ぼくは考えるんだ。いまヨーロッパには、はっきり目のあいてる何百人かの人がいる。そして、ほかの人たちを救おうとしてあがいている。だが、救おうとしている人たちにはそれがわかってもらえずにいる！　じつにばかばかしい悲壮事だ！　あの眠りこんでいる大衆を、どうしたらゆすり起こしてやれるだろう？　手おくれにならないうち、うまく目をさましてやれるだろうか……」

ジャックは話しつづけていた。ジェンニーは、それに耳をかしているようなふうをしていた。だが、じつのところ、ジェンニーには、もはや彼の言葉など耳にはいらなかった。時計を見たときのジャックの一瞥に気がついて以来、彼女の注意はあらぬほうへ向けられていた。そして、胸のとどろきを、なんとしても圧しころすことができなかった。ジャックと別れてからの三日間！……彼女は、なんとしてでもジャックに見せたくないと思う胸の苦しみとたたかっていた。そして、この先まだ何分かのあいだ、生き生きとして自分のそばにいてもらえることのうれしさをひしひしと感じて、彼の表情のひとつひとつ、顔のあたりの緊張のひとつひとつ、まゆの動きのひとつひとつ、動いてやまぬ目のひらめきなどをたどるのに疲れて、まるで飛び散る火花につつまれたといったように、乱れほとばしる言葉と思想とに茫然自失し、何が話されているのか、あえてわかろうとさえ思わなかった。

ジャックはとつぜんこう言った。

「きみは聞いていないんだ！……」

ジェンニーは、まばたきをした。そして、さっと顔を赤らめた。

「ええ……」

そして、許しをねがうというように、やさしく手をさし出した。ジャックは、それをとって裏がえすと、手のひらのところにキスした。彼はたちまち、腕の筋肉の細かくふるえるのを感じた。そして、何か微妙な胸さわぎとともに――彼にとって、これがはじめての胸さわぎだった――その小さな手が、ただされるがままになっているかわりに、情熱的に、自分の唇にしっかり押しあてられているのに気がついた。

だが、すでに時はせまっていた。そして、彼には、まだ言わなければならないことが残っていた。

「ジェンニー、今夜すぐに、どうしてもきみに言っておかなければならないことがあるんだ……去年、おやじが死んだとき、ぼくは……遺産分配の話をことわっておいた……ぼくは、そうした金は、一文だって受けとるつもりがなかった……ところがきのう、ぼくは思いかえすことにした……」

ジャックはちょっと言葉を切った。ジェンニーは、おどろいたように身を起こした。そして、ジャックの頭に浮かんだ、はっきりしない、矛盾しあった考えにわれにもあらずおどろいて、その目を避けるようにした。

「ぼくは、その金全部を受けとって、それをインターナショナルの金庫におさめようと思っている。そして、反戦抗争のためにすぐつかってもらおうと思っている」

ジェンニーは、重い息をひとつついた。さっと血の色が頬を染めた。そして心に《なぜそんなことをわたしに言うのかしら？》と思った。

「みとめてくれるだろうね？」

ジェンニーは、本能的に頭をさげた。《みとめる》というその言葉、それに力を入れて言う意味がどこにあるのだろう？　さも彼の行動、それについての監督権が自分にゆだねられているとでもいったように。……ジェンニーは、あいまいではあるがうなずいてみせた。そして、臆したように目をあげた。その表情には、はっきり問いかけの意味が読みとられた。

「きょうまでのところ」と、ジャックはつづけた。「ぼくはずっと原稿を書いて暮らしてきた……最低限度の生活だった……だが、そんなことはどうでもいい。ぼくは、貧しい人たちの中で暮らしている。ぼくは彼らと変わりがない。それでいいんだ」

ジャックは長く長く息を吸った。そして、時を移さず、ちょっとしたたまの悪さから、ほとんどおこっているような口調で言った。

「もし、こうした……あじけない生活……それをきみが恐れないと言うなら……ぼくたちふたりにとってなんら恐れることがないんだ」

それは、ふたりの将来、ふたりがいっしょになってからの生活について、はじめて口にされた言葉だった。

ジェンニーは、またもや顔を伏せた。感動と希望とで、息がつまっていたのだった。

ジャックは、彼女が身を起こすのを待っていた。そして、幸福にかがやく彼女の顔を見るなり、ただひと言、

「ありがとう」

と、言った。

女が、勘定書を持ってきた。ジャックは、払いをすまして、時計のほうへ目をあげた。

「かれこれ二十分まえだ。きみを送って行くひまがない」

ジェンニーは、彼からうながされるまでもなく、立ちあがっていた。《行ってしまうんだ》と、彼

女は、胸のつまるような思いで考えた。《あしたはどこにいるのかしら？……三日……たまらないこの三日間》

ジャックが、ジャケットを着せかけると、彼女はくるりとふりかえった。そして、じっと真近でジャックの顔にながめ入った。

「ジャック……でも、あぶないことはないかしら？」そう言う声はふるえていた。

「何がさ？」ちょっと考えようとして、ジャックが聞きかえした。

彼の胸には、リチャードレーからの使命の言葉が思い浮かんだ。彼女に嘘はつきたくなかった。といって、心配させたくもなかった。彼は、心をとり直して、微笑してみせた。

「あぶないこと？……まさか」

ジェンニーのひとみには、ちらりと恐怖のかげが浮かんだ。だが、彼女は急にまぶたを伏せると、ほとんどすぐに、けなげなようすで自分も微笑してみせた。

《りっぱなもんだ》と、ジャックは思った。

ふたりは、言葉もかわさず、たがいによりそいながら、サンティエの地下鉄まで歩いていった。階段のおり口のところで、ジャックは立ちどまった。すでに一段おりかけていたジェンニーは、彼のほうをふり返った。時刻だった……ジャックは、両手をジェンニーの肩においた。

「では木曜に……おそくも金曜……」

ジャックは、ちぐはぐなようすで彼女をながめていた。彼は、あわやジェンニーに向かって《きみはぼくのものなんだ……もっといっしょにいよう。さあ、いっしょに来るんだ！≫と、言いかけていた。だが、群集のことを思い、さだめし一騒動あるにちがいないと思った彼は、口早に、低い声で、

「ではお帰り……さよなら」

と、言った。

その唇には、微笑ともつかず、といってキスともつかないかげがきざまれていた。そして、肩においた手をとつぜんひっこめると、しげしげ彼女をみつめたあとで、のがれるように別れていった。

四十七

まだほとんど昼間といっていいほどだった。空気は暑く、それにひと雨きそうなけはいがみなぎっていた。

大通りには、見なれぬ光景が展開されていた。店という店が鉄のよろい戸をおろしていた。あらかたどのカフェーも店をしめていた。店をあけているものも、その筋からの命令で、張り出しのところをすっかりかたづけてしまっていた。椅子やテーブルが即製のバリケードに使われないように、それに警官隊の突撃のじゃまにならないようにと思ってだった。やじ馬の群れが押し出していた。通る自

動車もだんだんまれになっていた。乗合自動車が何台か、クラクションを鳴らしながらまだ動いていた。

サン・マルタン通り、マジャンタ通り、それにC・G・Tの付近では、とりわけたいした人出だった。おおぜいの男女の群れが、ベルヴィルの山手のほうからおりてきていた。労働服姿の、あらゆる年齢の労働者たちは、パリや郊外のすみずみからわき出してきて、だんだん密集の度をます群れをつくっていた。ひっこんだところ、工事中の建築場、町かどなどには、警官隊が、警視庁のバスのまわりに黒くたむろし、いざといえばどこへでも出動できる態勢をととのえていた。ヴァンネードとミトエルクは、フォブール・デュ・タンプルの小さなカフェーでジャックを待っていた。

車の往来のとだえたレピュブリック広場には、せかせかした群集が、その場にくぎづけにされていた。ジャックと友人たちとは、『ユマニテ』の編集者たちのところへ行こうと思って、腕で押しわけながら、人波の中をわけて行こうとした。ジャックは、彼らが広場中央の共和記念碑の下に集まっていることを知っていた。だが、行進の先頭がつくられているその記念碑の下まで行くことは、もはやとうてい不可能だった。

たちまち、風のささやきをおもわせるそよぎが、人々の頭を波打たせせた。そして、それまで隠れていた五十旒《りゅう》ばかりの旗が、さっと人波の上に押し立てられた。さけび声を立てるでもなく、歌をうたうでもなく、まるでからだをうねらせる爬虫類とでもいうように、重く、地面にぴったりついて、行進は、ポルト・サン・マルタンのほうへ向かってゆらぎ出した。わずか数分のうちに、群集はまるで傾斜を見いだした溶岩の川のように、ブールヴァールの広い通りにいっぱいになり、たえず横手から流れこむ支流によって大きくなっていきながら、ゆっくり西へ向かって流れはじめた。

群集にはさまれ、暑さにあえぎながら、ジャック、ヴァンネード、ミトエルクの三人は、たがいに迷子になるまいとして並んで歩いていた。人波は三人を押し流し、重いざわめきの中に三人をおぼらせ、ちょっとどこかでとめられると思うと、ふたたび押しあげ、右や左に見物人が窓に鈴なりになっている暗い建物に三人を打ちあてた。夜になっていた。電灯が、こうしてうごめいてやまぬ混乱のうえに、おぼつかない、悲痛な光をそそいでいた。

《おお！》と、喜びと誇りとに酔いながらジャックが思った。《なんというすばらしいしるしだ！国民全部が、戦争反対のために立ちあがっている！　大衆は理解したんだ……大衆は、呼びかけに答えてくれた！……これをリュメルに見せてやったら！……」

これまでよりも長く立ちどまらされて、三人はジムナーズ座の柱廊のところにくぎづけにされていた。と、前のほうで叫喚の声がおこった。そこ、ポワソニエール通りの入口のところで、行進は何か障害に打ちあたったらしかった。

五分、十分。ジャックはじりじりしだした。

「行こう」と、彼はヴァンネードの手をとって言った。

ぶつぶつ言っているミトエルクの先に立って、ふたりは人ごみに割って入り、歯の立ちそうもない一団と見るとそのまわりを迂回し、稲妻形を描きながらも、たえず前へ前へと群集のあいだを縫っていった。

「デモ妨害だ!」と、誰かが言った。「愛国者連盟のやつらが四つ角にがんばって、行進をせきとめてるんだ!」

ジャックは、ヴァンネードの手を離し、ようすを見ようと一軒の店の飾窓のふちによじのぼった。旗は、フォブール・ポワソニエールのかどのところ、『マタン』社の赤い建物の下でとめられていた。双方の最前列は、たがいに罵声や叫喚の声をあげながらぶつかりあっていた。さわぎはそこだけに限られていたが、なかなか激烈をきわめていた。たがいに顔をつき出して威嚇しあい、げんこを固めて突きだしあっていた。小さな黒いかたまりになって群集の中にはまりこんでいた警官隊は、すぐさま現場に駆けつけた。だが、どうやらなすがままにまかせているらしかった。白旗が、合図とでもいったように打ち振られた。愛国者連盟の連中は、ラ・マルセイエーズを歌いはじめた。すると、よくそろった声がぐっとひろがり、やがてあらゆる響きをその力強いリズムで圧して、社会主義者たちのうたうインターナショナルがひびきわたった。とつぜん、ひとつの波が底から盛りあがり、うごめく群集をゆすりあげた。隣接した左右の町々からおどり出した警官隊は、監察官の指揮のもとに荒々しく人波の中に割って入り、四つ辻を奪還しようとした。たちまち騒ぎは高まった。歌は、いったんやんだと思うと、ふたたびつづけられた。そして、それを断ち切るように《ベルリンへ!》《フランス万歳》《戦争やめろ》の怒号がひびきわたった。警官隊は、混乱のまっただ中につっこんで、打ち返してくる平和主義者たちにつっかかっていった。警笛がけたたましくひびきわたった。何本もの腕が、そしてステッキが、振りあげられた。《犬め！　おかっ引き野郎！》ジャックは、ふたりの警官がひとりのデモ隊員の上におどりかかっていくのを見た。男は、しきりにあらそっていたが、警官たちは、やがて半殺しにされたその男を、町かどにあった護送車の中にほうりこんでしまった。

ジャックは、自分がそこからずっと離れたところにいるのを腹だたしく思った。家づたいに行ったら、あの四つ辻まで行けはしまいか？　だが、彼はおりよく自分の使命のこと、汽車のことを思いだした……きょうの自分は、けっして自分自身のからだではなかった。自分一個の衝動に身をまかせてはならない自分だ！

前方、大通りの上にずっしりとした響きが聞こえた。遠く、兜《カスク》のきらめくのが見えた。デモ隊員たちに立ち向かうため、速歩で馬を走らせてくる警官の一隊だった。

「つっこんでくるぞ！」

「逃げろ！」

ジャックのまわりでは、おびえた群集がひき返そうとしていた。だが、近づいて来る騎馬隊と、大きく尾をひいた行列とのあいだにはさまれ、行列によって反対に押し返され、ひっ返そうとしてもひっ返すことができずにいた。ジャックは、あらしにはたかれる岩上に立ちでもするように飾窓のふちに立ちながら、足下にわき立つ人波の渦によってたたき落とされないように、鉄のよろい戸にしっかりしがみついていた。目を放って仲間をさがしてみたが、どこへ行ったかわからなかった。《おれがどこにいるかを知ってるんだ》と、彼は思った。《来られるようなら、ここへやって来るにちがいない……》彼は、ぞっとしながらこう思った。《ジェンニーをつれて来ないでよかった……》

四つ辻のところでは、馬が足を鳴らしていた。徒歩の連中は、蹴散らされていた。気の狂ったような血ばしった顔や、傷をつけられたひたいが、人波のまにまに見えかくれしていた。

何事がおこったのだろう？　なんとも了解できなかった……いま、四つ辻の中央からすっかり追っ払われてしまっていた平和主義者の面々は、騎馬隊と警官との連絡行動の前にしりぞかざるを得なかったにちがいない。ステッキ、帽子、遺留品などの散らばった車道のまんなかを、銀モールをつけた警官や、たしかにその筋の者と思われる平服の男がおおぜいあるきまわっていた。そうした人たちの周囲には、警官の列はますますひろがり、その円をますます大きくさせていた。やがて、大通りの全部が、警官の手によって遮断されてしまった。

すると、まるで犬にひかがみをかみつかれた羊の群れが、しばらく乱れた足ぶみをしていてからくるりと向きを変えるのを思わせて、デモの連中は、うしろに向き直ったかと思うと、ストラスブールの大通り、セバストポールの大通りへと竜巻のようになだれこんだ。

「ドルオ広場に集合！」

《このままここにいてはあぶないぞ》と、ジャックは思った。（彼はふと、拘引されたとき、ジュネーヴの学生ジャン・セバスティアン・エベルレ名義の身分証明書しか持っていないことに気がついたのだった。)

ジャックは、オードヴィル町を抜けることができた。彼はためらっていた。ヴァンネードとミトエルクはどうしたろう? どうしたらいいのか? ドルオ町に駆けつけたものか? それとも、騒ぎの現場にもどってみようか? だが、もし自分がつかまえられたら? そうでなくとも、よせかえす人波にはさまれ、双方の騒ぎの渦に引きとめられて、いやでも汽車に乗りおくれることになりでもしたら? 何時だろう? 十一時まであと五分……賢明なのは、つらくはあっても、デモに背を向け、北停車場に近づく算段をすることだ。

ジャックはやがて、ラ・ファイエット広場、サン・ヴァンサン・ドゥ・ポール寺院の前に出た。そこにある小公園! ああ、ジェンニー……彼は、聖地巡礼とでもいった気持ちで、ふたりで腰かけたベンチのところまであがっていってみたいと思った。……だが、待機している警官の一隊が、そこの段のところをしめていた。

咽喉《のど》がかわいて死にそうだった。ジャックはそのとき、つい近く、フォブール・サン・ドゥニ町に、いつもダンケルク班の主義者たちの集まるバーのあったことを思いだした。汽車に乗るまで、そこに三十分ばかりいるだけの時間があった。

いつも闘士たちが落ちあうことになっている店裏の部屋には誰もいなかった。だが、カウンターのそば、党の古顔である亭主のまわりには、五、六人の客があつまって、はげしい小ぜりあいの行なわれた町の情報を語りあっていた。東部停車場を中心として、戦争反対のデモは徹底的に蹴散らされてしまった。そして、それはふたたび、C・G・Tの本部の前で集結していた。そこでは、あわや暴動に移ろうとするけはいがしめされ、ついに警官隊の突撃を必要としたのだった。その結果、負傷者の数はきわめて多数にのぼったということだった。その地区の警察は、拘引されたデモ隊員たちでいっぱいになっていた。大通りの秩序維持を指導していた自治警察局長は、ぐさと短刀の一撃を見舞われたとかいうことだった。パシー方面からやってきた客の語るところによれば、コンコルドの広場では、ストラスブールの像(アルザス県の首都ストラスブールをあらわした像)は三色旗(フランス国旗)でつつまれ、警官隊の保護のもとに五色の炎を燃やした若い愛国者たちの一団によって守られているということだった。他のひとり、騒ぎで破かれた上着をおかみに縫ってもらっていたごま塩ひげの老年の一労働者の言うところでは、大通りのデモのくずれの幾組かは、ふたたび取引所のところで集結し、赤旗をひろげ、《戦争反対!》をどなりながら、パレー・ブールボン(フランス下院)さして行進しつづけているということだった。

「戦争反対!……」と、カフェーの主人がつぶやくように言った。彼は、七〇年(普仏戦争)を見てきた男だった。そして、コンミューンの乱をも、経験してきた男だった。彼は、はげしく首を振って言った。

「《戦争反対!》なんか手おくれさ……まるで、目のまえにあらしがやってきているとき、《雨降り反対!》とどなり立ててるようなもんさ……」

目を細くしてタバコをふかしていた老人は、それを聞くといきり立った。

「亭主、手おくれなことがあるもんかい! 八時から九時にかけてのレピュブリックの広場を見せたかったぞ……ぎっしりの人出で――まるでいわしの大群だった！」

「ちょうどぼくも居合わせましたよ」と、ジャックは老人のほうへ身をよせながら言った。

「いたんだったら、おれの言うことに賛成するだろう。あんなことってこれまで見たことがありはしねえ。デモだったら、いままでいくつとなく見てきたおれだ！　フェレールの処刑に反対してわめき立てたときにもおれはいたんだ。十万人はいただろうな……ルッセを釈放しろと軍事監獄へ向かってわめき立てたときにもおれはいた。あのときもたしかに十万はいた……プレ・サン・ジェルヴェーで、三年兵役反対の気勢をあげたときにも、たしかに十万人以上いた……ところが今夜はどうだ！　三十万？　五十万？　百万？　誰にもわからないほどの人数だった。ベルヴィルからマドレーヌにかけて、まるで人の波だ。声をそろえて《平和万歳》のさけびだ。そうだ、諸君、こうしたデモなんて、おれはいままで見たことがない。ほんとうに！　いいあんばいに、警官は武器を持っていなかった。そうでなかったら、あのぶんでは、みぞが血の川になるとこだった！……今夜のごとき、あれでもっとしっかりやったら、共和制なんかぶっつぶれるとこだった！　絶好のしおを取り逃がした……レピュブリック広場で旗をかざして行進をはじめたとき、いいか亭主、あのとき誰かひとり高いところにあがってみろ、あの同勢をまるでひとりの人でも動かすように、いったいどこへひっぱってったと思う？　エリゼー宮（大統領官邸）だ。そして、革命をやってのけたにちがいねえんだ！」

ジャックは、愉快そうに笑っていた。

「それが延びたというだけですよ！　あしたのお楽しみというわけですよ！」

ジャックは、うれしさに胸おどらせながら停車場にやってきた。そして、なんの苦もなく、ベルリン行きの三等を買うことができた。

プラットホームに出ると、思いがけないことが待っていた。ヴァンネードとミトエルクがそこにいたのだ。出発時刻を知っていたふたりは、彼の手を握ろうとしてやってきていた。ヴァンネードは帽子をなくしていた。青白い顔をして、いかにもなさけなさそうなようすだった。それに反して、ミトエルクのほうは、まっかな、興奮した顔をして、両方のこぶしをポケットにつっこんでいた。彼は、つかまえられ、さんざんなぐられ、護送車のほうへつれて行かれたが、ごった返しを幸いに、いざというときうまく逃げ出すことができたのだった。彼はその話を、フランス語とドイツ語と半々で、つばの雨をふらせ、眼鏡の奥に大きな憤激の目を光らせながら話していた。

「長居は無用だ」と、ジャックは言った。「三人でいて、人目につくといけないからな」

ヴァンネードは、ジャックの手を握った。その盲人といったような顔のうえでは、色のうすい、長いまつげが神経質らしくまばたいていた。ヴァンネードは、なつかしそうな、さも嘆願するようなちょうしで、つぶやくようにこう言った。

「ボーチー、気をつけてね……」

ジャックは、心の動揺をかくそうとして、笑いながらこう言った。

「水曜日、ブリュッセルで!」

ちょうどその時刻、スポンティニ町の二階にある小さな客間の中で、アンヌはすっかり身じたくをすませ、すぐ出かけられるままの姿で、じっと目をすえ、受話器を顔のそばによせて立っていた。アントワーヌは、すでに明かりを消していた。新聞を全部読んでしまってから、ちょうど寝ようとしていたところだった。夕方、レオンがいつもナイト・テーブルの上におくことにしている電話の低いベルが、たちまち彼を起きあがらせた。

「トニー、あなた?」と、やさしい、はるかな声がつぶやくように聞こえた。

「え? どうしたんだ?」

「なんでもないの……」

「ではなかろう! 言ってごらん」と、アントワーヌは心配そうにたずねた。

「なんでもないの、ほんとうに……なんでもないのよ……ただお声が聞きたくなったの……もうおやすみになった?」

「ああ」

「寝てらしったの?」

「うん……いや、まだだったんだ……ちょうど寝ようとしていたところだ……で、ほんとかい、変わったことはなんにもなかった?」

女は笑った。

「なんにも……そんなに心配してくだすってうれしいわ……お声が聞きたかったのだって言ってるのに……おわかりにならない？　急に声を聞きたくなることのあるっていうのを？……」

ひじを立て、目にあたる光がまぶしく、髪を振りみだし、ふきげんなようすで、アントワーヌはじっとこらえていた。

「トニー……」

「なんだい？」

「なんでもない……トニー、わたしあなたが好き……今夜、いま、とてもとてもあたしのそばにいてほしいの……」

無限の沈黙を思わせる数秒が過ぎた。

「だって、アンヌ、ちゃんと話しておいたじゃないか……」

女は、一気にその言葉をさえぎった。

「ええ、ええ、わかっててよ、気にかけないでちょうだい……ではおやすみ！」

「おやすみ」

電話を先に切ったのはアントワーヌだった。女は、その音を、身うちにしみ入るように感じた。女は目をつぶると、ながいあいだ、さも奇跡を待つとでもいったように、電話に耳をつけていた。

「わたしって、ほんとにばかだわ」と、女は、ほとんど高く声にだして言った。

女は、常識の教えるところにさからって、男が《すぐあそこへこないか……ぼくも行くから》と言ってくれたらと思っていた。また、そう言ってくれるであろう確信さえ持っていた。

「ばか！……ばか！……ばか！……」と、女は、円テーブルの上に、ハンドバッグ、帽子、手袋をたたきつけながらくり返した。と、とつぜん、きわめてかんたんな、いままで気がつかなかった残忍なひとつの事実が思い浮かんだ。自分は、いても立ってもたまらないほどあの人を必要としている。しかし向こうでは、この自分を必要としてなぞいないのだ！

（続く）

解説

暗雲のもと、相寄る至純の魂

第一次世界大戦は一九一四年七月二十八日、オーストリアとセルビアのあいだに勃発する。この巻のはじめの日付は、その一週間前の七月二十一日となっている。そしてこの日から、一日一日と破局へと進むヨーロッパの情勢が、そして、それとともにあわただしく変化してゆくチボー家とフォンタナン家の人々の一瞬一瞬が、克明に辿られてゆく。

七月二十一日、ジャックはジュネーヴに帰る。しかし、腰をあたためるひまもなく、メネストレルに、アントワープとパリへの急行を命ぜられる。アントワープでは、ロシア人革命家のクニャブロウスキーと接触して、手紙を受けとること、パリではジョーレスの『ユマニテ』などフランス左翼の動向とフランス外務省の動きについて情報を集めること……アントワープで目的を果たしたジャックは、二十二日ただちにパリに向かう。

二十四日アントワーヌに電話したジャックは、ジェロームが二十三日の夜ついに死亡したことを知った。ジェロームの棺の安置された病院の霊安所を中心に、この値うちのない人間の死がなにか新しい出発をそそのかすとでもいうように、幾人かの人たちが不安定な未来にそれぞれの思いを託そうとする。

フォンタナン夫人は棺をまえにして、浮気者の夫の死により、自分が長い忍従生活から救われたという、ほっとした気持ちに身をまかせていた。しかし彼女は、自分の「本能的なエゴイズムの結果にしかすぎぬ」その浮きうきして楽しい気分を、霊的な恩寵によるものと解して、神に感謝していた。ここに、この女性の信仰にあやされた、不徹底で生ぬるい、物事の表面をしかかすめない知性がある。彼女は、夫の失敗の後始末をしにオーストリアへ行かねばならぬと思っており（それは精霊の命ずるところだから）、それればかりでなく、ウィーンで、ウィルヘルミーネというかつてのジェロームの女にも会う責任があると感じている。

喪服をつけたニコル・エッケがダニエルとつれだってやってきて、ノエミを堕落させて自分の少女時代を恥多いものとした、憎いジェロームの棺のまえに立った。かつてあのフォンタナン家の暗室で、ダニエルの誘惑を斥けたニコルは、いまは医師エッケとの夫婦生活になんの喜びも見出せなくなっている。すべての娘たちがそうであるように、ニコルも「まるでおとぎ話の中の生活ができでもするといったように」夢を抱いて結婚生活に入ったのだが、外科医としての仕事に明けくれる夫とのあいだに共通点が見出せず、希望を失ってしまった。アントワーヌが安楽死の注射をためらったあの子供の死も、彼女の生活を灰色なものとするに力があったのだろう。ヴァイオリンを習いはじめたというニコルの寂しい女の一生を、ダニエルはさすがにあわれなものと見やる。

喪服をとりに久しぶりでわが家に帰ったジェンニーは、ジェロームの自殺騒ぎを機にジャックと再会したことで、失われていたすべての希望が燃えあがるのを押さえかねていた。そう言えば、ジャックとの再会は、まだほんの四日まえのことでしかなかったのだ。「自分には誰ひとりうちあけて話のできる相手がいない……だが、おそらくあの人だけは……いつの日にか？……」彼女はひとり頬をほてらせる。いま彼女は、喜んで苦しみを受けようという気持ちになっていた……

病院を訪れたジャックは、ジェンニーが自宅にいることを知り、意を決して彼女のもとへとタクシーを飛ばす。

しかし、ジェンニーは家を出たあとだった。ほっとしたような、しかも身を切られるようにがっかりした気持ち

……病院にとってかえしたジャックは、そこでダニエルと出遇う。ダニエルは友を自分のアトリエに案内する。

ダニエルが見せるおなじような裸体画を前にして、ジャックは、心にヨーロッパのこと、戦争のことを思う。しかし「なによりたいせつなのは勉強……ほんものの見つかるまでやってゆくんだ……」というダニエルの真剣な芸術家根性はいつわりではなさそうだ。軍隊生活での禁忌が、もしくは何かのあわただしい予感が、彼を画家としてのつきつめた使命感にかりたてているのでもあろうか。芸術家は芸術によってこそ祖国につくし得る、という考えをもつダニエルには、少年時代あのように文学への情熱を語りあったジャックが、いま政治問題にあけくれているということが、「生まれながらの使命を裏切っている」としか思われない。「自分の運命を達成できなかった」人間の、うわべだけは勇ましく相手を見くだしている姿、としかいまのジャックの姿を見ないのである。ダニエルは「これきり行っちまうんじゃないだろうな？」と聞く。ジャックはそれにたいして、なんの表情も示さずに「行く」と答える。そして、ヨーロッパの情勢を知りすぎている彼の心のなかを、秋には除隊できると思いこんでいるダニエルが、じつは対ドイツ戦の第一線に立たされるために出発することになるかもしれぬ、という悲痛な予測が通りすぎる。ダニエルは父を葬ったら、パリの東部停車場《ガール・ドゥ・レスト》から連隊へと戻らなければならない。それは、独仏国境の方角へと列車の出発する駅なのだ。

オーストリアは七月二十三日、セルビアにたいして、四十八時間という期限つきの《最後通牒》をつきつけていた。

その十カ条の内容は、（一）反オーストリア的出版物の禁止、（二）結社ナロードナ・オドブラナの解散、（三）教育からの反オーストリア宣伝の除去、（四）反オーストリア的官吏の罷免、（五）セルビア国内での反オーストリア運動禁圧協議へのオーストリア代表の参加、（六）六月二十八日のオーストリア皇太子暗殺事件の犯人の裁判とこれへのオーストリア代表の参加、（七）共犯者の逮捕、（八）事件関係国境官吏の罷免、（九）セルビア高

級官吏の反オーストリア的言辞についての釈明、(十) 七月二十五日の回答期限、という、いかにも受けいれがたいものであった。

この短い期限には、セルビアの返答いかんにかかわらず、それを無視してすみやかに軍事行動に出るという、オーストリアの戦意がうかがわれた。この際ドイツは、もしロシアがセルビアを支援すればドイツも対抗上オーストリア支援に立ちあがらざるを得ないから、それはヨーロッパ全面戦争に発展するぞ、という威嚇の姿勢をとり、それによって戦争をオーストリアとセルビアだけの局地戦にとどめ、ドイツ自身が調停役を買ってでて、セルビアを犠牲に独墺が利をおさめるという腹であるらしく見えた。こうした状況のなかで、列強がそれぞれのおもわくから、あわただしく調停と牽制と威嚇の手段を模索する。しかし独墺の連携はかたいという様相はいなめない……

埋葬をすませたダニエルの出発を見送るために、ジャックは東部停車場へ行く。ダニエルもいまは、新聞を読んで、戦争の不安にとりつかれていた。しかしジャックはかえって、友を安心させるように、「戦争はおこるまい」と断言する。また実際に、彼は、社会主義勢力の結集が活発に行なわれていることを知っているだけに、各国政府の戦争行動はそれによって阻止されるという、インターナショナルへの期待を捨ててはいない。「きみには、労働者によるインターナショナルの現在の力がわかっていないと思う……すべてはまえからわかっていたんだ!……フランスで、ドイツで、ベルギーで、イタリアで……戦争をおこそうとしたが最後、たちまち全面的な反乱になるんだ!」と、インターナショナルへの信頼をもって、ダニエルを力づけて出発させようとする。ダニエルは絶望の眼差しで、急にジャックをかき抱いて、はじめてのキスをする。

もちろんジェンニーも、兄を見送りにきていた。しかしジャックもジェンニーも、こわばったあいさつをかわすことだけしかできない。ジャックはのがれるように駅を走りでる。

だがここで、この小説特有の「事件の結び目」といわれる「偶然」の一つが、ジャックの足をふたたび駅のホームへと戻らせる。貨物係が手押車をとりにきた、というだけの小さな偶然である。

ここからジェンニーとジャックの奇妙な追いかけっこがはじまる。恐怖にかられて逃げるジェンニー、いこじな興奮にかられて追うジャック。あのようにジャックとの再会で幸福にひたっていたジェンニーが、なぜいまさら、怒りとさげすみで瞳をひきつらせて、ひたすらに逃げるのか？　そして、ジェンニーから逃れることばかりを考えたあのジャックが、なぜいまは、急に狂ったように彼女を追いつめようとするのか？　姿をくらませたジャックへの、ジェンニーの怒りはよくわかる。それにしても、このよく似た猛だけしい恋人たちは、このようにしてしかその愛を表現することができないのか。しかし、追いすがるジャックの「ジェンニー……ゆるして……」という思いがけない言葉に、気が遠くなりそうになったジェンニーは、立ちどまって、目をつぶったまま動けなくなる。幸福のいぶきが、彼女ののどをしめあげる。しかし、自信をとり戻したジャックを見ると、すぐに彼女は侮蔑と冷淡さを示す……。この追跡劇ほど、純粋で激烈な、この内攻型の恋人たちにふさわしい愛の仕ぐさはないと思われる。

この場面は、あのジャックとジゼールの決裂の場面と好対照をなす。そして二つの場面を比較してみると、やはりジャックにふさわしい愛の対象は、ジゼールではなくて、ジェンニーでなければならなかったことがよくわかる。そのジゼールにたいするかつての愛までをも、ジャックはジェンニーに打ちあける。するとジェンニーは、その誠実さに大きな感動をおぼえるのである。またジャックが自分の不可解な態度を、ジェンニーの冷たさのせいだと恨みがましくなじると、彼女はその通りだと思う。

ジェンニーはついに、はげしい恐怖と感動のうちに、彼の愛を受け入れる。しかしふたりはただ手を握りしめるだけで、あすの逢う瀬を約束して別れる。ジェンニーの車が走りだすやいなや、《戦争》がジャックにむずと襲いかかってくる。「戦争じゃない！　革命だ！」全生涯をかけようとする恋のため、彼にはいつにもまして、正義と清純の新しい世界が必要と思われてくるのである。

ロシアはオーストリアに通牒の回答期限延長を求めた。時を稼ぐためである。しかし、これをオーストリアは受けいれなかった。セルビアは事態を憂慮するイギリスの勧告をうけて、ほとんど全面的に通牒の内容を受諾するという屈服の態度にでたが、犯罪審理へのオーストリア側の参加だけは、憲法などに違反するので拒絶することになった。この保留事項はオーストリアの待っていたもので、オーストリアは回答全部を拒否し、公使館全員の即時セルビアからの退去を通告してきた。念のために動員準備をしてあったセルビアの国王ペタール一世は、二十五日動員令に署名した。そして政府機関は急遽ベルグラードを引きあげて、南方のクラグレヴァッツに移った。ここに、両国の国交は断絶を見るのである。

こうした切迫した事態のなかで、ヨーロッパ各国のプロレタリアの抵抗運動が盛りあがってきた。パリでは労働総同盟が大々的な示威運動の計画をたて、「あらゆる宣戦の場合にたいして、労働者は即刻革命的ゼネストによって対抗せよ」と呼びかけていた。インターナショナルはその週、ブリュッセルにヨーロッパじゅうの指導者たちを緊急召集するはずである。ドイツにおいても、社会民主党が二十八日を期して、ベルリンで大々的な集会を催そうとしており、オーストリアにおいてさえ、社会党が全労働者の名において平和的交渉を要求していた。

オーストリア・セルビア間の局地解決という考えを、ジャックは信用できない。ロシアがこの勢力伸張の好機をのがすはずがなく、セルビア側に立って軍事行動に出るだろう。ロシアの動員は、同盟条約の自動的発動として、ヨーロッパ全土の戦争へとつながる……ジャックの考えは、局地紛争としての解決ではなく、ヨーロッパ全部の外交問題として事態をとりあげさせるべきだ、ということである。

ジョーレスの地方の大会での演説の模様が、同志カディウによって報告されるが、その内容は情勢の最も妥当な要約とみることができるであろう。この左翼の大政治家であり、優れた学者でもあったジョーレスは実在の人物である。一八五九年南フランスに生まれたジャン・レオン・ジョーレスは、エコル・ノルマルを出て大学教授となり、二十六歳で代議士となって政界に出たり、落選して研究生活に戻って学位を得たりしたが、九三年労働運動の盛りあがりを前に、社会主義者として再選され、ドレフュス事件ではドレフュス擁護派として活躍し、フランスの社会主義政党を統合することにつくして、一九〇一年に分裂した社会党の一翼にフランス社会党を結成し、一九〇四年には統一社会党を結成して、その幹部のひとりとなった。一九〇四年には《ユマニテ》社をおこして、言論活動で重きをなすにいたったが、その思想は、マルクス主義の影響を受けながらも、改良主義的傾向を強くし、資本主義制度内における社会主義的変革を理想として、絶対平和主義、正義と自由を理想とするヒューマニズムにのっとって、反教権、反戦、反植民地政策、反労働階級圧迫に徹するものであった。プロレタリアの反抗的運動を支持したが、彼は急進的なプロレタリア独裁主義者ではなくて、労働階級の力を増大せしめて、民主主義国家のなかで社会改革を実現しようとするものであった。

以上をみてもわかる通り、このジョーレスこそは、ジャック・チボーの体質と理想に完全に合致する大指導者だったのである。パリにくるとジャックは、ジョーレスの《ユマニテ》社に顔を出して、フランス左翼の情報に接しようとする。

ここで、作者マルタン・デュ・ガールの小説作法の一つの特徴について一瞥しておく必要がある。それは次の二つの点である。その一つは、この小説家が小説作品という虚構のなかに実在の人物を登場させ、これと小説主人公とに関係をもたせるという手法であり、他の一つは、小説主人公に、現実の歴史のなかでその歴史を動かすほどの重要な役割をおわせて、虚構と現実とを一体化させるという、大胆な手法のことである。しかもこの際の歴史的現実なるものが、いかに完全な考証をへた正確なものであるかは、いまわれわれが読んでいる『一九一四年夏』という巻のヨーロッパ情勢推移の記述をみれば、瞭然たるものであろう。そしてマルタン・デュ・ガールの場合、その歴史的事実と虚構との有機的一体化が、寸分の齟齬《そご》をもきたすことはないのである。

第一の手法については、ここにジャン・ジョーレスの例があるわけだが、若い頃のドレフュス事件を扱った傑作小説『ジャン・バロワ』でも、ドレフュス事件に関係ある重要な実在の人物、エミール・ゾラなどが登場して、虚構の主人公バロワと交差する。また第二の手法として、この『ジャン・バロワ』を読む人は、あのドレフュス裁判という歴史的事実の中心人物はジャン・バロワその人ではなかったか、という錯覚をおこしてしまうのである。もちろんバロワは虚構の人物なのだが。これは、第二の手法の好例といってもよいものであろう。この大胆な手法を可能ならしめているのは、作者の歴史考証の完璧さによる現実感、ということと、そして作者の周到な構成と、そのおそるべき筆力というものであることは言うまでもない。(この作者における正確無比の歴史は、たんなる歴史の再構成ではなくて、歴史の再創造だったのである。私たちはやがて次巻で、ジャック・チボーのなした行為が、もう少しのところで世界大戦を阻止できたかもしれぬものに係わっていた、という驚くべき場面に接することであろう。)

ジャックはアントワーヌに、たとえフランスで総動員令が発令されても、ぜったいそれに服するつもりのないことを告げる。彼はもちろん、インターナショナルの理想にしたがう反戦家としての理想を貫く決意である。そのために、一度は拒否していた遺産の分けまえを兄からもらって、それをインターナショナルの金庫にそっくり寄付しようと思いつく。

七月二十六日。アントワーヌの客間で、ジャックをふくめた幾人かの人々がさまざまの意見を述べる。ジャックがドイツのインターナショナリズムへの信頼を口にすると、アントワーヌの恩師フィリップ博士は、ジョーレスが戦争防止にあたって一般大衆の力を当てにしていることを批判し、「好戦的、闘争的におもむく民衆運動というものはわかる……だが、平和維持に必要な反省と意思と節度とをもった民衆運動、そうしたものがはたして考えられるものでしょうかな？」と辛辣な意見を述べる。そして「科学的な明知のうえに立つとしたら、おそらく破壊の本能こそ自然の本能だと考えなければならないかもしれません」という。そういえば、アントワーヌの助手で国家主義者のロワは、「男性的な精力、危険を好む精神、義務の自覚や滅私奉公、集団的、英雄的行動のためにする個人意思の放棄」こそが、若いしっかりした青年にとっての魅力だと主張し、戦争は、若い世代にとって「ひとつの豪勢なスポーツ」だとうそぶいていたのだった。フィリップ博士の「破壊の本能」という人間本性への不信感と、それに加えて、「近代の戦争は、ふたり三人の政治家にして、もし常識と平和への単なる意思さえ持っていたとしたら、すべてわけなく避け得られたものなのでした……大部分の場合、交戦国は、双方とも、相手かたの意図の見あやまりにもとづく、意味のない猜疑心と恐怖にかられたきらいがあります……」というペシミスティックな戦争不必然性論には、一つの重大な暗示が含まれていると見なければならない。

外交官のリュメルは一同のまえでは、楽観論を唱えていたが、注射のためにアントワーヌとふたりきりになると、「すでにいたるところで戦争準備がなされている」と絶望的な本心をあかすのだった。ここでリュメルがアントワーヌに伝える情報は、彼が外務省のなかで直接得ていたもので、各国の動員準備についての真相が報告されていると考えてよい。リュメルはその情況を総括して、「おどろくべきことは、そうしたまことしやかな見かけにもかかわらず、事実はおそらくばくちのようなものにすぎないという一事なんだ！　いまヨーロッパに行なわれているのは、おそらくとほうもない大がかりなポーカー勝負だ……」と言うのである。

リュメルの話を聞いているアントワーヌに、アンヌ・ドゥ・バタンクールからまた誘いの電話がかかる。アントワーヌは「こうした際に……」と断わりの返事をすると、アンヌは「どうした際？」と聞きかえし、政治問題などで自分に会うまいとしているアントワーヌの心がわからなくなる。アントワーヌはもはや、かつての呑気な意識から脱しかけている。愛欲だけに生きるアンヌは、急速に、彼にとって遠い人間となってゆきつつあるのだ……世界の不穏な動きが、ひとりひとりの運命をそのなかに捲きこんでゆこうとしている……

ジャックは心をはずませて、ジェンニーに逢いにゆく。フォンタナン夫人はウィーンへ行って留守なのだが、よりにもよってこの時期にウィーンとは！　とジャックはおどろき、「ウィーンがあすにも戒厳令下におかれることをごぞんじなかったのかしら？」といぶかる。

ジェンニーはジャックの繊細で誠実な自分への対しかたに感激し、いまは「自分をとじこめていたしきりがぐっと取りのけられ、思いもよらぬ地平線が見わたされる」思いをする。ジャックも、心には新しい自信が生まれ、得意にあふれるのだった。それは、ふたりの恋が単にたぐいまれな貴いものたるにとどまらず、「ほかに類のない、いまだかつて例のなかったできごとである」と思われるからである。そしてジャックは、愛で一体化できたと思えるジェンニーに、「自分がいま、戦争の脅威をまえにしてやっている闘争の意味をわからせてやろう」という欲望にかられる。ジェンニーはそれを、ひと言も聞きもらすまいと耳をかたむける。自分の恋を正しいものと思うためにも、彼女はジャックの目的が高邁なものであると思いたかった。そしてまた、プロテスタントとしての彼女の精神は、カトリックの公式主義的思考習慣とは異なって、人間が自己の個性を発揚し、自己の良心の命ずる行為に従うことが正しいとみる、融通性を具えていたのである。

ジャックが長ながと語りきかすブルジョワ資本主義社会の弊害や人間の尊厳についての話は、愛を確認しあったばかりの恋人どうしの会話にふさわしいものとはとても思えない。ジャックとジェンニーは、どうしていつもこうなってしまうのだろう？　かつて『美しい季節』でふたりが散歩をしながら、若い男女のそぞろ歩きにまったくふさわしくない話ばかりをしていたことが思い出される。あの時は「死」についての話だった。そしていまは、「革命」の話である。ジャック自身も急に、会話が思いがけないきびしいものになっていることに気がつく。

しかしジェンニーは、「いいえ、あなたの生活が知りたいの……わかりたいの！」と言い、「そうやって打ちあけてくださるあなた……それがあなたの愛情のいちばんりっぱなしるしなんだわ。わたしにとって、それが何よりうれしいのよ！」と心につぶやくのである。

私たちはこの場の長たらしいジャックの演説を、この場面にふさわしくないものとだけ理解してはならない。これは重要な二つのことを顕わしているのだから。その一つは、ジャックとジェンニーという至純な二つの魂がとらざるを得ない独特な愛のありかた、という真実であり、もう一つはさらに重要なものとして、これが最終巻『エピローグ』における、ジャックの遺児を抱えた母親ジェンニーの精神を理解するための、重要な伏線となる彼女自身の心の革命、ということである。ジェンニーはジャックの革命論を、全身の愛もて理解しようとしている。このように理解されたものは、その愛の補強をうけて、熾烈なものとして彼女の身中に植えつけられるのに違いない。ジェンニーへの啓示となるこの会話の場面を理解しなければ、『エピローグ』のジェンニー、ジャックを性転換したような反抗的ジェンニーを理解することはできないであろう。ふたりはいくど逢っても、その愛の仕ぐさは手を触れること以上に進まない。

同志のヴァンネードがパリに出てきて、メネストレルからのジャックへの秘密指令と偽名の身分証明書を手渡した。指令は「二十八日火曜日、ベルリンにいること……」となっている。「いよいよだ……役に立つこと……行動だ！」とジャックの心は緊張する。ジャックにはまだ指令の内容がよくわからないが、もしその内容までがわかったら腰をぬかすほど重大な計画に、彼は知らずして荷担させられることになっていたのであった……

店村新次

本書は2008年刊行の『チボー家の人々　9』第10刷をもとにオンデマンド印刷・製本で製作されています。

訳者：
山内義雄
(1894〜1973)
1950年「チボー家の人々」により芸術院賞受賞
訳書マルタン・デュ・ガール「ジャン・バロワ」
「チボー家のジャック」他多数

解説者：
店村新次（たなむら　しんじ）
(1919〜1991)
同志社大学名誉教授，文学博士
主著「ロジェ・マルタン・デュ・ガール研究」

白水uブックス　46

チボー家の人々　9　一九一四年夏（II）

訳　者©山内義雄《やまのうちよしお》
発行者　岩堀雅己
発行所　株式会社白水社
東京都千代田区神田小川町 3-24
振替　00190-5-33228　〒101-0052
電話（03）3291-7811（営業部）
（03）3291-7821（編集部）
www.hakusuisha.co.jp

1984年 3 月 20 日第 1 刷発行
2023年 9 月 15 日第 19 刷発行
表紙印刷　クリエイティブ弥那
印刷・製本　大日本印刷株式会社
Printed in Japan

ISBN978-4-560-07046-8

乱丁・落丁本は送料小社負担にてお取り替えいたします。

Roger Martin Du Gard: *Les THIBAULT*